YAYIN HAKLARI	© RIZA KIRAÇ ALTIN KİTAPLAR YAYINEVİ VE TİCARET A.Ş.
KAPAK	GÜLHAN TAŞLI
KAPAK FOTOĞRAFI	ERDOĞAN ÇAKMAK
BASKI	1. BASIM / OCAK 2009 AKDENİZ YAYINCILIK A.Ş. Göztepe Mah. Kazım Karabekir Cad. No: 32 Mahmutbey - Bağcılar / İstanbul

ISBN 978 - 975 - 21 - 1038 - 0

ALTIN KİTAPLAR YAYINEVİ
Göztepe Mah. Kazım Karabekir Cad.
No: 32 Mahmutbey - Bağcılar / İstanbul

Tel: 0.212.446 38 86 / 446 38 87
         0.212.446 38 88

Faks: 0.212.446 38 90

http://www.altinkitaplar.com.tr
info@altinkitaplar.com.tr

Bu kitap daha önce Doğan Kitap tarafından yayınlanmıştır.

RIZA KIRAÇ

Senin İçin Değil

ALTIN
KİTAPLAR

Yazarın Yayınevimizden Çıkan Diğer Kitabı

NAMAHREM

Cefalı'ya, Gâvur Ali'ye ve hakkını ödeyemeyeceğim
Arif Çuhadar'a sevgiyle...

YAZAR ÜZERİNE

1970 yılında İstanbul, Çeliktepe'de doğdu. İlk, orta ve lise eğitimini İstanbul'da tamamladı. Dokuz Eylül ve Marmara Üniversitesi, Güzel Sanatlar Fakültesi'nde sinema eğitimi gördü.

Belgesel, reklam ve televizyon programlarında yönetmen asistanlığı, metin yazarlığı, yönetmenlik yaptı. Kısa film ve belgeselleri çeşitli ulusal ve uluslararası festivallerde gösterildi.

1997 yılında başladığı sinema yazılarına dergi ve gazetelerde devam ediyor. Çeşitli edebiyat dergileri ve ortak kitaplarda öyküleri yayınlanan Rıza Kıraç'ın ilk romanı *Cin Treni,* 2000 yılında Gendaş Yayınları tarafından yayınlandı. Doğan Kitap tarafından, 2004 yılında ikinci romanı *Senin İçin Değil* ve *Komşumun Uzun Kızıl Saçlı Sevgilisi* adlı öykü kitabı, 2005 yılında *Düşmüş Erkekler Masalı* adlı üçüncü romanı, 2006 Mart ayında ise *Araf'ta Bir Melek* adlı öykü kitabı okura sunuldu.

2008 yılında, Türkiye sineması üzerine eleştiri kitabı *Film İcabı,* Hulki Aktunç'la yaptığı, *Yoldaşım 40 Yıl* adlı söyleşiyi ve Türkiye sinemasının en önemli yapımcılarından Hürrem Erman'ın biyografisi, *Hürrem Erman, İzlenmemiş Bir Yeşilçam Filmi* adlı kitapları yayımlandı.

Aslında, tek başına gerçek,
herhangi bir kurgudan
daha dramatik, daha simgesel,
daha öğreticidir.

Alain

Ey bana sevmeme gücü veren güzellik
Edip Cansever

"Ona dedim ki, benim küçük hikâyelerim var, ne zaman başım sıkışsa kendime onlardan birini anlatırım. Bir zamanlar, hiç kimseye o hikâyelerden tek kelime bile etmeden, günlerce kendime hikâye anlatarak ayakta kalabileceğimi sanıyordum, çocukluk işte! Yine de bugünkü direncimi kendi kendime anlattığım hikâyelere borçluyum; bazıları bir bardak çay içimi uzunluktaydı, bazıları günler geceler boyu sürerdi, bazılarını da bıkmadan usanmadan kendime anlatmama rağmen hâlâ bitiremedim. Bitmez onlar, kaynağı kurumadı, kuruyacak gibi de gözükmüyor ama yoruldum. Bu garip ruh yorgunluğu olmasa kâğıda kaleme sarılıp yeniyetme bir yazar heyecanıyla gece gündüz bu hikâyeleri yazacağım. Ne zaman yapabilirim bunu bilmiyorum. Kendime hikâyeler anlatıp duruyorum; bir çocuk varmış diyorum mesela, küçük bir kasabada yaşıyormuş, yoksa köy mü, ikisinin arasında bir yer, rüyalarına büyük şehirler girermiş, büyük binalar, otomobiller, büyük kitapçılar, kütüphaneler, engin denizler, yolları koca ağaçlarla çevrili büyük şehirler... Anlatırken inanasım geliyor benim de halbuki daha hikâye bitmeden, söze döktüklerimin gerçekliği kayboluyor. Yoğun bir yoksulluk mu desem, yoksunluk mu desem, işte onun gibi bir şey; belki yılgınlık, evet öyle bir şey, yılgınlık içine düşüyorum, eskilerin deyimiyle büyük bir yeise kapılıyorum, halbuki hikâye anlatmaya başladığımda her şey ne kadar güzel oluyor, onlarca insandan bir insan yaratıyorum, yeni bir köy, kasaba, şehir kuruyorum, içi baştan başa hayat dolu. Sonra ne oluyor anlamıyorum; hikâye kendisini mi bitiriyor, yoksa benim mi gücüm yetmiyor vurucu bir sonla hikâyeyi bağlamaya...

O, orada kalıyor. Şöyle mırıldanıyorum o zaman: Sen hikâyeyi anlatmasan da o orada yaşamaya devam ediyor, orada o insanlar senin iraden dışında hayatlarını sürdürüyor, senin beceriksizliğin onların hayatlarının sona ermesi anlamına gelmez. İyi de, diye soruyorum kendime, onları ben yaratmadım mı, onları hayata ben dahil etmedim mi?

Hikâye anlatan sesim diyor ki: Sen kendini ne sanıyorsun, onlar zaten oradaydı, sen gördün, tanık oldun, duydun ya da uydurdun ama her koşulda onlar orada, kendilerini var eden bir enerjiye sahipler, senin gibi aciz değiller.

Gerçekten böyle mi? Hikâye anlatamayınca, hikâyeye sözümü geçiremeyince aciz mi oluyorum? Bugüne dek kendime hikâye anlatmam güçsüzlüğümü, acizliğimi gizlemek için mi? Yoksa zaten böyle mi olması gerekiyor? Yaşadığı yalnızlığı örtbas etmek için herkes kendi kendine hikâyeler anlatıyor da ben mi farkında değilim?

Öyle bir gün gelecek ki herkes başkalarının hikâyelerini kendi hikâyesiymiş gibi anlatacak, herkes yaşadıklarından nasıl sorumluysa, anlattığı hikâyeden de sorumlu olacak. Belki o gün gelmiştir de biz farkına varmamışızdır. Usumun sayfalarına yazdığım bu düşünceler daha mürekkebi kurumadan hükmünü yitiriyor gibi bu işi beceremeyeceğimi, sözcüklerin soyut dünyasındaki ses kırıntılarını hayata dahil edemeyeceğimi en başından biliyor olmam lazımdı. Bildiğim başka bir şey daha var: Yaptığım şeyi anlamlı kılmanın bir yolu da, o işi yaparken soru sormak. Niye soruyorum bunca soruyu, hikâye anlatmaktan kaçmak için mi, yoksa bu işgüzarlığa bir kılıf uydurmak için mi, belki ikisi de ama hangisi ağır basıyor bilmiyorum.

Senin İçin Değil

Sabahın erken saatinde ayakaltı bir çay bahçesinde bu sorularla başa çıkmaya çalışırken bir yandan da çay içiyordum. Karşı masadaki esmer güzeli kadın, parmaklarını saçlarında dolaştırırken, önündeki gazeteyi karıştırıyordu. Okumuyordu, karıştırıyordu. O günlerde hep aynı hikâyeyi anlatıyordum, içimi sıkan, bulunduğum mekândan beni soyutlayan, seslere, kokulara, dokulara, nesnelerin biçimlerine, renklerine, kelimelerin bütün anlamlarına yabancılaştıran garip bir ruh haliyle yaşıyordum.

On yıl olmuştu, aynı hikâyeyi anlatalı on yıl olmuştu; o on yıl boyunca hep aynı hikâyeyi, aynı insanı, aynı sokakları, odaları, kitapları, ilişkileri, yalnızlıkları durmadan geliştirerek, durmadan yeni seslere, şekillere, biçimlere sokarak anlatıp duruyordum; yazmak aklıma hiç gelmiyordu.

Sonra o kadına baktım, gözlerini gazeteden bir an kaldırdı, bana baktı, kısacık bir an, ben buradaydım, o oradaydı, o kadar ama o kadar, sonra yeniden gazetesine döndü, beni gördüğünü sanmıyorum; oysa ben buradayım, hikâyem var, beni dinler misiniz, size bir hikâye anlatmak istiyorum, demek isterdim, diyemedim.

Burada olduğumu kanıtlamam gerekiyordu; soğuk kış gecelerinde sac sobanın üzerinde kaynayan çaydanlığı, o uzun yolculuğun sonunda çekilen işkenceyi, kitapların, sayfalarca okunan kitapların satırları arasındaki hayat iksirini, hiçbir oyuna, şaşırtmacaya, alavereye dalavereye başvurmadan anlatmam gerekiyordu. Büyük şehrin küçük korkularını, hayatı her geçen gün biraz daha çekilmez kılan yalnızlığı, daha da önemlisi hikâyemi anlatmam gerekiyordu; ben buradayım, zaten buradaydım demem gerekiyordu.

Az ötemde deniz vardı, öylesine kendi halinde, duru bir güzellik ki sanki beni yutmadan, ıslatmadan üzerinde taşımaya niyetliymiş gibi duruyordu. Karşı kıyı çok yakın gözüküyordu, yürüyerek on dakikada ora-

11

da olabilirdim, deniz, kutsal insanlara gösterdiği ayrıcalığı bana gösterebilir, üzerinde yürümeme izin verebilirdi. Ben de karşı kıyıya yürüyene kadar yeni bir hikâye anlatabilirdim. Kıyıya iyice yaklaştım, sonra birkaç metre ötemde küçük helezonlar oluşturan akıntıların kendi aralarındaki fısıldaşmalarını duydum, duymazdan gelemezdim... git arkadaşım, sana yol vermeye niyetimiz yok, diyorlardı.

Gülümsedim, öyle olsun dedim, ben de otobüs durağına gidene kadar bir hikâye, otobüsten indikten sonra başka bir hikâye anlatırım kendi kendime dedim.

Denize arkamı döndüm, onların orada olduğunu biliyordum, fısıldaşmalarını artık eskisi kadar net duyamıyordum ama oradaydılar. Sonra o gazete karıştıran kadının bana baktığını fark ettim, yanına gitmek istedim, olmadı, yapamadım. Hikâyemi dinlemek isteyeceğinden emin değildim, sonra belki karşılaşırız, ona hikâyemi anlatmanın bir yolunu bulurum, diye geçirdim içimden. Bütün bu düşündüklerimden onun haberi yoktu.

Gözlerini benden kaçırdı, parmaklarıyla saçlarını kulağının arkasına sıkıştırmaya çalıştı ama küçük, zararsız bir esinti onları uçuşturuyordu, gülümsedim, o parmaklarıyla yeniden saçlarını kavradı, gülümsedim, o esinti yeniden kadının saçlarını dağıttı, gülümsedi.

Bütün cesaretimi toplayıp yanına gittim kadının, az önce aklımdan geçen her şeyi ama her şeyi unutmaya hazırdım, bana baktı, bir şey söylemem gerekiyordu.

Ona dedim ki, benim küçük hikâyelerim var, ne zaman başım sıkışsa kendime onlardan birini anlatırım."

Birinci Bölüm

Sessiz

*Öyküler ancak onları
anlatacak olanların başından geçer.*

Paul Auster

1

Kış akşamları, üzerinde daima fokurdayan çaydanlığın durduğu sac sobaya uzun yoldan gelmiş bir yabancı gibi sokulur, ellerini bacaklarının arasında birleştirip sırtını kireçli duvara yaslar, annesinin dingin bir su gibi mırıldandığı manileri dinler, uzun siyah kirpiklerine uyku düşene kadar, iki dudak arasından çıkan her uyağı aklında tutmaya çalışırdı. Uzun manilere sıra geldiğinde minderin üstündeki defterle kaleme sarılır, defterin arka sayfalarına eciş bücüş harflerle annesinin dudaklarından dökülen o sihirli, bilge aşk sözcüklerini kurşunkalemle işlerdi.

Annesi şöyle derdi: "Oya gibi yazmışsın Faik, aferin sana."

Oğlunun deftere şifrelediği işaretlerden hiçbir şey anlamazdı, ama biliyordu ki, o küçük parmaklar güzel sözleri çiziyordu defterin çizgili sayfalarına. Arada bir, daha önce söylediği manileri, tekerlemeleri defterden okutur, oğlu yanlış okuduğunda hemen doğrusunu söyler, onun yanlışını düzeltirdi.

Kadın ince, küçük çenesinin üstündeki dudaklarında kış akşamlarının soğuğunun bile engelleyemediği bir gülümseme taşırdı. Sadece kocası uzun yola çıktığı akşamlar dudakları gerilir, küçük burnu ıslanır, gizli gizli ağladığı için gözlerinin altı morarır, ince, küçük çenesinin

15

üzerindeki gülümseme kaybolurdu. Kocasının yola çıkma vakti yaklaştıkça evdeki sessizlik büyür, karıkoca, altında ezildikleri sükût içinde hazırlıkları tamamlar, gecenin geç saatlerine kadar oturup, Kör Arif'in, katırıyla avlunun kapısından içeri girmesini beklerlerdi. Nereye gideceğini hiçbir zaman sormazdı kocasına, sadece beklerlerdi; kocasının gidişini izler, dönüşünü beklerdi.

Kadının kadın olduğunu, erkeğin erkek olduğunu hissettiği anlar ayrılık anlarıydı.

Kadın ellerini etekliğinde birleştirir, kulağını dışarıdaki gürültülere verirdi. Faik, her zamanki gibi sobanın yanına kıvrılıp ellerini bacaklarının arasına sıkıştırır, duvara yasladığı sırtının üşümesine aldırmaz, kımıldamadan beklerdi. Minderine bağdaş kurup tütün saran babasının maharetli parmakları arasında dönen kâğıdın ince sesini, dilinin usulca kâğıdı ıslatmasını, yuvarlanan tütünün kâğıda sıkışıp yeni şekliyle ateşlenmesini izler, sonunu bildiği bu ayini her defasında ilk kez izliyormuş gibi heyecanlanırdı.

Çıplak ampulün çiğ aydınlığında mindere oturan babası arada derin derin iç çeker, sararmış parmak uçları arasındaki tütünün külünü önündeki biçimsiz, çirkin, soğuk demir küllüğe silkeler, olduğu yerde şöyle bir kımıldanıp, yeniden mindere yerleşirdi.

Faik, babasının sırtını yasladığı buruşuk duvar halısındaki resmin hüznünü odaya taşır, gözlerinin önünde can çekişen koca boynuzlu geyiğin, canavarı andıran köpeklerin dişleri arasına nasıl düştüğüne şaşar, geyiğin yüzündeki acıya, korkuya uzun uzun baktıktan sonra bakışlarını babasının yüzündeki endişeye çevirirdi.

Oysa yaz gecelerinin sıcak esintisinde avlunun taşlığına oturan babası, gözlerini yıldızların oynaşmasına çevirirdi. Ayrılık akşamlarında babasının o bakışını, yüzündeki belli belirsiz tebessümü, avlunun karanlığına rağmen gözlerinde hemen fark edilen o tedirgin edici parıltıyı daha yola çıkmadan özlerdi Faik. O koca adamı hep öyle hatırlamak isterdi bunun mümkün olmayacağını bile bile.

Her şey en küçük ayrıntısına kadar aklındaydı; cebinden siyah deri kılıfı içindeki küçük çakısını, tütün tabakasını, çakmağını, el aynasını, pilli küçük el fenerini, bir tutam sicimi çıkarır, hepsini önüne dizerdi. Bu son hazırlık, artık gitme zamanının yaklaştığına işaretti. En son, yeleğinin iç cebinden mendilini çıkarır, düğümlerini usulca çözer, karısının bir tutam saçının bulunduğu mendili uzun uzun koklar, karşısında oturan karısına bir an bile bakmadan elindeki çaput parçasını yeniden düğümler, yeleğinin iç cebine yerleştirirdi. Kuşağının altından kabzası görünen tabancaya hiç el sürmeden yapardı bunları. Kabzadaki el yapımı ince yivler, onu tehlikeli bir şey olmaktan çıkarmıyor, dokunulmazlığından dolayı merakı biraz daha körüklüyordu. Faik, hiçbir zaman bundan babasına bahsetmedi ama o yivlerin parmak uçlarında, avucunda bırakacağı tadı bilmek istedi hep.

Babası, birazdan Kör Arif'in geleceğini hissetmiş gibi önüne dizdiği eşyaları telaşsız ama hızla toparlayıp ceplerine yerleştirirken, en sona tütün tabakasıyla çakmağını bırakırdı.

Avluya çıkmadan ayakta son bir sigara sarar, daha sigarayı dudaklarına götürüp ateşlemeden Kör Arif'in sesini duyardı: "Looo saz arkadaşı, daha hazırlanmadın mı?"

Kör Arif'in gelmesiyle her şey bir anda tersyüz olurdu, odadaki kasvet dağılır, babasının yüzündeki tedirgin gerilim yerini, bayram şekeri toplamak için kendini sokağa vuran çocuğun haşarı, sevimli ifadesine bırakırdı. Annesinin çıkık elmacık kemiklerine kan gelir, hemen mutfağa seğirtir, daha sabahtan hazırlamaya başladığı çıkını alıp kocasının ardından avluya çıkardı.

Rıza Kıraç

"Nerde galdın gâvurun dölü, nasıl saz arkadaşısın sen?" diye takılırdı babası.

Kör Arif, katırları avlunun kapısında başıboş bırakır, sakallı çirkin yüzüne, karanlık bir çukur gibi taşıdığı sol gözüne hiç yakışmayan güzel sözlerle Faik'in babasına çıkışırdı. "Garının goynundan çıkmak golay mı saz arkadaşı, bizim ataşımız daha korlanmadı. Siz tükendiyseniz bilmem?"

Zamanın hep böyle geçmesini dilerdi Faik; bunca sözün, bir türlü öğrenemediği "saz arkadaşlığı"nın ne demek olduğunu sessizce kendi kendine sorar dururdu ama o kör adamın varlığını hiç sorgulamaz, onu öylece, kör gözüyle, yüzünden eksik olmayan tebessümüyle kabul eder, severdi.

Çok değil, daha birkaç yıl öncesine kadar annesiyle babasının yanında yattığı geceleri özlüyordu; sırtını annesine döner, kendini onun sıcak kollarına bırakıp uykuyu beklemeye başlardı, sonra babasının yaşlı bir ağacın en dirençli dalı gibi annesiyle kendisini saran kolunu, iri, boğum boğum parmaklarını vücudunda hisseder onların sıcaklığıyla gözlerini yumardı.

Bunun bir adı olmalıydı, bir adı, zamanı, o duyguyu unutturmayacak kokusu. Şimdi gidiyordu, o duyguyu, zamanı, kokuyu, adını bile bilmediği onca şeyi yanına alarak.

Kör Arif, çırpı bacaklarını gizleyen şalvarıyla avluda oradan oraya koşuşturur, çuvalları, heybeleri katırlara yükler, bir yandan da durmadan dinlenmeden karısıyla ilgili mahrem hikâyeler anlatırdı. Faik, bir süre sonra utancından eve kaçan annesinin ardından seğirtir, onun odada zamanı gelmemiş işler yaparak oyalanmasını seyrederdi. Faik'in aklı avluda kalır, Kör Arif'in daha neler anlatacağını merak eder, odanın içinde bir yabancı gibi dolaşan annesine fısıltıyla, "Babamın yanına gidelim," derdi.

"Sen git ben varırım birazdan," derdi annesi fısıltıyla.

Usulca ayaklarını sürerdi Faik, kilimin bitip eğri büğrü betonun başladığı o soğuk zeminde ayaklarının emrine bırakırdı aklını; gidenle kalan arasındaki seçim, gideni daha uzun görme isteğine mağlup olur, ellerini, bacaklarında bir çuval gibi gezdirdiği siyah şalvarında gizler, gözlerindeki terk edilme acısını dişlerinin arasında ezmeye çalışırdı. Tıpkı, babasının yaz gecelerinde yaptığı gibi avlunun çıplak taşlığına oturur, Kör Arif ile babasının katırlara yükledikleri çuvalları, heybeleri semere bağlamalarını izlerdi. Bakışları belirsiz bir boşluğa takılırdı Faik'in; gecenin karanlığıyla her şey olduğundan başka bir şeye mi dönüşürdü, yoksa Faik gözlerini diktiği boşlukta aradığını bulamazdı da bu yoksulluğu kendine dert mi ederdi, bilinmez.

Avlu büyür, kocaman bir dünya olur; Faik küçülür küçülür kaybolurdu.

Katırlar homurdanarak avlunun kapısından çıkarken, Kör Arif anlattığı hikâyenin arasına "Bacı eyvallah"ı sıkıştırır, mahzun bir edayla başını önüne eğer, yola çıkmanın o sevecen heyecanı, garip bir hüzne dönüşürken hikâyesini mırıldanmaya devam ederdi.

Faik, kötürüm bir hastaymışçasına eğri büğrü uzanan üzümün yanındaki merdiveni beceriksizce kavrayarak kaldırır, çelimsiz bir iki adımdan sonra merdiveni duvara yaslar, yavaş yavaş yukarı tırmanırdı. Köyün ortasından dolana dolana inen yokuşun ucundaki Kör Arif'i, babasını, daha yola çıkmadan hayatından bezmiş gibi yürüyen katırları izlerdi. Annesi dama çıkmazdı; o, avlunun soğuk merdivenlerine oturur, ellerini şalvarının boşluğunda kaybeder, oğlunun damdan inip içeri girmesini beklerdi. Faik, dere yoluna sapan, salkımsöğütlerin arasında tamamen kaybolan babası ile Kör Arif'in gideceği yolun ne kadar uzun olduğunu merak ederek merdivene doğru yönelirdi. "Ağır ağır basamaklardan indikten sonra, merdiveni eski yerine yaslayıp, gözlerinin kaybolmaya başlayan ferine aldırmadan annesinin yanından sıyrılırdı.

Sobanın üstünde fokurdayan çaydanlıktan babasının İran'dan getirdiği fincana çay koyup, karşısında babası oturuyormuş gibi eski yerine kurulur, annesinin içeri girmesini beklerdi.

Faik'in o küçük yüzüne engel olamadığı bir korku yerleşirdi; gözlerine hücum eden yaşların nedenini unutmaya yardımcı olacak şeyler düşünmeye çalışırdı. Bu, dünyanın en zor işiydi, niçin gözyaşlarını serbest bırakmıyordu ki? Bir ağlasaydı her şey ne kadar berraklaşacak, rahatlayacaktı.

Babası öğütlemiş olmalıydı. Büyüdükçe daha da derinleşecek bir yoksulluktu bu, neresinden tutunup ayağa kalkacağını bilemediği korkularının yerini alacak bir şeyler olmalıydı.

Annesini beklerdi, onun elinden tutmak, karanlıktaki bir noktaya birlikte bakmak isterdi. Yalnızlığın boğucu ağırlığını ilk kez böyle akşamlarda tattı Faik. İçinde yükselen bulantıyı bastırmak için babasının oturduğu köşeye kadar sürünüp oracığa kıvrılır, arkasında asılı duvar halısındaki vahşete aldırmadan, duru bir karanlık düşlerdi.

Annesi küçük bir kedi yavrusu gibi çelimsiz adımlarla kapıdan içeri süzülürken, Faik fincandaki Arap çayının koyuluğunda kaybolur, annesinin fısıltıyla, "Uykun gelmiş senin, hadi yat," demesini beklerdi.

2

Faik ayaklarına geçirdiği yazlık, kırmızı naylon sandaletlerin demir tokasını indirip doğruldu. Babasının yüzündeki tebessümü taklit etmeye çalışarak dudaklarını gerdi.

"Eee, hadi," dedi babası sabırsızlıkla.

Evin avlusundan çıkıp, yokuş aşağı toprak yolda ilerlerken naylon sandaletlerinin toza bulanması bile Faik'in neşesini kaçırmadı. Babasına yetişmek için seğirtti, onun iri boğumlu parmaklarını sıkı sıkı kavradı. Salkımsöğütlerle çevrili dereyi geçip tepeye çıkan yolu tırmanmaya başladığında soluğunun bir an kesileceğini sanan Faik, babasının parmaklarına iki eliyle sarıldı; artık neredeyse sürükleniyor, alnından akan ter gözkapaklarını ağırlaştırıyordu. Kırmızı naylon sandaletleri, bileklerinin ince derisini aşındırıp kanırtmaya başladığında, dayanamayıp, "Baba yoruldum," diye mırıldandı Faik.

"Az kaldı, geldik," dedi babası, bir iki adım daha atıp aniden durdu. Küçük oğlunun yüzündeki kızıllığı görünce, bir çobanın kuzuyu omzuna atması gibi, onu kollarından tutup havada yarım daire çizerek omuzlarına oturttu. Faik, ellerini babasının çenesinde birleştirdi, onun birkaç günlük sakallı yüzünün ayrıntılarını parmak uçlarında hissetti; çenesinin altındaki yara izini, sigaradan sararmış uzun sert bıyıklarını yokladı parmaklarıyla. Sonra gözlerini tepenin ucuna dikerek minik elleriyle babasının yanaklarını avuçladı.

Babasının omzunda tepeye ulaştığında, sonsuza açılan vadiyle ilk defa karşılaştı Faik. Dörtbir yanı yeşilin, kızılın, mavinin tonlarıyla bezeli, uzaklarda başını bulutlara gömmüş dağlarda kıştan kalma karların oluşturduğu sonsuz bir derinlikti bu.

Babasının omzundan inip ellerini şalvarının ceplerine sıkıştırdı. Güneş en tepedeydi, etrafı saran sarhoş edici nem sıcağı unutturmuş, Faik'in yüzünde tatlı bir öpüşün izi asılı kalmıştı. Bu vadi üstünde, içinde yüzlerce kapı barındıran büyük sarayların ihtişamından, gizeminden daha fazlasını barındırıyordu; bir tek bulut kümesi bile yüzyıllarca süren savaşlardan sonra elde edilen ganimetlerden daha değerliydi. Babası da bunu anlattı; toprağı, yolu, ağaçları, kurdun kuşun nasıl dost olduğunu, uzun gecelerin sonunda yaprakların üzerine inen çiy taneciklerinin yaşanılanlara nasıl sırdaş olduğunu, söyledikleri her türkünün dağlara çarpıp kendilerine nasıl döndüğünü anlattı kısa, kesik cümlelerle.

Babası biraz daha yaşasaydı, ondan dinleyeceği, kulağına küpe edeceği daha çok şey olduğunu biliyordu; sözcüklerin oyununa gelmeden her şeyi nasıl da güzel anlatmıştı babası.

Ama o vadinin gerçek mi, yoksa uzun bir gecenin kısacak anına sıkışmış bir düş mü olduğunu hiçbir zaman anlayamadı Faik.

O güzelim bulut kümeleri rüyasına kocaman bir ölümün habercisi olarak geldiğinde, Kâbe'nin müminleri gibi sır dolu bir kutunun etrafında dönerken buldu kendini. Küçük, beceriksiz parmaklarını o beyazlığa uzattığında dayanıksız kumaşın bir bulut gibi aralandığını, hatta bütün bedenini sarıp sarmaladığını hissettiğinde şaşırmadı, bir adım attı. Önündeki yoğun beyazlığı aşmak için bir adım daha attı; gözlerinin oyunu muydu, yoksa hayatın çirkin bir şakası mıydı hiçbir zaman anlayamadı, sezinleyemedi, düşünemedi; musalla taşındaki adama baktı. O an, gözleri, feri çekilmiş, çizikler içinde bir misket tanesi gibi yuvalarından oynuyordu, etine isyan eden bir ten taşıyordu, kan toplanmış dudakları patlamak üzereydi...

Derme çatma tahtalardan yapılmış masada yatan cesedin üstüne su döküldükçe göğüsteki delikten kan akıyordu, sol gözün çevresi morarmıştı. Göz çukurunda kocaman bir mağaranın soğuk nemi hissediliyordu. Faik gözlerini yummak istedi, gözkapaklarına söz geçiremiyordu; yavaşça kolunu oynatmaya çalıştı; her şeyi o kadar yavaş yapıyordu ki bu ancak bir kâbus olabilirdi. Elleriyle gözlerini kapattığında bir asır mı geçmişti yoksa sadece birkaç saniye mi?

Faik gözlerini yavaşça açtı. Odanın ortasında öbekleşmiş sigara dumanının keskin kokusu düşlerine girmeden karşısındakini seçemedi.

Sola yatık, kirli, koyu ekose şapkanın gölgelediği yüzünde kırmızı bir acı taşıyordu dayısı. Faik uyku mahmurluğuyla mırıldandı. "Dayı, ne zaman geldin?"

Dayısının ince dudaklarından sigara eksik olmazdı ama dudaklarında sigara taşımadığı zamanlarda da avurtları yüzünde karanlık iki kuyuydu. Kasabaya taşındıktan sonra, annesinin yüzündeki acının, her geçen gün biraz daha derin çizgilerle o ipek tene işlendiğini küçük aklıyla fark eden Faik, korkuyla dayısına sığındı. O sessiz, korkunç sabırlı adamın her adımı, her hareketi, ender de olsa dudaklarından dökülen her sözcük, Faik'in o kâbustan kurtulmasına kılavuz oldu. Babası hakkında konuşmamalıydı, artık annesinin koynuna bir kuzu gibi sokulmamalıydı, sesini yükseltmemeliydi, ortalıktan kaybolmamalıydı ve ne olursa olsun ağlamamalıydı. Dayısının bunları kendisine nasıl bellettiğini hatırlamıyordu, hatırladığı tek şey dayısı ne yapıyorsa aynını yapmaktı.

3

Kasaba, köyden daha kalabalık ve gürültülüydü; atların, katırların, eşeklerin yerini tekerlekleri hızla dönen, arkasında siyah bulutlar bırakan otomobiller, motosikletler almıştı. Her köşeden pata pata sesleriyle motosikletler çıkıyordu.

Faik, elinde siyah çantası, üstüne geçirdiği siyah önlüğü, annesinin eline tutuşturduğu yeşil plastikten beslenme çantasıyla, o araçların gürültüsüne, tehlikesine aldırmadan kasabanın sokaklarını arşınlamaya başladı.

Yolunun üstünde keşfettiği her şeyi uzun uzun inceleme alışkanlığı her seferinde başına iş açsa da bu tek başına yapılan gezintilerden büyük bir haz aldı. Önceleri lokantaların önündeki koyun kafalarından korktu, derisi yüzülmüş koyunların ölü gözleri Faik'e bakıyordu. Kocaman tencerelerin üstünden tüten dumanlar... Kırmızı renkli ampullerin gündüz ışığında ferini yitirmiş gözler gibi aydınlattığı baklava vitrinleri, okula giden yolun az ötesindeydi.

Sonra kumaşların, garip biçimli giysilerin dizildiği küçük bir vitrin... Sıcak havalarda bu dükkânın kapısında, elinde iğne iplik, önündeki kumaşta derin beyaz izler açan aksi bir adam olurdu. Arada bir çay getiren kırmızı kafalı çocuğa çıkışan bu adam, başını önüne eğdiğinde buruş buruş yüzündeki gerilimi, kırlaşmış bir tutam saç örterdi.

Faik karşı kaldırıma çömelir, adamın bir iki iğne darbesinden sonra ipliği dişleriyle koparmasını, kumaşı şöyle bir uzağa tutup gözlerini kumaşta gezdirmesini garip bir tutkuyla izlerdi. En çok da Terzi'nin kumaşı küçük küçük katlayıp iğneyi birilerinden gizler gibi kumaşa birden geçirdikten sonra ipi çekerek uzatmasına tutkundu. İp sessizce ama deli bir sarhoşlukla kumaşın kıvrımlarından süzülür, en son boşta kalan kısmı özgürlüğüne kavuşmuş bir kuş gibi havada asılı kalırdı. İşte o anı seviyordu Faik; beyaz ipin havada süzülmesini...

Terzi'nin elindeki kumaş, işi bittiğinde ceket olacaktı ama ters giden bir şeyler mi vardı? Terzi, usta bir okey oyuncusunun parmakları arasında dönendirdiği taşa benzeyen sabunla, kumaşın bazı yerlerini çizmeye başladığında Faik, oturduğu kaldırım taşından kalkıp, fark edilmekten korkarak Terzi'ye biraz daha yaklaştı.

Gözlüklerin üstünden bir çift göz Faik'e bakıp, "Ne istiyorsun?" diye sordu.

"Hiç," dedi.

İpliği ağzına götürüp dişlerinin arasında "çıt" sesiyle kopardı. Oturduğu sandalyeden kalkarken dizlerine yaydığı kumaşları koltuğunun altına toparladı. Eliyle kendisini takip etmesini istedi Faik'ten.

Oturduğu yerden yavaşça ayaklanıp, Terzi'nin arkasından karanlık dükkâna girdi. Adam gözlüklerini çıkarıp, üstü kumaşlarla dolu büyük masanın üzerine bıraktı.

"Adın ne senin?" diye sordu, soğuk, kaba ses.

"Faik," diye mırıldandı.

Terzi, dükkânın ışıklarını yakarken, "Kimin Faik'i?" diye üsteledi.

"Bilmiyorum, adım Faik."

Terzi koltuğunun altındaki kumaşları masaya yaydı, maharetli parmaklarıyla kumaşların kenarlarını iğnelerken, Faik'e gözucuyla bakıp "Kimlerdensin?" diye sordu.

Yanıtını bilmediği soru karşısında başını sessizce önüne eğip parmakları arasındaki çantasını daha sıkı kavradı Faik. Kovulma vaktinin geldiğini sezinlemişti. Terzi'nin daha sorulacak soruları vardı muhtemelen, Faik yanıtını bilmediği sorular duymak istemiyordu. Gözlerine biriken yaşların nedenini düşünmedi bile.

"Dayımla kalıyoruz," dedi titreyen sesiyle.

"Dayın kim?"

"Arif."

"Hangi Arif?"

"Boyacı Arif."

Adamın yanağında beliren tebessüm müydü yoksa duyduğu ismi küçümseyen belli belirsiz bir mimik mi, Faik anlayamadı. Terzi'nin arkasındaki boy aynasında kendi yüzünü görüyordu; korkak, kırılgan, az sonra tuzla buz olacak kristal gibi duru bir ifade...

Faik küsmüştü...

Bu küsmenin nedeni belki adamın ses tonundaki umursamazlıktı, belki dayısının ismini söylediğinde Terzi'nin gösterdiği tepkiyi anlayamamaktan gelen çaresizlikti, belki de dükkândan içeri girdiğinden beri elinde çantayla ayakta dikilmesi, Terzi'nin, "Geç şöyle otur," dememesiydi.

Dükkânın üçte birini kaplayan büyük masanın ağır, hantal görüntüsü, makasın dışında, üstündeki nesnelerin kabalığını sindiriyordu. O makas, yanındaki sabuna benzeyen şeyin sevimliliğini artırıyor, ikisi arasındaki rutin ilişkiyi ele veriyordu sanki.

Faik, bütün çekingenliğine rağmen sabunu eline almak istedi. Terzi, Faik'in neler düşündüğünü anlamış gibi gözlerini ona dikerek sabunu alıp masaya yaydığı kumaşın üstüne çizikler attı. Terzi'nin gözleri, parmakları arasındaki sabunun çizdiği hattı takip ediyordu artık.

Faik, bir süre kumaşın üstünü çizen Terzi'nin yüzünün aldığı telaşlı tedirginliği, parmaklarının ivedi ama yine de hesaplı savrulmalarını, dudaklarını sağ yanağına doğru çekip kaşlarını çatmasını izledi. Bir yandan da yabancısı olduğu bu işin sihrini merak ediyordu ama Terzi'nin ilgisizliği karşısında içinden bir ses, ilk fırsatta dükkândan çıkması gerektiğini söylüyordu. Varlığının, Terzi'nin işinin yolunda gitmesine engel olduğunu düşünmeye başlamıştı.

"Yanda kahvehane var, iki çay al gel," diye mırıldandı Terzi.

Faik, bacaklarının arasına sıkıştırdığı çantayı almaya çalışırken, "Çantan kalsın, onu da taşıma... Terzi'ye alıyorum de, kahveci anlar," dedi aynı mırıldanmayla.

Faik, parmakları arasına sıkıştırdığı iki çay tabağını dengede tutmaya çalışarak, ağır, temkinli adımlarla kahvehaneden çıktı. Kahveci tabağın yanına bir dilim limon iliştirmiş, Faik'i güvensiz bakışlarla süzdükten sonra, "Dikkat et, şekerleri ıslatma," diye uyarmıştı.

Terzi, çayına attığı şekerleri karıştırdıktan sonra limon dilimini dudaklarının arasına sıkıştırıp yüzünü ekşitti; ardından limonun kabuğunu usta bir hareketle dişlerinin arasında parçalara ayırıp bir yudum çay aldı.

"Bak Faik," diye fısıldadı ellerini beline koyarken, sonra uzaktaki bir yapıya bakıyormuş gibi inceleyen gözlerini kumaşlarda gezdirdi, söyleyeceği her neyse unutmuştu. Dertop edip masanın bir köşesine sıkıştırdığı mavi, beyaz püsküllü bir seccade çıkardı, seccadeyi dikiş makinesinin arkasına serip duvardaki çiviye asılı tespihi aldı.

"Çayını içtikten sonra git, yarın istersen yine gelirsin," dedi.

Bardakta kalan çayı bir dikişte içti, seccadenin başına geçip namaza durdu.

Artık avlulu bir evleri yoktu.

Kulakları tırmalayan bağırışlar, çığırışlar, gürültüyle geçen motosikletler vardı sokakta.

Faik, akşamı her zamankinden farklı bir ruh haliyle karşılamaya hazırlanırken, her şeyin aynı ahenkle, aynı can sıkıcı yüzsüzlükle devam etmesine içerlemişti.

Annesi içeride ölüm sessizliğiyle oturuyordu. Yemek yapmış, Faik'in okul önlüğünü yıkayıp asmış, birazdan külçe gibi üzerine çökecek ağırlığa kendini hazırlamıştı.

Faik, olacakları önceden kestiren bir falcı gibi, annesinin bir köşeye oturup kilimdeki bir noktaya bakacağını ya da pencerenin önündeki sedire kurulup, kasabanın dışındaki fidanlıkların düzenli görüntüsüne kapılacağını biliyordu.

Sessizce dışarı çıktı. Taşlığa oturup bacaklarını kollarıyla sardı. Taşındıkları günden beri kendini yabancı hissettiği bu kasabanın sokaklarını babasıyla arşınlayamamanın boşluğu mu, yoksa hiçbir şey yapabilecek mecalinin, cesaretinin kalmamasının verdiği yılgınlık mı bilinmez, öylece orada kalakaldı. Akşamın alacakaranlığına bütün bedeniyle gömülürken, gözlerine duran uykuya aldırmadı.

Küçük kafasında cirit atan düşüncelerin ağırlığına kendini kaptırmamaya çalışarak sadece oturmak, herhangi bir nesne gibi boşlukta asılı kalmak istiyordu. Okulun gürültülü patırtılı koridorlarını, tebeşir tozunun burnu yakan acı kokusunu, öğretmenlerin sevimsiz yüzlerini, seslerini, anlam veremediği azarları, küfürleri, kızların saç örgülerine iliştirdikleri parlak plastik tokaları, erkeklerin anlamsız devinimlerle birbirlerini itip kakışlarını, siyah önlüğünü, parmaklarının boğumlarında küçük nasırlar yapan ağır, siyah çantasını, mandalını plastik kapağına bir türlü geçiremediği beslenme çantasını kafasından uzaklaştırmaya çalışıyordu.

Dayısının ağırbaşlı, yumuşak sesi, sıcak ellerinden Faik'in bedenine geçen gücü, o küçük gözlerin ışıltıları, kısa hikâyelerin arasına zekice sıkıştırılan öğütleri olmasaydı, bir dakika bile o okulda kalmaz, sınıftan, öğretmeninden kaçıp kendini dut ağaçlarının gölgelediği tepelere, dere kenarlarına vururdu. Dağların üstündeki bulutların oluşturduğu çehrelerin, vadilerin arasındaki asfalt yolların tebessümünün, yukarılara çıktıkça artan kızılçamların reçine kokusunun yerini alacak ne olabilirdi ki?

Dayısının elinden tutup onu yukarılara çıkarabilirdi. Sıradan bir yalnızlık duygusu değildi bu; işe yaramaz hissediyordu kendini; ayaklarının kendisini götürdüğü yerden emin değildi, ellerinin yaptığı işlerden memnun değildi.

İçinde yükselen bulantının ne olduğunu düşündükçe, annesinin yavaş yavaş çökmeye başlayan yüzü canlanıyordu gözünün önünde; kimsesizliğin, sessizliğin ağır hüznü niye böyle su gibi berraktı, bir türlü akıl sır erdiremiyordu.

Annesi öldükten sonra onun bu hüzünlü, acılı yüzünü hiçbir zaman hatırlayamayacaktı. Annesini hep o akşamların ayrılık anında hatırlayacaktı: mahcup, üzgün, tedirgin bir serçe telaşıyla odada koşuşan, yatağa girdiğinde gizli gizli ağlayan, küçük oğlunu koynunda ısıtan... O sağlıklı yüzü, bitip tükenmek bilmeyen sevecenliği, şefkati, dokunduğu yeri kutsayan kınalı parmakları arayacaktı.

Şimdi hastaydı annesi; vücudu ağır ağır eriyordu, başına gelecekleri kabullenmişti. Hocalara gidildi, kurşunlar döktürüldü, yıldıznameler açıldı, sulara yazılar yazılıp üç yudum içildikten sonra kırk cami duvarına dualarla kırkar damla su damlatıldı. Arif, kardeşinin hastaneye gitmeme inadını, direncini kırana kadar günlerce uğraştı, diller döktü, o mazlum, sessiz adam küfürler savurdu, kardeşine günaha girdiğini, kendi için değilse bile oğlu için doktor yüzü görmesi gerektiğini bağırıp durdu...

Annesinin aklını ne çeldi hiçbir zaman anlamadı Faik.

Kadın bir sabah, gece yarısı koynuna gelen oğlunu sıcak yanaklarından öpüp yataktan kalktı. Faik yatakta uykuyla uyanıklık arasında annesini izlemeye başladığında, kadın ocağa su koymaya gidiyordu, saçlarını bir genç kız gibi taradı, örüp hassesinin altında kaybetti. Odanın kapısını açtığında Arif'i uykulu gözleriyle kapının önünde buldu, gürültüye uyanmıştı.

"Gidelim," dedi kadın.

Arif hiçbir şey söylemeden hemen hazırlandı. Sabahın alacakaranlığında yola inen bir traktör buldular, sonra minibüs beklediler ve kadın ilk defa şehri gördü.

Arif o gün işe gitmedi, bir sonraki gün de işe gitmedi, daha sonraki üç ay boyunca hep hastanedeydiler. Doktorlar o servisten bu servise, o poliklinikten diğerine sevk edip durdu kadını. Sonra İstanbul'a gitmesi gerektiğini söylediler.

"İstanbul çok uzak," dedi kadın.

"On altı saat," dedi Arif. "Atlarız otobüse gideriz, Allah'a şükür paramız var."

Arif, doktorların çare bulamayacağını biliyordu; yine de "bir umut" diyordu, bütün yolları denemeliydi.

Dayısı, Faik'i elinden tutup Terzi'ye götürdü. "İstanbul'a, Sultan'ı doktora götüreceğim, oğlan sana emanet abi," dedi.

Terzi, "İki sade kahve getir bize, kendine de çay al," dedi Faik'in gözlerinin içine gülümseyerek.

"Biraz dolaş gel, bizim konuşacaklarımız var," der gibi söylemişti bunu. Dükkândan ayaklarını sürüyerek çıktı, kahvehanenin yaşlı, hastalıklı, sigara dumanına boğulmuş yapısına girdiğinde ocağın arkasında kendinden birkaç yaş büyük bir çocukla karşılaştı. Çocuk tepsideki boş bardakları tezgâha diziyordu.

"Kahveci yok mu?" diye sordu.

Kocaman kafasındaki kırmızı saçları bir kirpinin okları gibi dikilmişlerdi. Yüzünün kızıllığı ne burnunun üstündeki çilleri ne de yanağındakileri kaybetmeye yetiyor, onları daha da belirginleştiriyordu.

"N'apcan kahveciyi?" diye çıkıştı, hamarat bir ocakçı edasıyla ateşin üstündeki demliği alıp, içindekileri ayağının dibindeki peynir tenekesinden bozma çöp kutusuna boşaltırken.

"Terzi'ye kahve götüreceğim."

"Ben Terzi'nin oğluyum," dedi.

"Hangi terzinin?"

"Burada kaç tane terzi var?"

"Bilmem."

"Bir tane, bu kasabada bir tane terzi var, ben de onun oğlu Bahri'yim."

"İki sade kahve, bir çay istedi baban."

Eğri büğrü, kirli tahtadan yapılan rafa uzanıp kahve kavanozunu alırken gözlerini Faik'ten ayırmadan, "Senin adın ne?" dedi.

"Faik."

"Kimlerdensin?"

"Boyacı Arif'in yeğeniyim."

Bakır cezveye çay kaşığıyla sayarak kahve koyup ateşe sürdü.

Faik, karşısındaki yüzde bir dost bakışı mı, yoksa bir hasmın meydan okuması mı olduğunu anlayamadı, sadece bekledi, gözlerini koyacak bir yer aradı, bulamadı; kahvehanenin kuru gürültüsünden bir an önce kurtulmak istiyordu ama asıl neden kahvehane değildi, onun içini burkan bir şeyler vardı; ilk kez hissettiği, ne olduğunu bilmediği bir şey.

"Ne yapıyorsun?" diyerek avucuna sığdırdığı bir sürü tabak, bardakla geldi, Faik'in gözündeki gerçek kahveci.

"Terzi kahve istemiş," dedi, umursamaz bir sesle.

Terziden çıktıklarında dayısı Faik'in elini sıkıca tuttu. Kasabanın meydanına doğru yürümeye başladıklarında Arif'in adımları çoktan hedefini belirlemişti.

Faik, kahvehanede tanıştığı Terzi'nin oğlu hakkında dayısına sorular sormak istiyor, onun nemrut, nemrut olduğu kadar da tuhaf biri olduğunu söylemek için sabırsızlanıyordu. Hiç durmadan hareket eden parmakları vardı o çocuğun; adı Bahri'ydi ya, çocuktu ya, sanki kocaman bir adamdı da herkesin ne yaptığını bilir bir hali vardı. Belki Faik'in Faik olduğunu da biliyordu, bir gün gelip ondan iki sade kahve, bir çay isteyeceğini, çayın yanına bir dilim limonun konulması gerektiğini, bu çayı terzi babasının değil, Faik'in içeceğini de biliyordu.

Faik, dayısının yanında bir süre daha sürüklendikten sonra, yaşlı bir üzüm asmasının dallarının sarıp sarmaladığı çardağın altında, mavi, kahverengi ekose zemin üzerine kırmızı, sarı güllerle süslü muşamba kaplı masaları olan bir lokantanın döküntü kapısından Arif'le içeri girdi.

Koca göbeğinin iliklerinden fırlayacakmış gibi duran, bıyıkları kırlaşmış, tombul yanaklı lokantacı, Arif'i görür görmez yüzüne yakıştırdığı tebessümle, "Ee, hiç gelmeseydin, iyi ki seni dost belledik. İnsan böyle arayı açıp kayıplara karışır mı Arif?" dedi.

Arif, bütün bu söylenenler kendisine değilmişçesine kollarını açarak adamı kucakladı. Az önce sitem eden lokantacı da kollarını Arif'e doladı, kısa bir süre birbirlerinin sırtlarına vurduktan sonra, isteksizce ayrıldılar.

"Yeğenim," dedi Arif.

"Maşallah! Yeğen gerçekten dayıya çekmiş," dedi gülerek.

"Bizim karnımız aç."

Lokantacı, koca göbeğini titreterek güldü. Hemen garsona emirler yağdırarak bir masa hazırlattı; önden acılı ezme, yoğurt, kaymak, pekmez dolu bir tepsi, arkasından başka bir tepsiyle patlıcan kebabı, bakır bakraçta ayran getirdiler masaya.

Kebabın masaya gelmesiyle şişman lokantacı da oturdu sandalyelerden birine, büyük bir iştahla tepsiye ekmek bandırıp Arif'le askerlik anılarından bahsetmeye başladı.

Bir ara Faik'e dönüp, "Biz dayınla aynı yerde askerdik, beni çok kolladı," dedi.

"Senin kollanacak bir şeyin yoktu ki," diye çıkıştı Arif.

"Yok yok, sen ona bakma. Çavuştu dayın, Allahıma kitabıma bu adam olmasaydı, aha bu bizim garsonların yıllardır liseyi bitirememesi gibi ben de terhis olamazdım askerden."

Arif, lafın nereye geleceğini anlayıp rahatsız rahatsız yerinde kımıldanıp, "Bırak Allahını seversen Âdem, yine aynı hikâyeyi anlatma," dedi utangaç bir yüz ifadesiyle.

Faik, iki dostun arasındaki bağın ne olduğunu merak etmekten çok, gerçekten bu adam kadar yaşlı olup olmadığını anlamak için bir dayısına, bir lokantacıya baktı.

Âdem, çocuğun gözlerindeki soruyu anlamış gibi konuşmaya başladı: "Ben yedi sekiz sene askerlikten kaçtım, bir gün yakaladılar. Eşek sudan gelene kadar sopa yedim. Neyse, teğmenler, yüzbaşılar bana gıcık. Teslim olduğumun ilk haftası verdiler beni dayına, 'Bu adamı süründür,' dediler. Ben hazır oldayım, kımıldamıyorum ama nasıl korkuyorum. Yine böyle göbek yerinde; ne koşmaya gelirim ne sürünmeye. Beni idare etti. Sabahları sözde beni süründürüyor, koşturuyor; gözden ırak bir yere gidiyoruz, 'Otur,' diyor, oturuyorum, emir demiri keser. 'Sigara yak,' diyor, sigara yakıyorum, hepsi emirle." Âdem bunları anlatırken gülüyor.

"Böyle günler geçti. Ama anladılar. Bir gün teğmen çağırdı dayınla beni. 'Siz ne bok yiyorsunuz bakayım?' diye küfürlere başlamaz mı? Arif, 'Emredersiniz komutanım,' diyor başka bir şey demiyor. Teğmen, 'İkinizi de içeri atacağım,' diyor. 'Emredersiniz komutanım,' diyor. Sonra iş yüzbaşıya gitti."

"Yüzbaşı beni severdi," dedi Arif.

"Hee, vallahi severdi, ne yaptın adama, nasıl gözüne girdin?...

Aman bee, seni sevmeyen yoktu ki. O teğmen hıyarı bile severdi seni. Neyse, demiş ki yüzbaşıya: 'Komutanım, Âdem asker kaçağıydı ama hastalığından kaçmış bunca zaman. Ben emrettikleriniz dışında bir şey yaptırmıyorum, siz süründür dediniz ben de süründürdüm, koştur dediniz ben de koşturdum ama şişmandır, kiloludur, çok yüklenirsek elimizde kalır, yazıktır, insandır, candır.'"

Âdem, bu anlattıkları daha dün yaşanmış gibi heyecanını kontrol edemiyor, ellerini, gözlerini, hatta zaman zaman göbeğini söylediklerinin doğru anlaşılması için kullanıyordu.

"Ne oldu biliyor musun?" dedi, kocaman bir kahkaha daha atarak. "Acemiliğim bittikten sonra beni aynı kışlada tuttular, dağıtımda başka bir yere yollamadılar. Yüzbaşı beni revire gönderdi, oradan büyük hastaneye, bir-bir buçuk ay öyle geçti. 'Askerlik yapabilir ama spora, eğitime çıkmasın,' deyip beni taburcu ettiler. Yüzbaşı ne yapıp etti, beni çavuş yaptı, sonra da dayın terhis olunca, kulakları çınlasın o yüzbaşının postası oldum. Dayının marifeti, böyle işlerde kimse dediğinden çıkmazdı. Bütün çavuşlar tekme tokat dayak atarken o kimseye bir fiske bile vurmadı."

Faik, kebapla ayranın ağırlığını yavaş yavaş bedeninde hissetmeye başladığında Âdem hikâyesinin sonuna gelmişti. "Şimdi onun hakkını nasıl öderim, patlıcan kebabıyla mı? Kurban olsun ona kebap!" diyerek bir kahkaha attı.

Arif, gelinlik genç kız gibi mahcup, kızarmış bir yüzle elini ceketinin cebine atıp sigara tabakasını çıkardı. Lokantacı Âdem masadan kalkıp garsonlara bir şeyler söyledi.

Bahçede genç bir salkımsöğüt boş dallarını yere eğmiş, rüzgârla tatlı tatlı salınıyordu. Bahçenin iki ucunda son yapraklarını toprağa bırakmakta gecikmiş gibi duran iki kavak vardı. Boş masalardan bir ikisine yeni müşteriler gelmişti.

Âdem, "Siz keyfinize bakın ben biraz çocuklara yardım edeyim; şimdi sıkışırlar, siparişi yetiştiremeyiz. Kahveler de geliyor birazdan," diyerek diğer masalara yöneldi.

Arif, gözlerini uzaklara dikti; oysa görüp göreceği az ötedeki yoldan geçen birkaç bezgin surattı.

"Annen çok hasta," dedi kendi kendine konuşur gibi, sonra söylediğinden utanmış bir suçlu gibi başını önüne eğdi Arif.

"Ne kadar kalacaksınız?"

"Bilmem ki? Bir hafta, belki bir ay. Doktorlar bilir."

Sustular.

Rüzgâr uzaktaki ağaçların dallarını salladı, o saate kadar yere düşmemek için direnen bir iki yaprak kendini boşlukta buldu.

Arif'in birkaç günlük sakallı yüzü karardı, aklından geçen düşünceleri bir bilseydi Faik; ona bazı şeyleri anlatmak zorunda olmasaydı, içindeki kederi sözcüklerle ele vermeseydi de tılsımlı bir duygu akışı sağlasalardı aralarında.

"Sabahları erkenden uyandırırdı beni, üst katta yatardım, yatağın ucuna ilişir, arasına çökelek sıkıştırdığı ekmeği bana uzatırken gülümserdi. Işıl ışıldı yüzü hep, o halini bir ben bilirim. Kaç gündür bir şeyler söyleyecek, söyleyemiyor. Bir şeyleri sezinliyorum da ne olduğunu bilmiyorum. Bana gelişinden belli; dudaklarının titremesinden, yüzüne yerleşen korkudan, parmaklarını çıtlatmasından... Aşağıdan annem bağırırdı. 'Gel bana yardım et çatlayasıca,' diye. Yatağın ucundan kımıldamaz, karşımda öylece durduğu sürece üstümdeki yorgan ağırlaşırdı.

'Ne oldu Sultan?' derdim.

'Ne oldu Sultan?'

'Konuşsana kızım, ben senin ağabeyinim.'

'Sultan'ım, yavrum.'

Parmakları durduğu yerde iz bırakırdı.

Boşlukta asılı kaldıklarında bile.

Birine tutulmuştu, eskisi gibi yüzü gülmüyordu, eline bir şey aldığında bedeni ağır bir yükün altına girmiş gibi bükülüyor, yüzüne daha önce onda görmediğim bir acı oturuyordu.

Türkü söylerdim arada bir, neşelenirdi, o da kına gecelerinde söyledikleri kız ağlatma türkülerinden mırıldanırdı. Entarisinin eteklerine ellerini gömer, gözlerini gözlerimden kaçırır, başını önüne eğer, küçük çocukların dua okuması gibi mırıl mırıl söylerdi türküyü.

O türküye başladığında çökeleğin acısını hissederdim.

Hastalıktan yeni çıkmıştım. Sultan hep yanımdaydı, o olmasaydı iyileşemezdim. Gözlerine baktıkça 'beni yalnız bırakma' diyen o sevgiyi görüyordum.

Sultan küçük bir kız değildi, kardeşimin artık eski kardeşim olmadığını fark ettiğimde ne yapacağımı bilemedim.

Yalnızdı, varlığı inkâr edilmiş bir çiçek gibi kırgındı.

Bir sabah yine elinde çökelekli ekmekle geldi.

Yine aynı bezginlik, aynı bembeyaz yüz.

'Sultan'ım ne oldu?' dedim.

'Bana Sultan deme,' dedi.

'Niye, sen benim bir tane Sultan'ımsın senden başka Sultan'ım mı var?'

'Bana ne' der gibi omuzlarını titretti; gözlerine dolan hastalıklı korkuyu daha önceden de görmüştüm, böyle anlarda kendini hemen toparlayıp işi şakaya vururdu.

'Birini seviyorum,' dedi.

Hiçbir şey söylemedim, ağzımı açmadım, eğer konuşsaydım Sultan susacaktı. Onun inadını benden iyi kimse bilemez; kızdığı zaman bir köşeye çekilir, hiçbir şey söylemeden evin işleri dışında hiçbir şeyle ilgilenmezdi. Bir şey demedim ama o yine kalktı gitti, üstüne varmadım. Bir gece, 'Ben ne yapacağım? Benim derdimin dermanı yok,' dedi."

Garson masaya iki kahve bırakırken, "Bir emriniz var mı ağabey?" diye sordu.

"Sağ ol, başka ne olsun," dedi.

Arif'in bakışları başka masalara kaydı, öylesine bir bakıştı, hiçbir şcy görmüyordu. Dudaklarından bir türlü dökülmeyen sözler yıllarca kimseye anlatmadığı acının sırlarıydı. Faik'e bütün bunları anlatıyor muydu, yoksa zihninde canlanan anılar çevresindeki onca gürültüden daha mı baskındı? Arif'in etrafında dönen çaresizlik onu ne zaman kuşatmıştı, ne zaman "adam" olmuştu? Bir gece yarısı kâbustan uyanmak, karanlıkla birlikte uyumaktan daha mı iyiydi?

"Askerden döndükten sonra şehre iniyordum arada bir, iş arıyordum, köyde kalmak ölüm gibi bir şeydi, bazı akşamlarda köye hiç dönmüyor, otelde kalıyordum. Ucuz bir otel vardı meydanda, her yer ayağının altında. Evim gibi olmuştu, biraz param vardı, arada bir de küçük işlerde çalışıyor üç beş kuruş kazanıyordum. Babam buna çok kızmıştı. 'Buradaki işleri bırakıp ne halt ediyor oralarda?' deyip durdu bir süre, sonra da ses çıkarmamaya başladı. İnşaatlarda çalışıyordum; kum atıyor, harç karıyor, kimi zaman dördüncü beşinci katlara tuğla taşıyordum. Kir pas içindeydim, hep yorgundum, elim ayağım nasır kesmişti, parmaklarım yara doluydu, adalelerim sancıyordu ama mutluydum, kendi kendime yetiyordum, karnım doyuyor, çalıştığım inşaatlarda vakit geçirecek birileri hep oluyordu. Kooperatif inşaatında çalışırken, bir boyacı ustası vardı, Mehmet Ali Ağabey, nur içinde yatsın, 'Oğlum senin adam gibi bir iş yapman lazım,' dedi. 'Böyle kum taşıyıp harç karmakla olmaz, ya bir demirci ol ya tesisatçı, işin belli olsun,' dedi. Sonra beni yanına aldı, işi gösterdi; namazında niyazında biriydi. Ne dediyse yaptım, iyi ki de yapmışım, bir meslek sahibi oldum. Orospular, pezevenkler, köylüleri kandırmaya gelen pazarlamacılar otelin lobisini şenlendiriyordu. Hele o pazarlamacılar, bana bir şeyler satmak için bütün gece dil döküyorlardı, çok eğleniyordum. Bazen köydeki, kasabadaki çocuklar şehre iner akşamları birlikte kahveye giderdik. Kâğıt oynuyor, bazen bir iki kadeh içip otele dönüyorduk. Bir akşam kalabalık bir grup geldi. Sekiz on kişi vardılar, onlar kâtibe kayıtlarını yaptırırken lobide televizyon izliyordum. Bir ikisi gelip yanımdaki boş koltuklara oturdu. Selam sabah yok. Öyle oturup sigara yaktılar. Ben istifimi bozmadım ama içlerinden biri arada bir bana bakıyordu, gözlerini hissediyordum, ben televizyona bakarken o kaçamak bakışlarla beni izliyordu, dayanamadım ben de bir an gözlerimi kaydırdım, benden büyükçe bir kadındı. Sonraları alıcı gözle baktığımda fark ettim; yüzünde dört beş yaşlarında bir kız çocuğunun gülümsemesi, ince keskin bir burnu, gözlerinin altında küçük bir şişlik vardı. Televizyondaki gürültülü filmi izlerken dudaklarımdan dökülen sözlere engel olamadım, 'Ne satıyorsunuz?' diye sordum, öylece ortalığa. 'Sigorta,' dedi bana kaçamak bakışlar atan kadın. Birkaç hafta şehirde kalıp kasabaları, köyleri dolaşacaklarmış. Kadının yanındaki adam, 'Senin sigortan var mı?' diye sordu.

'Yok,' dedim. 'Bizim ne işimize yarar sigorta?' 'Öyle deme,' dedi. 'Herkesin işine yarar, ölümlü dünya, ya başına bir şey gelirse?' Yirmi, yirmi beş yaşlarında kara benizli, kısa saçlarını sağ yanağına taramış bir çocuktu bunları söyleyen, sonra uzun uzadıya bir şeyler anlatmaya başladı, söylediklerinin çoğunu anlamadım ama o öyle heyecanlı, öyle emindi ki anlattıklarından, ben de kendimi kaptırmış onu dinliyordum. 'Sonunda sana da kazandıracağız bu sigortayı,' dedi. Güldüm. 'Zamanı değil,' dedim. 'Size verecek param olsaydı belki bana da satardınız,' dedim. Kara benizli çocuğun konuşmalarından kadın rahatsız olmuştu, 'Git başka yere tezgâh kur,' diyerek, çocuğu oturduğu sandalyeden kaldırıp oraya kendisi oturdu. Adı Gülay'mış; adımı, ne iş yaptığımı, nereli olduğumu, askerliğimi yapıp yapmadığımı o sordu ben yanıtladım.

Sonra, 'Burada çay bulunur mu?' dedi.

'Çay olur ama çok geç, bu saatten sonra otelde sudan başka bir şey bulamazsın,' dedim.

'Canım nasıl çay çekti,' diye üsteledi.

'Meydanın ilerisinde bakırcılar çarşısının girişinde sabahçı kahvesi var orası açıktır,' dedim.

Ellerini birbirine vurarak, 'Bravo sana. Hadi gidip çay içelim, yatıp uyumak için daha erken,' dedi.

Kâtiple konuşan yaşlıca bir adam vardı, onun yanına gidip bir şeyler söyledi. Adam 'tamam' anlamında kafasını salladı. Peşine bir kadın, bir erkek daha taktı, yola düştük. Otelden çıktıktan sonra karanlık yolda yürürken koluma girdi, bizimle gelen kadınla erkek el ele tutuşmuşlardı, sevgiliymişler.

O akşam, sabahçı kahvesinde çay kahve içerken Gülay konuştu ben dinledim, o sordu ben yanıtladım. Güler yüzlü bir kadındı, neredeyse her şeye gülüyordu, sonra bir ara bana baktı, hiçbir şey söylemedi, sigara tabakamdan bir sigara sarmamı istedi. Ben sigara sararken, 'Bana da göster nasıl yapıyorsun bu işi?' dedi.

Eline biraz tütün, bir sarma kâğıdı alıp bana uzattı, ellerimin titremesine engel olmaya çalışarak parmaklarından tutup kâğıdı nasıl yerleştireceğini, tütünü nasıl ayarlayacağını gösterdim; birkaç kere denedi beceremedi, sonra benim sardığım sigarayı içti. İnce dudaklarının arasında sigarayı tutarken kahvedeki bir iki müşteriyi göstererek, 'Burası hep böyle mi?' dedi.

'Gündüzleri çok kalabalık olur, nargile içenler, kâğıt oynayanlar doluşur buraya,' dedim.

'Sen de oynar mısın?' diye sordu.

'Ben anlamam kumardan.'

'Canım illa kumar mı olacak, bir iki pişti de çevirmez misin?'

'Biraz bilirim, daha çok tavla oynarım,' dedim.

'Hah,' dedi. 'Hadi tavla oynayalım.'

Ben o gece, o kadına âşık oldum.

Onun elleri gibi kadın eli hiç görmemiştim, dokunduğu şey her neyse onu hemen kavrıyor, ona istediğini yaptırıyordu. Yüzündeki güzellik her dakika anlam değiştiriyordu: bir bakıyorsun bir çocuk, bir bakıyorsun yetişkin, olgun bir kadın... Birazdan acınası bir çaresizlik takınıyordu yüzüne, neredeyse benden yardım dileniyordu. Ne yapacağımı bilemeden bütün gece isteklerine boyun eğdim.

Otele dönerken, 'Yarın akşam sana yemek ısmarlayacağım bir yere kaybolma,' dedi.

'Olur,' dedim.

O gece uyuyamadım, uyku tutmadı.

Ben sıradan bir adamım oğul, şehirlilerden uzak durmayı askerde öğrenmiştim, onların kendilerine göre dilleri, gelenekleri var. Ayak uyduramayacağımı biliyordum.

Bütün gece başka bir otele geçmeyi düşündüm. Otel değiştirirsem bu kadının bana yapacaklarından kurtulurdum. Ama dedim ya âşık olmuştum. Hem de bir şehirliye. 'Kadın' dendi mi dilim damağıma yapışır benim, ellerim titrer; o gece de titremişti ellerim, nereye saklayacağımı bilememiştim.

Sabah yataktan kalkar kalkmaz otelin ütücüsünü buldum, gömleğimi pantolonumu ütülettim, sakal tıraşı oldum, saçlarımı jilet gibi taradım, akşama doğru bir boyacı bulup ayakkabılarımı boyattım.

Mehmet Ali Usta beni görünce, 'Hayırdır işten sonra düğüne mi gideceksin?' diye sordu.

'Yok,' dedim. 'Biraz temiz olmak iyidir.'

Güldü. 'Karıya mı gideceksin lan?' diye mırıldandı. Bir şey demedim, o da üstelemedi zaten.

Akşam otelin lobisinde beklemeye başladım, müşterilerin hepsi garip garip bana bakıyordu, her zaman selamlaştığım adamlar bana selam vermedi. Saat on olmuştu, gelmedi. Televizyon seyrederken uyuyakalmışım.

Birisi dürtükleyerek uyandırdı beni, gözlerimi açtım, kâtip çocuk, 'Uyuyorsun, üşüyüp hasta olacaksın, odana çık istersen,' dedi.

Saate baktım, on biri geçiyordu. Ah oğul, nasıl kötü oldum bir bilsen, merdivenleri çıkarken ertesi gün otelden ayrılmaya karar vermiştim.

Odaya çıktım, soyunup yatağa girdim, bir yandan da ağlıyorum, karanlıkta gözlerim yanıyor, odanın duvarları üstüme çöküyor; gözlerimi yumdum, uyuyup kalmışım, karmakarışık rüyalar gördüm, karanlık rüyalar.

Sonra Gülay yanımdaydı. 'Ah çocuğum, beni bekledin di mi?' dedi.

Rüya mıydı, gerçek miydi? Bir şey demedim.

'Allahın dağında bir kasabaya gittik, öyle hurda bir minibüs bulmuş ki bizim şef, tın tın gidiyor. Aklım sende kaldı. Sözüm vardı sana, yemek yiyecektik, unutmadım. Beni affettin mi?' dedi.

Odanın ışığını yakmamıştı, koridorun floresanları sağ yanağını aydınlatıyordu, orada küçücük bir ben vardı; küçücük ama yüzünün en güzel yerinde gül açmış gibi.

Bir şey diyemedim, demek istedim de dilim dönmedi.

Elini alnıma koydu. 'Ateşin mi var senin?' dedi.

'Yok,' dedim.

Saçlarımı sıvazladı, alnımı okşadı, sonra dudaklarını alnıma değdirip öylece durdu. İçimde eriyen şeyin ne olduğunu anlayamadım.

'İleri git biraz,' dedi.

Sandalyeden kalkıp yatağa yanıma uzandı.

'Küçüğüm,' diyordu. 'Küçüğüm, özür dilerim, bir daha olmayacak.'

Başımı kollarının arasına sarmaladı, kalp atışlarını duyuyor, parmaklarını vücudumda hissediyordum, kendimi tutamıyordum, dayanamadım, yeniden ağlamaya başladım.

Hiçbir kadın böyle yaklaşmamıştı bana.

O gece Gülay'ın kolları arasında ağlarken ne yapacağımı sordum kendime, bir kadını incitmeden nasıl sevebilirdim, bilmiyordum ki.

Gülay'ın ağladığımı fark etmesi uzun sürmedi. Bir şey söylemeden sıkı sıkı sardı beni.

Kolları arasında uyumuşum; kaygısız, derin, su gibi bir uyku. Sabaha doğru birden uyandım. Onun kollarındaydım, uyanıktı, yüzünde dünyanın en güzel tebessümü vardı. Bütün gece uyumamıştı. O söylemedi, anladım, öylece kıpırdamadan başımda durmuştu. Yanağına uzanıp o güzel beninden öptüm. O da beni öptü."

Faik'in esmer yüzü gerildi, avuçları terlemişti, elini pantolonuna sürerek terini sildi. Dayısına baktı, öylece duruyordu, dakikalarca ağzını açmamıştı, bir şeyler anlatsın istiyordu, yalan da olsa içini ferahlatacak bir şeyler söylesin "Baban gibi olmayacak, annen ölmeyecek, onu iyileştirip getireceğim İstanbul'dan" desin istiyordu. Dayısının yüzündeki karanlığa baktı, aklından geçenleri bilmek ister gibi. Faik, dayısının korktuğunu anladı. İstanbul'a hiç gitmemiş bir adamın orada ne yapacağını düşündü.

İstanbul nasıl bir yerdi ki herkes korkuyla anlatıyordu...

"Korkma dayı" demek istedi...

Dayısının ceketinin eprimiş kollarına baktı; mavi gömleğinin kirli yakasına, kırlaşmaya başlamış sakallarının ardındaki kedere, parmaklarına nüfuz eden sigaranın sarısına, tırnaklarının dibinden eksik olmayan boya izlerine... Hepsi dayısının çaresizliğini perçinlemek için hayatına sinmişti.

"Sultan daha baba evindeydi.

Benim için şehrin anlamı o sabah değişti.

Gülay saçlarını yastığa dağıtmıştı, dudaklarımda onun ıslaklığı vardı, otel odasının küçük penceresinden güneş ışığı sızıyordu; koridorlardaki müşterilerin gürültüleri bizden uzak bir şehrin uğultusuydu.

O odayı, odada işe yaramaz gibi duran dolabı, eski ve her zaman kirli olan masayı, odanın bir kenarına toparladığım eşyalarımı görseydim söyleyemezdim, o yüzden gözlerimi yumup kendi karanlığımda söyledim.

Ona dedim ki: 'Ben âşık oldum.'

'Hiişş,' diye bir ses çıktı dudaklarının arasından, bir suçlu gibi utandım, gözlerim hâlâ kapalıydı ama yüzündeki ifadeyi biliyordum.

'Bunu söyleme hemen,' dedi. 'Daha çok erken, beni tanımıyorsun. Ya ben kötü bir kadınsam sana acı çektirirsem. Ama küçüğüm, ben de kendimi çaresiz hissediyorum,' dedi. Anlamadım, onun ne demek istediğini anlamak için çok mu toydum? İnsan birini sever, onunla birlikte olur... Evlenir, ne bileyim çoluğa çocuğa karışır. Birbirine şefkat gösterir, korur, esirger...

'Ben burada geçiciyim, yarın öbür gün gitmek zorunda kalırım; sana mı kötülük yapıyorum, yoksa kendime mi bilmiyorum,' dedi.

'Bir yere gitme, burada kal,' dedim.

'Buradayım ya işte,' dedi.

'Hep burada kal,' dedim.

'Canım benim, anlatamam ki sana, herkesin bir korkusu, çaresizliği, içini parçalayan güçsüzlüğü var. Şimdi çok erken bunları konuşmak için, hem bakalım ne kadar katlanabileceğiz birbirimize,' dedi.

'Ben,' dedim. 'Senden önce hiç kimseyi bilmedim, artık bilmek de istemiyorum. İstersen düğün yaparız, istersen imam nikâhı kıyarız, ne istersen yaparım. Sen istersen her şey olur. Bana göster de ki şunu şöyle yapalım, tamam öyle yapalım, yeter ki beni bırakma.'

Şaşkındım.

Sigara yaktı, ikimiz aynı sigarayı içtik. Bir o duman tüttürdü, bir ben...

İstemeye istemeye köye gittim, babam çok kızgın, onun sözünü dinlemiyorum ya beni her fırsatta azarlayıp sindirmeye çalışıyor. Sonunda, 'Def ol git,' dedi bana. Onun oğlu olamayacak kadar hayırsız, beceriksiz, korkakmışım. Beni evlendirip kasabada bir iş ayarlayacağını söyleyip duruyordu, şehre taşınma isteğime dayanamıyor, 'Kasaba neyine yetmiyor,' diyordu. 'Senin gibi oğulun yanımda yeri yok, def ol git,' dedi.

Pılımı pırtımı toplayıp temelli otele yerleştim.

Akşamları Gülay'la birlikte geçiriyordum; sabahçı kahvesinde nargile tüttürüyor ya da minibüsleriyle yola çıkıp, elden ayaktan uzak yerlerde içki içiyorduk. Beni seviyordu, yanında bir çocuğum, onun her dediği oluyordu, benim istediğim yerlere gidiliyordu. Oyun gibi kuralları olmayan ama bir yandan da hiç konuşulmamış konularda kırılgan, birbirini korumaya çalışan iki yabancı sevgiliyiz.

'Birbirimizi şımartıyoruz, bu bizim hakkımız,' diyordu.

Bu bizim hakkımız...

Kimseye anlatamadığını söylediği sırlarını bana anlatıyor, onu kıskanıyordum. Onun tek erkeği ben olmak istiyordum.

'Parmaklarında tütün kâğıdı şiir gibi dönüyor.' Böyle demişti ben tütün sararken; o da şiir gibi tütün sarmayı öğrendi.

Gece otelde el ayak çekildikten sonra yavaşça odama gelirdi, odamın kapısını kilitlemiyordum artık. Gülay, geç saatlere kadar çalıştıklarında otele döner dönmez yanıma geliyordu, kendini iyi hissederse bütün gece birlikte oluyorduk, çok yorgunsa odasında uyuyor, sabaha doğru sessizce yatağıma süzülüyordu. Kısa bir süre sonra şehirdeki hayatının bütün ayrıntılarını biliyordum, anlattıklarından ona dair bir dünya kurmuştum kafamda: dostları, kardeşleri, ölen annesi, yıllardır görmediği babası, ilk aşkı, ayrıldığı kocası, okul yıllarında yaşadıkları... Yine de benden sakladığı bir şeyler vardı, bu his beni delirtiyordu, ne gizlediğini soramıyordum. Konuşurken birden susardı, hiçbir şey söylemeden bana sarılır, sıcaklığıyla beni sevişmeye çağırırdı...

İstanbul'a dönmelerine birkaç gün kalmıştı. Gülay daha bir sessizleşmişti, bazen bütün gece ağzını açmadan yanımda oturuyordu.

Sabahçı kahvesindeydik. Gülay'ın iş arkadaşları birer ikişer otele dönmüştü. 'Konuşmamız gerekiyor,' dedi.

Daha o an içime bir ateş düştü, kötü bir şeylerin olacağını biliyordum, buna hazırlıklı değildim. 'Konuşalım,' dedim.

'İstanbul'da bir sevgilim var,' dedi. Sustu, öyle bir sustu ki sanki bir daha benimle konuşmayacaktı.

Ne kadar sustuk bilmiyorum. 'Bir şey söylemeyecek misin?' diye çıkıştı.

'Beni kandırdın,' dedim.

'Seni kandırmadım, sadece ne yapacağımı bilmiyorum,' dedi.

Ben düz bir adamım oğul, anlamam böyle şeylerden, Gülay'ın yüzüne bakamadım, baksaydım belki de ne demek istediğini anlardım, bugün bunları kendi kendime söyleten nedir bilmiyorum, yıllarca önce ağzımdan çıkanları kimin söylettiğini bilmediğim gibi. Yüzümün değiştiğini biliyordum, çirkinleşmiş-

tim, o iç bulantısını hiç unutmadım, kendimi yitirdim; birden-
bire değil, yavaş yavaş oldu...

'Onunla konuşmam lazım, bu yüzden sana benimle İstanbul'a
gel diyemiyorum.'

'Ne konuşacaksın onunla?' dedim sinirle. 'Benimle nasıl gönül
eğlendirdiğini mi anlatacaksın?'

'Böyle yapma, birbirimize daha anlayışlı davranalım,' dedi.

'Hangisi?' diye sordum.

'Ne hangisi?' dedi, ne sorduğumu anlamamıştı.

'İstanbul'daki sevgilin hangisi, bana anlattıklarından birisi mi?'

'Eski kocam,' dedi.

Nasıl yaptığımı bilmiyorum, masaya yumruğumu vurdum, gü-
rültüyle bir şeyler devrildi, içimde yükselen bulantı artık başı-
mı döndürüyordu, kızgınlığımın sözle dinmeyeceğini anladım,
hemen ayağa fırlayıp kahvehanenin kapısına yöneldim. Ar-
kamdan koşturdu, bir şeyler söylüyordu ama onu dinlemiyor-
dum. Günlerdir, hakkında atıp tuttuğu eski kocasıyla birlikte
olmasını nasıl açıklayacaktı ki? Sokağa çıktığımda kolumdan
tuttu, sokak ortasında bana sarıldı.

'Ne olur beni anla küçüğüm,' diye fısıldadı.

Bütün gücümle onu kendimden uzaklaştırıp bir tokat savur-
dum. İşte o an, o tokatı attığım zaman her şey bitti, o geceden
sonra yaşadığım her gün o tokadın ağırlığında ezildim. Sende-
ledi, sonra kendini toparladı. Korkudan terlemiştim, bir yan-
dan da her tarafım buz kesmişti, arkasını dönüp gitti. Ardından
gitmek istedim istemesine de yapamadım; niye yapamadığımı
bilmiyorum, öyle çaresiz, korkak bir adammışım ki sevdiğim
kadının arkasından gidip ondan af dileyemedim. Halbuki içim-
den yükselen bulantının, acının tek ilacı buydu, yapmadım.

Bütün gece sokaklarda dolaştım, canım yanıyordu, ne yapmam gerektiğini de bilmiyordum, bir ara eşyamı toplayıp doğruca köye gitmek geçti içimden, hızlı hızlı otele yürürken vazgeçtim, biraz daha dolaştım sokaklarda, gün doğmadan otele gittim, belki odama gelmiştir, gelmediyse de sabaha doğru uğrar diye; gelmemişti, odam bomboştu, elbiselerimle yatağa uzanıp onu bekledim, gelmedi, kendimi tutamadım ağlamaya başladım, böğüre böğüre ağladım, uykuya dalmışım. Uyandığımda tıpkı ilk gecemizde olduğu gibi onu yanımda bulacağımı umuyordum; olmadı, gelmedi. Elimi yüzümü yıkayıp odasının kapısına gittim, bütün gücümü toplayıp kapıya vurdum, oda arkadaşı olan kadın açtı kapıyı.

'Ne istiyorsun?' diye azarladı beni.

'Gülay'a baktım, yok mu?'

'N'apcan Gülay'ı,' dedi.

Bir şey söylemeden öylece baktım. Annesini arayan küçük bir çocuk gibi hissettim kendimi, bir şey söylese oracıkta ağlayacaktım, kendimi tuttum, söyleyeceği her şeye hazırdım...

'Döndü,' dedi. 'İstanbul'a döndü, seni bir daha görmek istemiyormuş, aramasın boşuna,' dedi.

'Gelmeyecek mi bir daha?' dedim.

'Gelmeyecek,' diye mırıldandı."

"Ben üşüdüm dayı," dedi Faik, ceketin içinde büzüşüp kalmıştı.

Arif, kafasındaki düşüncelerden sıyrılıp etrafına bakındı, akşamın karanlığı iyice inmeye başlamıştı. İçindeki huzursuz ivediliğe söz geçiremiyordu. Yola çıkma düşüncesi bile elinin ayağının birbirine karışmasına yetiyordu. Oturduğu sandalyeden yavaşça kalktı, Faik'in parmaklarını kavradı, avucunun içinde eritti.

Âdem'e doğru birkaç adım attılar, artık son hazırlıkları yapmak için bir an önce evde olmalıydı...

Sabahın ilk ışıkları yol gösterdi onlara.

Otogara yürüdüler. Faik, annesinin ellerindeki torbaları otobüsün bagajına bırakıp onun yanındaki boş koltuğa oturdu, Arif tütün almak için açık bir bakkal aramaya gitti.

Sultan, yüzünü örttüğü hasseyi koltuğa oturduktan sonra araladı, dudaklarındaki yorgun, gül kırmızısı ifade yüzüne yakışmayan bir kırgınlık gibi duruyor, parmakları titriyordu, iki dudağının birleştiği yerle, gözlerinin altındaki yalnızlık ifadesinin nedenleri aynıydı: sevginin sözcüklere dökülememesi.

Parmaklarının titremesine engel olmaya çalışarak oğlunun yüzünü avuçladı, bunu öylesine doğal, öylesine çocukça bir hazla yaptı ki dudaklarının, oğlunun yanağına o gün, o saatte değeceği yıllar öncesinden bilinen bir şeydi de yıllarca bu anı beklemişti sanki.

Yanından yöresinden ayrılmayan annesinin, birdenbire uzaklara gitmek zorunda kalması Faik'e anlaşılmaz gelmişti. Annesinin yerinde olmak istedi; keşke kendisi uzak bir yerlere gitseydi, sessiz sedasız, kimseye fark ettirmeden.

Faik o sabah büyüdü.

Annesinin üzülmemesi için ağlamadı, onun gönlünü hoş tutmalıydı; hiç kimsenin kendisine bir şey söylemediğini, herkesin kendilerine ait irili ufaklı sırlarla bir şeyleri unutturmaya çalıştığını sessizce kabul etti.

Sultan koltuğun yanına koyduğu küçük çantanın diplerinden bir şeyler arandı. Faik, annesinin çantada aradığı şeyi bulduğunu yüzüne yerleşen gerilimden anladı.

"Daha önce verecektim, bugüne kısmetmiş, babanın emaneti," diyerek, bir paket uzattı oğluna.

Faik, paketi eliyle yoklarken, tabancanın kabzasını parmak uçlarında hissetti. Paketi ceketinin cebine yerleştirip annesinin boynuna sarıldı. O ayrılık gecelerinin hüzünlerinden başka bir şeydi içini yakan.

Ne Kör Arif'in varlığı ne onun mahrem hikâyeleri ne de babasının dingin, kendinden emin yol hazırlığı, bu hüznün yerini alırdı.

Ayağa kalktı, Sultan'ın bakışları oğluna yerine oturmasını söylüyordu. Annesini yanaklarından öpüp, kulağına daha önce kimseye söylemediği, söyleyemediği şeyler mırıldandı.

Uykulu yüzlerinde, yola çıkacak olmanın tedirginliğini gizlemeyen köylüler birer ikişer otobüsteki koltuklara otururken, Faik kalabalıktan sıyrılıp, elleri pantolonunun ceplerinde evin yolunu tuttu.

4

Okul dönüşü Terzi'nin karşısındaki tabureye oturup çantayı bacaklarının arasına sıkıştırırdı. Terzi, gözlüğünün üstünden Faik'e bir göz atar, eline bir iş tutuşturmanın uygun zamanını kollardı. Bazı günler, Faik orada öylece otururdu, arada bir Terzi'nin gergin, kırmızı yüzlü, çilli yanaklı oğlu çay getirir, sonra aynı gergin yüzle sessizce dükkândan çıkardı.

Sokakta güneş varsa dışarıya bir sandalye atılır, iğne, göçebe bir kuş gibi kumaşta yolunu gözü kapalı bulurdu. Soğuk havalarda, dükkânın bir köşesinde canlı bir heyulaymış gibi, hırıltıyla etrafını ısıtan rezistanslı soba, varlığını huzursuzca hissettirir, iğne ağır bir yük altındaymış gibi kumaşta yol alırdı.

Terzi, Faik'in eline dikimi bitmiş bir ceket tutuşturarak teyelini sökmesini istedi. Kendisinden ne istediğini anlamadı boş boş baktı Faik. Teyelleri nasıl sökmesi gerektiğini ceket üstünde gösterdi Terzi, sonra da Faik'in işi nasıl yaptığını seyredip hatalarını düzeltti. Birkaç dakika sonra teyel dikişlerinin zayıf noktalarını keşfedip, bir iki darbeyle uzun ipleri kolaylıkla kumaştan ayırmayı başardı Faik.

◆ ◆ ◆

Rıza Kıraç

Yer sofrasındaki akşam yemeklerinde sofradan ilk kalkan Faik olur, salonun bir köşesine bağdaş kurup ev sahiplerinin yemeklerini bitirmesini beklerdi.

Terzi, derin bir iç çekerek sofrada kımıldar, parmaklarında ekmek kırıntısı kalmış gibi tabağın üstünde parmaklarını birbirine vurur, ellerinin üstünde sürünerek sofradan bir metre kadar uzaklaşırdı. Terzi'nin karısı, tabağındaki yemek bitmese bile kocasının önündeki tabağı alır, telaşlı telaşlı mutfağa seğirtir, elinde bir bezle geri döner, yer sofrasındaki bütün tabakları toplayıp bakır siniyi sildikten sonra sessizce mutfağa çekilirdi. Faik, kaldırdığı sofrayla birlikte ortadan kaybolan kadının, mutfakta yemeğine kaldığı yerden devam ettiğini bir iki gece sonra fark etti.

Ertesi akşam tabaktaki çorbayı yavaş yavaş kaşıkladı Faik, herkes yemeğini bitirdiğinde o önündeki tabağı ancak yarılamıştı. Terzi, köşesine çekilmişti. Kadın tabağının dibini sıyırıyordu. Faik gözucuyla Terzi ile eşini süzdü. Kadın, Faik'in yemeğini bitirmesini bekliyordu. Kadın son lokmasını ağzına götürürken Faik de önündeki yemeği bitirip sofradan kalktı.

Bazı akşamlar Bahri de yemekte oluyordu. Uzun, kırmızı parmaklarıyla ekmeği bölüp önündeki çorbaya daldırır, ilk lokmayı soğutarak yedikten sonra kaşığı parmakları arasına sabitler, bir otomat gibi aynı hızlı ritimle herkesten önce yemeğini bitirir, köşesine çekildikten sonra da çilli yanaklarını içine çekerek, yetişkinlere özgü gürültülü bir sesle dişlerinin arasına kaçan kırıntıları çıkarmaya çalışırdı. Bu gürültülü iş sonuç vermezse kapının arkasına astığı ceketin yaka cebinden kullanılmış bir kürdan çıkararak dişlerinin arasında dolaştırırdı.

Bahri'nin odası yüklüğün yanındaydı. Pencerenin önündeki sedirle, karşı duvarın dibine serili yün döşek arasında, üstünden kitap defter eksik olmayan küçük, yuvarlak bir masa vardı. Faik, masasından canlı, maharetli bir yaratıkmış gibi övgüyle bahseden Bahri'nin, o güne kadar tanıdığı insanlara benzemediğine iyice kanaat getirdi. Ancak, bir süre sonra, pencerenin önündeki sedire yanaşık duran o yuvarlak masanın üzerindeki kitapların sayfalarını çevirmeye başladığında, Faik de hiç yadırgamadan, masadan canlı bir varlıkmış gibi söz edecekti.

O odanın havasını daha ilk teneffüs ettiğinde, Bahri'nin kibrinin kaynağını keşfetmişti. Onun yüzünde gezdirdiği, baktığı her nesneyi hor gören, rencide eden ifade, sözcüklerin, resimlerin dünyasından aldığı güçten geliyordu. Parmaklarının arasında dönen her sayfa Bahri'yi biraz daha cesur, biraz daha patavatsız, biraz daha saldırgan, tahammülsüz biri yapıyordu.

Faik, o çilli yüzün parmaklarının hünerine güvenmesine rağmen, kısa bir süre sonra bir şey keşfedecekti; bilgisinin, varlığının dikkate alınmaması Bahri'yi çileden çıkarıyordu. Böyle bir şeyle karşılaştığında kırmızı yüzündeki koyu çiller neredeyse bütün yüzünü kaplayıp o yüzdeki son sevimlilik kırıntılarının da üzerini kalın bir tabakayla örtüyordu.

Kahvehanedeki yaşlı kasabalılara hep mesafeli davranıyor, onların her istediğini anında yerine getirmeye çalışıyordu. Gençlere tahammülü yoktu; avare ve gevezeydiler, boş işlerle uğraşıyorlar, üstelik yaptıkları işleri hafife alıyor, dalga geçiyorlardı.

Bahri, her fırsatta onları iğneleyici laflarla küçük düşürüyor, "Yaahu çay nerede kaldı Çilli?" seslenişlerini duymazdan gelip, canı istediğinde, isteksiz, ağır hareketlerle çayları hazırlıyor, çilli yüzündeki nemrut ifadeyi hiç bozmadan çayları masaya bırakıp aynı yüz ifadesiyle diğer masalara yöneliyordu.

Kahvehaneyi süpürmek, camlarını silip, çay ocağını adam etmek, hatta kahvehanenin sahibiyle bağrışa çağrışa kavga etmek onu yormazdı da o kasabalı zibidilerin hoyrat şakalaşmaları hiç bitmeyecekmiş gibi gelir, onlara çay götürmek, çaylarını tazelemek dünyanın en ağır işiymiş gibi gözünde büyürdü Bahri'nin.

Tahammül edemediği şeylerden biri de çay ocağındaki düzene birinin burnunu sokmasıydı. Kısa sürede Bahri'nin egemenlik sınırlarını fark eden Faik, onun işini kolaylaştırmanın tek yolunun oturup onu izlemek olduğunu öğrendi. Terzi'ye çay kahve götürmesi gerektiğinde, Bahri ocakta yoksa, bir masaya oturup onun gelmesini beklerdi. Bahri, çay ocağına geçip, "Ne istiyorsun?" diyene kadar hiçbir şey söylemezdi Faik.

Akşamları, aynı odada yaşayan iki arkadaş olurlar, kahvehane hakkında neredeyse hiç konuşmazlardı. Bahri'nin yatağının yanına serili döşeğe uzanan Faik, onun anlatacağı hikâyelere kulak kesilirdi. Bahri, kapının arkasına asılı ceketinin iç cebinden sigara paketini alır, sedirin altından çıkardığı eğri büğrü metal küllüğü masada parmaklarına en yakın yere yerleştirir, sigarasını tüttürmeye başlardı. Sigaranın dumanı odadaki eşyaya nüfuz ederken, Faik şaşkınlıkla fark edecekti: Bahri'nin çilli yüzündeki ifadelerden hiçbiri, o kırmızı kafasının içinde cirit atan cinlerin hakkını vermeye yetmiyordu.

Tavandaki çıplak ampulün çiğ ışığında Bahri, karanlık bir dünyanın tanıklığından az önce dönmüşçesine, atlattığı bütün meşakkatlerin kederini, aynı zamanda zaferin özgüvenini yüzüne yerleştirmiş bir savaşçı edasıyla konuşurdu.

Bahri, kahvehane sahibinin işe yaramaz biri olduğu kanısına varalı çok olmuştu.

"Adamın ufku dar," derdi.

Zaten sadece para biriktirmek için o kahvehanede çalışıyordu, babasının terzi dükkânından ancak cep harçlığı alabiliyordu, oysa şimdi biraz daha çalışırsa neredeyse babasının bir ayda kazandığı paranın yarısı cebine girecekti. Ortaokuldan sonra İstanbul'a gidip orada liseyi okuyacak, üniversiteye hazırlanacaktı. Böyle şeyleri zamanında düşünmek gerekiyordu.

◆ ◆ ◆

Senin İçin Değil

Parmakları arasında döndürdüğü sigaranın ucuyla küllükteki kül birikintisini bir köşeye topladı, söylemek istediklerini dinleyecek birini bulmanın rahatlığıyla derin bir nefes çekti ciğerlerine, bir yandan da sigaranın dumanına yer açmak ister gibiydi. İstanbul'da yaşayacaktı, televizyonda sokaklarını gösterdikleri o şehrin kaldırımları bile başkaydı; camekânları, otomobilleri, ağaçların yeşili, deniz suyunun mavisi, her şeyi bir başkaydı. Ama asıl sorun şimdi oraya gitmek değildi; gitme istemini, bu istemin yarattığı heyecanı anlatacak birilerini bulmaktaydı. Faik'le günlerce konuşmadan aynı odayı paylaşabilir, bütün gece masadaki kitapları okuyarak geleceğe yatırım yapabilirdi.

Daha önce kimsenin Bahri'ye sormadığı bir şey sormuştu Faik. "Kitapları ben de okuyabilir miyim?"

Yazı yazdığı defterden başını kaldırdığında yüzündeki alaycı tebessümü gizlemeye gerek duymadan masanın üzerindeki kitapları Faik'e doğru itti. Kitabın bir iki sayfasını dahi okuyamadan, esneyerek yorganın altına girip uyuyacağından öyle emindi ki hiçbir şey söylemeden önündeki deftere yazı yazmaya devam etti Bahri.

Odayı dolduran duygunun ne olduğunu tam olarak anlamamıştı Bahri ama bir gariplik olduğunu da sezinlemişti; içini sevimli bir kıskançlık mı kaplamıştı, yoksa o da bir an önce defterle işini bitirip kitap okumak mı istemişti, heyecanlanmıştı, keşke onun yerinde olsaydı, ilk defa bu odanın konuğuymuş gibi, o sayfalarda yazılanları bir kez daha en başından okusaydı.

Faik, bir süre sonra yatağa girdiğinde elinde kitap vardı; Bahri duygularını ele verecek bütün ipuçlarının üstünü örtü o akşam. Faik okuduğu kitabın sayfalarını ağır ağır çevirirken, "Ben yatıyorum," diyerek yatağa girdi Bahri.

"Işığı kapatayım istersen," dedi Faik.

Bahri de eline bir kitap alıp uyumadan önce birkaç sayfa okumak istiyordu ama bu isteğinin önüne geçip, "Yok, yok. Sen oku ben alışığım ışığa, uyurum," diyerek kafasını yorganın altında kaybetti.

Kimse Bahri'yi anlamıyor, heyecanına ortak olmuyordu.

Faik diğerleri gibi değildi. Onun hayallerini sonuna kadar dinliyor, bununla yetinmiyor, yorgunluktan kapanan gözlerinin ağırlığıyla başını yastığa koyduğunda bile Bahri'ye İstanbul'u soruyordu.

Boylu boyunca sedire uzanan Bahri, defalarca kurguladığı o düşleri Faik'e anlatırken hikâyesine yeni mekânlar, yeni yüzler, olaylar ekliyordu.

İstanbul bir dünyaydı; bu dünyaya gidecek ilk otobüste yer ayırtmak gerekiyordu.

Mesela Eminönü'nde balık ekmek yiyecekti; denizin üstündeki kayıklarda balık pişirilip hemen oracıkta ekmeğin arasına koyuluyor, tuzlanıp yeniliyordu; orada, denizi boylu boyunca kesen demir bir köprü vardı, bir de kule, Galata Kulesi; bir de denizin ortasında kız gibi duran Kız Kulesi vardı; her İstanbullu bunları bilirdi ama daha başka yerler de vardı, sotalarda küçük meyhaneler, irili ufaklı pavyonlar... Pavyonun ne olduğunu biliyor muydu? İşte öyle bir şeydi, erkeklerle kadınların garip şartlar altında buluşup Bahri'nin aklının ermediği işler yaptığı bir yerdi. Öyle olması gerekiyordu; teyzesinin kocası böyle demişti, o da bir kere gitmişti, niye gittiğini söylememişti ama birilerinin kendisini yolduğundan şikâyetçiydi, garipti tabii... Pavyon denen yerlere gitmeye niyeti yoktu ama yine de bilgi olarak insanın aklının bir köşesinde durması iyi olurdu. Sonra İstanbul'un en güzel yerleri Boğaz'a dizilmişti; Boğaz'ın ne demek olduğunu biliyor muydu? Denizin iki yakası öyle yakınmış ki birbirine neredeyse bir nehir, öylece büyük denizlere akıyormuş. Her yanı pırıl pırıl, tertemiz büyük yalılar, kocaman pencerelerini güneşe dönmüş büyük apartmanlar, koşup koşup denize atlayan gençler, yaşlılar... Belki o da denize atlardı, denize atlamak için biraz gerilmek gerekiyordu, televizyonda bir haberde görmüştü, gençler hep birlikte koşuyor, sıçrayıp vücudunu havada iki büklüm yaptıktan sonra iki üç metre ileri doğru denize uçuyorlardı, zordu ama onlar biliyordu bu işi yapmasını, birisi gösterse Bahri de yapabilirdi bunu.

Bunları anlatmak bir yana, İstanbul'u düşünmek bile Bahri'yi heyecanlandırıyordu. Gözlerinin altındaki yorgunluğun sebebi uykusuzluk değildi; heyecanının, bu düşlerin ağırlığı altında ezilmesiydi.

Ah bir İstanbul'a gitseydi!

5

Çantayı otobüsün bagajına yerleştiren acar muavini, Faik ilkokuldan hatırlıyordu, daha sonraları arada bir kahvehanede görmüş ama hiç konuşmamışlardı.

"Yolculuk İstanbul'a mı?" diye sorduğunda, muavinin yüzündeki tebessümün anlamını çıkartamadı Faik, sadece "evet" anlamında başını salladı.

Arif, koltuğa oturduktan sonra gazeteye sarılı sigara paketlerini Faik'e uzattı.

"Bende vardı," dedi Faik, mahcup bir mırıldanışla.

"Olsun, yol uzun, lazım olur. Orada arkadaş tutana kadar mağdur olma, bir ihtiyacın olur... Çekinme ara."

"Ararım dayı."

"Ara tabii..."

Arif, sesindeki mağlubiyeti yenmeye çalışıyordu ama sesinin çatallaşmasına engel olamıyor, koltukta rahatsız rahatsız kıpırdanıyor, ellerini koyacak yer de bulamıyordu; sanki fazlaydı onlar, işlevsizdiler, terleyen avucunun nemi parmaklarına bulaşmış, dokunduğu yeri yapış yapış yapıyordu. Parmaklarının bir işe yaradığını kanıtlamak ister gibi ceplerinde tütün arandı. Faik'in uzattığı sigara paketini gülümseyerek geri çevirdi, sonunda ceketinin iç cebinden tütün tabakasını çıkardı.

Faik dudakları arasındaki filtreli sigarayı yakmaya hazırlanırken, "Dur, sana da sarayım," diye mırıldandı Arif.

Elleri titriyordu, yine de bir çırpıda kâğıdın içindeki tütünü parmakları arasında döndürdü. Sigaranın ucunu düzeltirken bakışlarıyla Faik'in gözlerini aradı, göz göze gelecekleri küçücük bir an bile yetecekti ona.

Konuşacak o kadar çok şey varken beni bırakıp gitmen o kadar koymuyor da bunca zaman oturup iki çift laf edemememiz ağırıma gidiyor oğul, diye geçirdi içinden Arif.

Faik, bir an başını kaldırdığında dayısının gözleriyle karşılaştı, kendisine bir şey söyleyeceğini sandı. Arif başını önüne eğip, derin bir iç çekti.

"Gideceksen durduramam seni ama orada kimsesiz kalacaksın, ne Bahri yeter sana ne de tutacağın dostların... Korkunun bir faydası yok, ben de biliyorum. Ama önünde sonunda senin için yapabileceklerim bu kadar. Sultan da, 'Kalmaz buralarda, gider,' demişti.

O da benim gibi İstanbul'u sevmemiş, memleketinden ayrı düşmüş bir ceylan gibi sinip kalmıştı orada.

İstanbul'a indiğimiz ilk gün öyle korkmuştu ki koluma sarılmış, pastanede masaya oturana kadar da bırakmamıştı. İsteseydi... Biliyordum istemediğini, isteseydi kendi kendini iyileştirirdi... İnadından oldu.

Günlerce hastaneleri dolaştık, doktor doktor gezdik, ağzını açıp tek kelime etmedi, halbuki İstanbul'a gelirken tedavi olmak, iyileşmek istiyordu, kafasını toplamıştı, İstanbul korkuttu onu. Doktorların sorularına ben yanıt verdim. Yalnız kaldığımızda ettiği tek söz, 'Ne zaman döneceğiz?'di. Boşuna gitmişiz onca yolu.

Durmadan tahlil yaptırıyorduk, bazı doktorlar kanser olabilir dedi, bazıları verem... Bir kadın doktora gitmiştik, beni bir köşeye çekti.

'Kardeşinizin hiçbir şeyi yok,' dedi. 'Zayıflaması, vücudunun kırgınlığı ölmek istemesinden; yaşamak istemiyor, ben hiçbir şey yapamam. Önce yaşamak isteyecek, isterseniz bir psikoloğa götürün kardeşinizi, konuşmaya, sevgiye ihtiyacı var. Böyle devam eder de tedavi kabul etmezse eve götürün, huzur içinde ölsün.'

'Doktor hanım, bizim sevgimiz yetmez mi yaşatmaya?' dedim.

'O başka bir şey. Önemli bir şey olmuş, yaşamla olan bağları kopmuş, yoksa bugüne kadar çoktan teşhis konulur, vücudu tedaviyi kabul ederdi,' dedi.

Bir iki gün hastanelere gitmeyi kestim, ona İstanbul'u gezdirdim, konuşmayı denedim, eğer istemezse iyileşemeyeceğini, doktorların hiçbir işe yaramayacağını söyledim.

'Bedenim kaldırsa da kafam kaldırmaz bu eziyeti,' dedi.

'Sensiz ben ne yapacağım, Faik ne yapacak?' diye çıkıştım.

'Alışırsınız, erkeksiniz siz,' dedi."

Kat kat giysiler içinde bir çuvalı andıran yaşlı kadınlar, annelerinin ellerinden kurtulmaya çalışan ağlamaklı, hırçın, küçük çocuklar, kaynanalarının, gergin yüzlü kocalarının yanında dallarını çaresiz eğmiş gelinler otobüsü birer ikişer doldurmaya başlamıştı.

"Gülten ile Naşit yolcu etmeye gelmeyecek mi?"

"Gelmeyin dedim, dün gece vedalaştım onlarla," diye mırıldandı Faik.

"Üzülmüşlerdir."

Faik bir şey söylemeden önündeki koltuğa gömüldü küllüğe sigarasını silkeleyip bakışlarını pencereye kaçırdı; çoluklu çocuklu kalabalık bir grup, asker yolcu etmeye gelmişti. Pürüzsüz, tedirgin yüzünde iki mavi bilye gibi duran gözlerindeki yaşları bir yandan ceketinin koluna silen, bir yandan da sırayla büyüklerinin ellerini öpen gence, erkeklerin arasından sıyrılan bir kadın hüngür hüngür ağlayarak sıkı sıkı sarıldı. Erkeklerden biri kadını omuzlarından tutup, bağıra çağıra gençten kopardı.

"Otobüs birazdan kalkacak, sen de git istersen," dedi Faik, dayısının ağlamaklı gözlerine bakarak.

"Giderim," dedi Arif, sonra üst dudağını dişledi; az önce gözlerinin içine bakan çocuk için dökeceği yaşları geciktirmeye çalışarak.

Arif ayağa kalktı, nereye tutunacağını bilemeden elini bilinçsizce sağa sola çarptı, Faik de dayısına son bir kez sarılmak için iki koltuk arasındaki o daracık yerde ayağa kalkmaya çabaladı, dengesini yitirdi, düşecek gibi oldu, kolundan kavrayarak dayısını kendine doğru çekti. Bütün yaşamları boyunca bir arada olan iki insanın, ilk defa sarılması gibi beceriksizce, tutkuyla birbirlerini kavradılar.

Dudaklarında filtresine gelmiş sigarasıyla koltuğuna kurulan şoför kornaya bastı.

Otobüs yola çıktıktan bir süre sonra, yol kenarlarında çantalarıyla, çuvallarıyla bekleşen yolcuları topladı. Muavin elinde kâğıtlar, bir yandan yolcuların biletlerini kontrol ederken, bir yandan da yeni gelenlerin eşyasını bagaja yerleştirip, onlara koltuklarını gösteriyordu.

Faik, bir gece önce Naşit ile Gülten'in hediye ettiği siyah deri çantayı bacaklarının arasından alıp dizine yerleştirdi. Çantanın içindeki paketi yola çıkmadan önce açmayacağına dair söz vermişti, bütün gece içini kavuran merakı dizginlemiş, paketi yolda açmak üzere çantaya yerleştirmişti. Ama şimdi paketi açmak içinden gelmiyordu, bu neyle karşılaşacağını bilmemenin korkusu değildi yalnızca; alelade bir hediye olsaydı, Naşit ile Gülten, daha o akşam, oracıkta açmasını isterlerdi paketi, belki ikisine ait bir sır vardı pakette, belki de üçüne dair.

"Bir sırrım olsaydı ilk sizinle paylaşırdım, dayımla değil. O konuşmaz, içine atar; ama kimseninkine benzemeyen bir sevgiyle sever beni, içindeki kitabı okuyan bir derviş gibidir. Onu bir şeye inandırmak küçük bir çocuğa Tanrı'nın varlığını kabul ettirmek kadar kolaydır. Bir sırrım olsaydı çoktan öğrenirdiniz; beni o kadar kolay çözdünüz ki sizden başka hiç kimseye etimle kemiğimle çırılçıplak teslim olmamıştım. Geceler boyu dudaklarınıza baktıysam, oradan dökülen her sözcüğe inandıysam, bunun nedeni bilgiye susamışlığım, içimdeki çılgın öğrenme arzusu olamaz sadece. Fark etmişsinizdir; sizin gibi olma isteğinin karşı koyamadığım cazibesi beni zayıf düşürdü. Felsefe okuduğumuz akşamüstleri demli çayları yudumlarken kurduğumuz her cümlede, 'Neresi yanlış bunun?' diye sordum kendi kendime... 'Neresi yanlış bunun?' Belki de daha en başından o eve gitmemeli, okuldaki öğretmen öğrenci ilişkisini zorlamamalı, Gülten'i, Gülten Hanım olarak tanımanın ötesine geçmemeliydim. Bunun üstesinden gelecek iradem olsaydı hiç düşünmez sizden uzak durur, bütün sözlerinize kulak tıkar, dayımla çalışmamdan arta kalan zamanı Terzi'nin dostluğuyla, Bahri'nin İstanbul'a giderek açtığı boşluğu kahvehanedeki geveze, gamsız adamlarla kâğıt oynayarak doldururdum. Şimdi elimdeki bu pakette bir sır mı var? Yoksa, 'Bugüne kadar yaşadıklarımız bir yalandı, başının çaresine bak,' diyen bir mektup mu? Belki de, 'Sana asıl söylemek istediklerimizi söyleyemedik, biraz daha felsefe yapsaydık, hayatla baş etmenin sırlarına erecektin' mi diyor mektup? İyi de içimdeki bu acı niye; hayatın sınırlarında gezinip, sırlarına eremeyeceğimizi bile bile günlerimizi, gecelerimizi sayfalara gömmemizden mi? Değil, hiçbiri değil. Bu acının nedeni ne annemin, babamın mezarını arkamda bırakmam ne de dayımı, yıllarını gözlerimin içine bakarak harcayan adamı yüzüstü bırakmam, acının nedeni yalnızlığım. Bunca çabadan, didinmeden sonra beni yüzüstü bırakmanızı aklım almıyor. Ne kadar yalnız ve acımasızmışsınız."

Paketi eliyle yokladı.
"Kolonya."
Bir an muavinle göz göze geldiler.
"Kolonya," dedi yeniden muavin.
Faik, bir şey söylemeden avuçlarını uzattı, muavin şişeyi salladı.
Kolonyayla ellerini ovuşturdu, sonra gözlerini kapayıp yüzünü sıvazladı. Gözlerini açmadı bir süre, açmak istemedi, otobüsün en küçük sarsıntısını bütün bedeninde hissediyordu; yola çıktığını, doğduğu köyü, büyüdüğü kasabayı, artık küçük bir düşten parçalar gibi hatırladığı babasına dair anılarını, küçük bir tepenin yamacındaki annesinin mezarını, hem ustası hem de dayısı olan o hünerli, sıcak, kimsesiz ellerin sahibi Arif'i arkasında bıraktığını yeni anlamıştı sanki.

Gözlerini açtı, otobüsün içi gün ışığına boğulmuştu.

Faik, paketin kâğıdını yırttı, gül kurusu renginde kapağı olan defterin arasında bir zarf vardı. Koltukta huzursuzca kıpırdandı, bir sigara yaktı, gözleriyle muavini aradı, su istedi, defteri çantaya yerleştirip çantayı bacaklarının arasına sıkıştırdı, sol elinde zarfı tutuyordu, muavinin getirdiği suyu içti.

Zarfta iki mektup vardı, Naşit ile Gülten'den:

Sevgili dostum,

Seni tanıdıktan sonra, hiçbir zaman diğer öğrencilerime baktığım gibi bakmadım, onlara davrandığım gibi davranmadım sana; istesem de yapamazdım bunu zaten, içim elvermezdi. Bu küçük kasabaya geldiğimiz ilk günden bu yana Gülten'in de benim de bir kazancımız varsa o da sensin. Hem bir dostun, sırdaşın hem de bir çocuğun, özellikle benim için, bir oğlun boşluğunu doldurdun, teşekkür ederim.

Şimdi hem bir dostumdan ayrı kalmanın hüznü var içimde hem de oğlunu hayata hazırlamış, gururlu bir babanın mutluluğu. Şimdi kendimize yeni uğraşlar bulmaya çalışacağız, seninle tanışmadan önce ne yapardık hatırlamıyorum.

Nerede ne yaptığını, kiminle, nerede neler konuştuğunu hep merak edeceğim.

Seninle yaşadıklarımızı alt alta koyup topladığımda yüzümde kocaman bir gülümseme beliriyor, içimi yıllar önce kaybettiğimi sandığım yaşama sevinci kaplıyor, o ilk gençlik romantizmi yeniden sarıp sarmalıyor beni.

Biliyorum, "Beni yalnız bıraktınız," diyeceksin, değil, inan öyle değil. Bütün romantizmimize rağmen seninle o şehre gelmeyi göze alamıyorum, aradan geçen yıllar bizi ağırlaştırdı, ancak sen gidebilirdin İstanbul'a. Gülten de ben de o şehrin yükünü taşıyamayacak kadar yaralanmıştık, yaralarımız iyileşeli yıllar oldu, güçlendik ama halen korkuyoruz, bunu anlamanı istiyorum senden, kızma bize.

Ölmek, öldürmek yiğitlik sayılırken daha güçlü, korkusuz, inatçı, inançlıydık, katledilmiş şehit yoldaşlarımız, yaşayan kahramanlarımız vardı; şehitler hep şehit kaldı ama yaşayan kahramanlar bir yıldız gibi kayıp kendi varlıklarını bir daha ay-

*dınlatmamak üzere karanlıklara gömüldü. Bense ne bir şehit ne
de kahraman olabilecek kadar cesurmuşum, bunu kendime iti-
raf etmek için yılların geçmesi gerekiyormuş. Unuttuğumu san-
dığım her şeyin her gün zihnimde hesapları yapılıyormuş da bu-
nu bile kendimden gizliyormuşum. Bu bir mektupla geçiştirile-
meyecek kadar derin, hassas ve önemli. Sana yazdığım bu mek-
tubu eski bir yoldaşım okusa kim bilir neler düşünür hakkımda
ama benim içim rahat.*

*Bir yandan da yanlış bir şey söylemekten korkuyorum; her-
kes geçmişine öyle küfür ediyor ki onların yerine benim çirkin yü-
züm kızarıyor, sinirden ellerim titriyor; bunu hak edecek ne yap-
mış, nasıl bir hataya düşmüş olabiliriz?*

*Bütün bu iç bunaltan şeylere rağmen biliyorum ki senin gibi
ufku, gönlü açık bir nesil yetişiyor. Bir yerlerde yeşeriyor, serpi-
liyor çiçek açıyorsunuz, birbirinizi bulacaksınız ve ne geçmişi
kutsayıp ona tapınacak ne de körü körüne size sunulan sahte cen-
netin nimetlerine saldıracaksınız... Aklınızı da duygularınızı da
yerinde ve gerektiği gibi kullanacak, cesaretinizin yanına sevgi-
nizi ekleyip yaşamanın, yaşatmanın ne büyük nimet olduğunu
herkesin yüzüne haykıracaksınız.*

*Biliyorum, birbirinizi bulacaksınız ama ne zaman, nerede
buluşacaksınız?*

*İşte oraya gidiyorsun, buluşma noktasına, en azından bu te-
selliyle kendimi avutabilirim.*

Gözlerinden öperim.

Hocan, dostun; Naşit.

"Yolculuk ne tarafa delikanlı?"

Yanındaki koltuğa kurulup, otobüs şoförü gibi bakışlarını ileri dikmiş olan adamı yeni fark etmişti. Kısa saçları özenle taralı, bıyıkları az önce yüzüne yapıştırılmış bir aktörün makyajı gibi iğreti duran adama bakıp gülümsedi, ilk anda niye gülümsediğini kendisi de bilmiyordu ama adamın yüzündeki sevimli ifade öylesine tanıdık geldi ki, "İstanbul'a," dedi, gülümsemesini destekleyen sıcak bir tonlamayla.

"İstanbul... Çok uzak ya... Senin bayağı yolun var. O kadar saat okuman için mektup mu verdiler sana?" diyerek güldü.

Faik, adamın alaylı sorusuna yanıt vermedi.

Adam bir şey söylemesini bekledi bir süre, sonra kendi kendine konuşur gibi, "Ben de Adana'ya gidiyorum. Bilir misin Adana'yı?"

"Bilmem."

"Benim hanım hasta, böyle giderse tamamen elden ayaktan düşecek, Allah korusun, ne diyorum kendi kendime. İyileşecek inşallah, biraz sabır. İki gün izin aldım; ayıptır söylemesi, ihtiyaçlarını giderip biraz para bırakacağım. Kayınvalide yanında refakatçi; Allah için iyi kadın, biraz geveze, pimpirik ama nazımızı çekiyor. Ne de olsa kızı, tabii bakacak, ihtiyacını görecek."

Adam gözlerini Faik'e dikip uzun uzun baktı. Sonra ceketinin cebinden cüzdanını çıkarıp vesikalık bir fotoğraf uzattı Faik'e.

"Bak, karım Güzide."

Otuz beş yaşlarında, meçli, düz saçlarını yanağına düşürüp, kâkülleriyle alın yazısını kapatmaya çalışan bir kadın vardı fotoğrafta. Yüzündeki tebessümde hayatından memnun bir ifade mi var, yoksa bu fotoğrafı çeken her kimse onun uyarısı üzerine kadının yüzüne yapıştırdığı bir anlık memnuniyet mi, Faik çıkaramadı ama her halükârda, kocası gibi hayali kahramanlara özgü bir sevimliliği vardı Güzide'nin.

Adam seri hareketlerle cüzdanını çıkardığı yere sokuştururken, "Ne için gidiyorsun İstanbul'a?" diye sordu.

"Yerleşmeye."

"Ailen orada mı?"

"Hayır. Kimsem yok İstanbul'da."

"Gerçekten kimsem yok, öldüler! Garip ama bugün sanki onlar hayatıma hiç girmemişler gibi hissediyorum... Annem, babamla birlikte ölmüştü zaten. Bu yüzden onu hiç affetmeyeceğim. Belki şimdi farkında değilsin ama seni de karın terk edebilir! Bunları zamanında düşünmek gerekiyor, benim gibi genç, hayat tecrübesinden yoksun değilsin, hayatın acımasızlığına karşı hazırlıklısındır!

Naşit derdi ki: 'Kim ki ölüm karşısında dirençli olduğunu iddia ediyor, bil ki aşk onun hayatında derin bir neşter yarası açmıştır.'

Onun ölümle aşk arasındaki ilişkiyi filozofça açıklamasını severdim. Söz konusu Gülten olduğunda, yarasını gizlemeye çalışır, 'Biz farklıyız,' derdi.

Gülten'i benden kıskandığını hissettiğim anlarda hep kendimi suçladım. Bir yandan da bundan muzır bir zevk aldığımı itiraf etmeliyim.

Senin güzel karının hastalığı bir gün geçer, belki de karının hastalığı insanoğlunun aklının ermeyeceği bir sırdır, kim bilir? Bana gerçek yaranı göstermek istemeyeceğinden eminim.

Annem yarası açık gezerdi; doktorların göremediği, görenlerin de ne olduğunu anlayamadığı o yaradan mikrop kaptı. Yarayı göremedikleri için mikrobu da keşfedemediler. Öyle bir an geldi ki annem hepimizle dalga geçti.

Sen böyle bir şey yapabilir misin? Hiçbir şeyini esirgemeden yapamazsın, gerçekten yapamazsın, karını sevmediğin için değil, eminim büyük bir tutkuyla seviyorsundur karını ama sen bir erkeksin. Kimse, kendini bir aşka vermeyi öğretmemiştir sana. Belki de bunun öğrenilecek bir yanı yoktur, doğuştandır. Bilmiyorum.

Bildiğimi sandığım şeylerden de kuşku duyuyorum, tutkuyla sarıldığım bir bilmece var içimde. Sana öyle çok şey anlatmak isterdim ki...

Mesela, günlerce Bahri'yi anlatabilirim. Ya da cuma akşamları Gülten yemek hazırlarken parmaklarının dokunduğu şeyleri nasıl kutsadığını. Bana bakıp gülümsediğinde bu zavallı çocuğun nasıl bir yetişkinin arzularıyla donandığını, ona bir kez bile korkusuzca sarılamadığımı, bir çocuk gibi yanında dolaşmanın verdiği kederin, nasıl içimi erittiğini...

Yoksa bunları biliyor musun? Hayır, buna ihtimal yok.

Naşit bir şeyleri sezinlemiş olabilir. Ben, onun öğrencisiydim, kutsal görevinin bir parçası! Tamam, haksızlık ediyorum, abartıyorum, onun işine kutsal bir şeymiş gibi yaklaştığını hiç görmedim, nefret ederdi böyle yüceltmelerden, sadece, bana özel biriymişim gibi davranırdı. Aklımdan çok duygularımla ilgilenir, edindiğim bilgilerin bu duyguları desteklemesini ister, 'Matematik bir egzersizdir,' derdi.

Cuma akşamları kasabanın ileri gelenleriyle -bu 'ileri gelen' lafından da nefret eder kendisinin hep geriden hatta geçmişten geldiğini iddia ederdi- birkaç kadeh atar, zihninin açıldığını düşündüğünde sofradan kalkardı.

Şöyle derdi Naşit: 'Sarhoş, çirkin yüzümde, arkamda bıraktığım insanları aşağılayan sevimli bir gülümsemeyle zihnim açıldı, sofradan kalktım. Onları günlük uğraşlarıyla, parti meseleleriyle, çarşı pazar sohbetleriyle baş başa bıraktım. Bunu ben yapmasam onlar beni yalnız bırakacaktı.'

O geldiğinde, Gülten'le akşam yemeğini yemiş, karşılıklı çaylarımızı içiyor olurduk, o kahve isterdi. Gülten ocağa cezveyi sürerken o beklenmeyen misafir edasında odada gezinir, kendine oturacak bir yer arar, sonra her zamanki gibi küçük kitaplığın önündeki koltuğuna kurulurdu. Kitapları arkasına almayı çok severdi. Dediğine göre kendini daha güçlü hissediyormuş, kitaplar arkasında olduğu sürece kimse onunla başa çıkamazmış. Benim de böyle yapmamı öğütlerdi. En kısa sürede bir kitaplığım olacağını, önüne de ağır, oturaklı adamlara yakışır bir koltuk yerleştireceğimi söylerdim.

Gülerdi. Dersime iyi çalıştığımı, bu huyumu sevdiğini söyleyip son günlerde neler okuduğumu sorardı, daha önce bu konuyu birkaç kez konuşmamıza rağmen içkinin verdiği 'zihin açıklığıyla' sorduğu sorulara, aynı yanıtları verirdim.

Naşit, okuduğum kitaplara ilişkin daha önce defalarca anlattığı genel geçer görüşlerini, yazarların diğer kitapları hakkındaki ansiklopedik bilgileri, başkalarından duyduklarıyla süsleyerek yeniden, yeniden anlatırdı.

Ben uslu bir öğrenci gibi başımı sallar, onun ağzından çıkan her sözü onaylardım. Birkaç kadeh içtiğinde, anlattıklarına itiraz etmenin, farklı yorumlar getirmenin faydası olmadığını bilirdim. Bu, sorgusuz sualsiz kabullenişime bayılırdı.

Gülten kahveyi getirirken çayları da tazeler, ardından sanki önümüzde çok seçenek varmış gibi, 'hafta sonu ne yapalım' planına girişirdik. Sonra söz dönüp dolaşıp Naşit Hoca'yla okuldaki ilk günlerimize gelirdi. Önce onunla tanışma faslı bir kez daha anlatılırdı. İlk ben anlatırdım, öğrencisinin gözünden kendisinin nasıl gözüktüğünü duymak hoşuna giderdi. Diğer öğrencilerin kendisini pek sevmediğini, bundan da çok büyük bir zevk aldığını söylerdi.

'Kim sever ki benim gibi koca burunlu, patlak gözlü, süpürge saçlı bir adamı?' derdi.

'Hadi bunları görmezden geldik, ben matematik dersi veriyorum; kim matematik hocasından hoşlanır, söyler misiniz beyler?' diyerek ayağa kalkardı.

Gülten de, Naşit'in seslendiği beylerden biriymiş gibi, 'Ben seviyorum ya hayatım,' diye yanıtlardı onu.

'Sen benim öğrencim değilsin ki...'

'Ne fark eder, hayatı birlikte öğrenmedik mi?' diye çıkışırdı.

'Bak orası doğru,' deyip Gülten'in gül kurusu dudaklarına küçük bir öpücük kondururdu.

Senin de Güzide'yle ilişkin böyle mi? Yani birbirinizi büyütmüş olabilir misiniz? Şimdi bunları konuşmanın sırası mı? Değil tabii ki. Naşit anlatırdı: benim sessiz sakin, çevremden gelen saldırılara dirençsiz olduğumu örneklerle açıkladıktan sonra, birbirimizi fark ettiğimiz günün anlam ve ehemmiyetini özetleyen bir giriş yapardı. Bazen de hızını alamaz, o meşhur sınav kâğıdını kitapların arasından çıkarıp okurdu.

'Bugüne kadar aldığım en iyi sınav kâğıdıydı,' dedikten sonra, benim, matematik sorularına sözcüklerle verdiğim yanıtları okur, ardından, hemen o ilk akşam sınav kâğıdını Gülten'e gösterirkenki heyecanlı an temsili olarak canlandırılırdı. Bu kısa oyunun adını 'Üç Bilinenli Romantik Komedi' koymuştu. Ortada üçlü bir aşk vardı ve ben bu aşkın en genç üyesi, diğer ikisi tarafından eğitilecektim. Biraz romantizmi, biraz güldürüyü harmanlayan ama 'oynanmasa da olur' tarzında bir oyun.

Gülten ile Naşit Hoca'yı tanımaya başladıktan sonra, Gülten'in hafızasının Naşit'inkinden daha iyi olduğunu, olayların geçtiği mekânları, kişileri tüm ayrıntılarıyla, kusursuz hikâye ettiğini fark ettim. Bu yüzden geçmişe dair bir şeyler anlatıldığında Gülten'in kurduğu cümlelerin gerçekliğine tereddütsüz inanırdım; Naşit hatırlamadığı şeyleri uydururdu. Bunu birkaç kez ima ettiğimde, hemen ne demek istediğimi anlayıp, 'Sen de böyle yapmalısın, geçmişinde hiçbir boşluk kalmamalı,' diyerek benimle dalga geçmişti.

Liseye başladığım yıl, Bahri İstanbul'a teyzesinin yanına gitmişti, liseyi orada okuyacak, üniversiteye hazırlanacaktı. Terzi'nin bütün ısrarlarına, Bahri'nin yalvaran mektuplarına rağmen İstanbul'a gitmek istemedim; istemiyordum, ne İstanbul'a gitmeyi, ne de üniversite okumayı. Ama dayımla annem de okumamı isteyince dallarım kırıldı, kasabadaki liseye yazıldım. Tek koşulum dayım tarafından kabul edildi; okurken bir yandan da onunla boya işlerinde çalışacaktım.

Matematik dersindeki ilk günlerim bir cehennemdi; ne Naşit Hoca'nın söylediklerinden bir şey anlıyordum, ne de tahtaya yazdığı sayılardan. Soğuk, kaba yüzüne hiç yakışmayan o kocaman burnu hep kırmızıydı, sesindeki o çatlak tizler, sanki ne söylediği anlaşılmasın diye Naşit'in öğrencilere oynadığı oyunuydu. İlk ders gününün bir oyun olmadığını sonraki derslerde anlayınca, sınavda, komiklik olsun diye değil, içinde bulunduğum ruh halini anlasın diye Naşit Hoca'ya sıkı bir mektupla haddini bildirme kararı aldım. Matematik çalışmayı çoktan bırakmıştım.

Bahri olsaydı, o anlamak istemediğim sembollerin, rakamların matematiksel değerlerinin karşılığını bana öğretir, beni sınava hazırlardı. Sınava birkaç gün kala 'Hayatın ve Matematiğin Anlamsızlığı Üzerine Çok Bilinmezli Denklem' başlığını koyduğum manifestoyu hazırlamıştım bile. Naşit Hoca'nın fırsat buldukça kitapların arasından çıkarıp okuduğu sınav kâğıdında işte bu manifesto yazılıydı. Soruların hiçbirini yanıtlamamış, manifestoyu iki kişinin dostluğu üzerine kurmuştum. Çoğu Montaigne'den aparma duygulardı, Bahri'yle o adamı okumayı severdik. Manifestoyu Bahri'ye mektup yazar gibi yazmıştım.

İşe yaradı, sınavdan dokuz verdi; birkaç imla yanlışım varmış, bunları es geçemezmiş. Aramızdaki öğretmen öğrenci ilişkisi arkadaşlığa dönünce, 'Canın sağ olsun hocam, bana dokuz da yeter,' demiştim. Naşit'e bakılırsa, benim diğer öğrencilerden ayrı eğitilmem gerekiyormuş. İtiraz istemedi."

6

"Sen Kötü Ağa'yı bilir misin?" diyerek Faik'in sessiz diyaloğunu yarıda bıraktı adam.

"Bilmem," dedi Faik. "Kimmiş o?"

Otobüs yüksek bir tepeyi tırmanmış, şimdi kıvrıla kıvrıla aşağı iniyordu. İki yanı ağaçlarla kaplı yolun sonunda, kahverenginin, yeşilin tonlarında parçalara ayrılmış tarlalarla kaplı bir ovayla karşılaştılar.

"Görüyor musun?" diyerek ovayı işaret etti adam.

"Evet."

"Rivayete göre yıllar önce bütün bu ova bir ağanın malıymış. Birazdan göreceğimiz köşkü de o yaptırmış, öyle bir yer ki bütün ova ağanın ayaklarının altında. Sabah kalkar köylülerin tarlaya gidişlerini izlermiş oradan."

Adam durdu, anlattıklarının ciddiye alınıp alınmadığını öğrenmek için bakışlarını yan koltuğa çevirdi, Faik dudaklarının arasına bir sigara sıkıştırmış, çakmağı ateşlemek için adamın boş bir anını bekliyordu.

"Bak bak," diyerek ağaçların arasında ahşap bir yapı gösterdi.

"İşte bu köşk."

Yamaca kurulmuş üç katlı ahşap yapı ağaçların arasından bir görünüp bir kayboluyordu, otobüs küçük bir dönüş yaptığında köşkün ovaya bakan cephesi boyunca uzanan balkonu gördü Faik.

73

"İşte bu balkondan bütün ovayı seyredermiş Kötü Ağa," dedi adam.

"Bütün ova onun muymuş?"

"Ne bütün ovası? Her şeyin, insanların da sahibi. Osmanlı elden ayaktan düşünce köylülere yapmadığını bırakmamış. Cihan Harbi çıkınca, köylüleri askere almaya gelenleri adamlarına kovalatmış. Kimseyi askere göndermemiş Kötü Ağa. Aslına bakarsan kötülüğü kadar köylülere hayrı da dokunmuş adamın. Ama gelgelelim acımasız bir ağa... Bütün gün balkondan ovayı seyreder, tarlalarda çalışan köylülerin nefes almasına izin vermezmiş. Ağanın şerrinden herkes korkarmış, affedersin köpek gibi çalışıp ağaya yaranmaya çalışırlarmış ama yine de işe yaramazmış. Her akşam bir bahane bulup köylülerden birkaçına sopa çekermiş. Şimdi ben anlatılanların yalancısıyım ya belki de bu kadar kötü bir adam değildir kim bilir, insanoğlu çiğ süt emmiş. Ağanın adı kötüye çıkmış bir kere. Osmanlı, savaşı yitirip buraları Fransızlar işgal edince, ağa bütün köylüleri silahlandırıp düşmanı ovaya yanaştırmamış bile. Padişah, valisini gönderip, 'Haddini bildirin şu zibidiye,' demiş. Ağa, valiyi padişah gibi ağırlamış, meramını dinlemiş, ardından da, 'Sen padişahımın emanetisin, başka biri olsaydın seni bu balkondan yağlı urganla sallandırırdım, bu güne kadar padişahımızın bir dediğini iki etmedim, lakin topraklarımı gâvurlara bırakmam, buraları bugüne kadar ben ekip biçtim, gücünüz yeterse gelin alın. Senin boynuna geçirmediğim yağlı urganı benim boynuma geçirin, sıçan gibi sallandırın beni. Ama o gâvurlara vereceğim bir incir ağacım bile yok. Gerisini siz düşünün,' der. Mustafa Kemal'in askerleri savaşı kazanıp Osmanlı'nın köküne kibrit suyu ekince, işler tersyüz olur. Hükümet, ağayı meclise çağırır, gitmez. Vergi memuru gönderir, ağa vergi vermez. Gel zaman git zaman Ankara durumdan rahatsız olur. Ağa, eski tas eski hamam, hem köylülere zulme devam eder hem de bütün mahsulü hükümet gibi toplar. Kemal Paşa son bir ihtar çeker. Ağa oralı olmaz. Ardından ordu gönderir, köylüler Ankara'nın askerleriyle savaşmak istemez. Ordu ovaya girer, ağayı işte o balkonda yağlı urganın ucunda sallandırırlar, sen sağ, ben selamet."

Adam sustu. Faik, adamın anlattığı hikâyenin zihninde bıraktığı görüntüleri düşünürken arka koltuklardan bir çocuk çığlığı yükseldi.

Otobüs ovayı tam ortasından ikiye ayıran yolda ilerliyordu. Ova iki dağın arasında geniş yatağıyla rengârenk bir ırmağı andırıyordu.

Faik, yüzünü cama dayamış, hayranlıkla ovayı izliyordu.

Otobüs birazdan dağın eteklerine tırmanmaya başlayacaktı.

"İlk defa kasabanın dışına çıkıyorum," dedi Faik.

Adamın oturduğu yöne baktı, parmaklarıyla bıyıklarını sıvazlıyordu, taranmış düzgün saçları yerli yerindeydi ama yüzündeki kendine güven gitmiş, yerini Faik'in anlayamadığı bir huzursuzluğa bırakmıştı. Konuşmak istemiyormuş gibi bir hali vardı.

"Sizin adınızı bilmiyorum daha, benim adım Faik," diye mırıldandı.

"Adım Şahin. Seni tanıyorum. Arif'in yeğenisin sen."

"Dayımı tanıyor musunuz?"

"Aynı köydeniz, çocukluk arkadaşım. Artık eskisi gibi sık görüşmüyoruz. Şehirde çalışmaya başlayınca... Bir de evlenince, eskisi gibi olmuyor fazla görüşemiyoruz."

Şahin sustu, gözlerini Faik'ten kaçırdı, birden yeni hatırlamış gibi, "Gülay adını duydun mu?" diye sordu.

"Duymadım," dedi şaşkın bir yüz ifadesiyle Faik.

Adamın yüz çizgileri birden derinleşti, ellerini destek yaparak koltukta huzursuzca kımıldandı, üst üste duran bacaklarını düzeltti, kendi kendine konuşur gibi, "Sigaran var mı?" diye mırıldandı.

Faik'in uzattığı sigaradan ilk nefesini çekerken, "Gülay İstanbul'dan arkadaşım, onu bul, benim gönderdiğimi söyle. Adresini, telefonunu veririm, sana yardımcı olur," dedi Şahin.

Rıza Kıraç

Dilinin ucuna dek gelen, "Gülay kim, karın niçin hastanede yatıyor?" sorularını yuttu Faik. Onun yerine kendi hikâyesini kendine fısıldadı.

"Önceleri önü yola bakan, küçük bir evde kalıyorlardı, ağır yüklü kamyonların, uzun tırların uzaktan gelen gürültüsü havanın kararmasıyla artardı. İlk günler yarım saat, en fazla bir saat kalırdım o evde, daha fazlasına dayanamazdım. Evin her yerine, eşyalara bile yoğun bir yorgunluk sinmişti.

Gülten, belediyedeki işine yeni başlamıştı, çok yoruluyordu, işten döndükten sonra kendine elbise dikiyordu. Evdeyken başka bir kadın olurdu Gülten; siyah ceketini, beyaz gömleğini, dizlerinin altında biten koyu ekose eteğini çıkarır, rengârenk baskılı bir kazak, açık mavi eşofman giyerdi.

Eve ilk Naşit gelirdi, ceketini çıkarıp kravatını gevşetir, laubali bir devlet memuru havasında koltuğa uzanır kalırdı.

Bazı akşamlar Gülten kapıda fısıltıyla karşılardı beni. Naşit'in uyuduğunu söyler, sessizce, hem yatak odası hem de çalışma odası olarak kullandıkları, kitapların kolilerde, çantalarda yığıldığı, masa lambasıyla aydınlanan duvarlarına bize benzemeyen koca gölgelerimizin yansıdığı odaya geçerdik.

Ben kitapları karıştırırken o, ya dağınık yatağa bağdaş kurar, o günlerde merak saldığı moda dergilerinden, hışırtılı eskiz kâğıtlarına patron çıkarmaya çalışır ya da yatağa yaydığı kumaşları kesip biçerdi.

Sabah sürdüğü rujun dudaklarında pıhtılaşmış kan gibi durmasına aldırmadan bir yandan sigara içer, bir yandan da kesip biçtiği parçaları evire çevire dergilerdeki modellerle karşılaştırırdı.

Kolilerden çıkardığım kitapları, bir köşeye sinip birer ikişer karıştırırken gözlerim Gülten'e kayar, onda saplanır kalırdı. İş-

76

te o zaman, uzun süredir gördüğüm garip düşlerin ortasında bulurdum kendimi. Aklımın ermediği düşüncelerle, hikâyelerle dolu kitapların, o dağınık yatağın üstünde kâğıtlarla, kumaşlarla uğraşan kadının, içerideki kanepeye uzanan adamın, görünenden başka bir anlamı olduğunu düşünürdüm.

Üçümüzü bir araya getiren duygunun sırdaşlığını, bizi biz yapan sevgi yoksulluğunun söze dökülmeden devam etmesini dilerdim.

Birbirimize ihtiyacımız olduğunu hiç söylemeden, buna gerek bile duymadan yaşayıp gidecektik işte. Sorulmayan sorular, konuşulmadan yaşananlar, içimde devasa boşluklar bırakıyordu, yine de o duyguyu seviyordum.

Sanki her an, 'Şimdi biz ne yapıyoruz?' sorusunu soracaktık birbirimize. Bu soruyu, sonsuza dek kendi kendimize soracakmışız gibiydi.

Gülten'e de öyle bakıyordum, sonsuza dek bakabilecekmişim gibi. Ona öyle uzun uzun bakmamalı, yüzündeki tebessümü, tereddüdü, neşeyi, kaygıyı, boş vermişliği tanımamalıydım. Bu yük çok ağırdı.

Onunla aynı odada yalnız olduğumuz akşamlar, Naşit'ten gizli bir şeyler yapıyormuşuz gibi korkardım, sanki kapıdan içeri girecek, kıskançlıktan, kinden kendini heder edecek, bize bağırıp çağırarak etrafı dağıtacaktı.

Gülten'in pürüzsüz, kırılgan sesi çatlayarak, ağlamaklı yalvarışlarla Naşit'ten af dileyecekti!

Bense korkudan bir köşeye sinip kalacak, bir daha onların gözüne görünmemek üzere oradan kaçacaktım.

Bu yoksulluk duygusunun ne anlama geldiğini ne ben ne de başka biri anlatabilir.

Gülten, hayatıma giren ilk kadındı. Kumral saçlarını toplama-
ya çalışan parmaklarının, çenesinden omzuna inen, dokunma-
ya korktuğum boynunun, bir sır verecekmiş gibi aralanan du-
daklarının -bir de gözleri, hakkıyla anlatacak sözcükleri bir
araya getiremeyeceğimi bildiğim gözlerinin- bir benzerine
başka kimsede rastlamadım.

Gülten'i eşsiz kılan şeyin ne olduğunu onu daha iyi tanıdıktan
sonra anlayacaktım; ne parmakları ne boynunun güzelliği ne
gözleri, dudakları; onu eşsiz kılan şey şefkatiydi; benden hiç-
bir zaman esirgemediği, sevgisiyle harmanlayıp önüme koydu-
ğu şefkat, o evin yorgunluğuna hep bir tezat olarak kaldı.

Naşit uyanıp aramıza katıldığında ilk sözü, 'Hadi biri çay ge-
tirsin,' olurdu.

Kucağımdaki kitapları toplamaya çalıştığımı görünce, 'Sen
otur, ben getiririm,' diyerek, huysuz bir yüz ifadesiyle ayakla-
nır, geldiği gibi odadan çıkardı Naşit.

Bu manzara Gülten'in rahatını kaçırır, Naşit'in dalga geçmesi-
ne fırsat vermemek için, yatağa serili eskiz kâğıtlarını, kumaş-
ları, moda dergilerini toplar, küçük dolaba kaldırır, ardından
odadaki sessizliği bozacak bir kırkbeşlik plak koyardı iri ahşap
kasalı radyo-pikaba.

Gülten, eskiciden aldıkları dikiş makinesinin başına oturma-
dan, küçük yuvarlak aynada kendine bakar, ardından dudakla-
rının kenarında kan pıhtısı gibi duran ruju siler, işi bittiğinde,
gözucuyla bana bakıp gülümserdi.

Naşit, tepsiyle içeri girer, dikiş makinesinin üstüne Gülten'in
çayını bıraktıktan sonra, yanağına bir öpücük kondurur, 'Güzel
karım nasılmış, bitirmiş mi moda işini?' diyerek ona takılırdı.

Uykudan kalktığında daha da çirkinleşirdi Naşit Hoca; saçları, annemin her bahar günletmeye çıkardığı alacalı yünler gibi topak topak dururdu başında. Suratı uykudan şişer, gözlerinin altındaki balonlar daha da kabarır, iri kemikli burnunun boğumlarından başlayıp dudaklarının kenarından inen çizgi derinleşirdi. Çay içerken Naşit'in bakışları arada bir bana kayardı, onunla göz göze gelmeye korkar, bakışlarımı kaçırırdım.

Onun gözlerinde, 'Ben yokken neler yaptınız, neler konuştunuz' gibi sorular gizliydi sanki ama ne yapar eder bakışlarımı yakalayıp bana göz kırpardı. Sonra birden Gülten'e dönüp ona iltifatlar yağdırırdı. Bir anda korkunç biri olup çıkardı. Karısının gönlünü almaya çalışan sünepe, beceriksiz erkeklere benzerdi. Bir kumrunun dişisine kur yapması gibi kabarır, Gülten'in çevresinde döner, yanağını öper, sıkar, boynuna sarılır, hatta bazen yatağa çıkıp maymun gibi zıplardı.

Annemin manilerini yazdığım defteri gördükten sonra Naşit onlardan birkaçını ezberlemişti, bütün bu şaklabanlıkları sonuç vermezse, ezberindeki manilerden bir ikisini okuyarak karısını çözmeye çalışırdı. Gülten'in yanaklarında tebessümün ilk sevimli gerilimi belirmeye başlayınca;

'Yar benim ezberim,
Kan ağlıyor gözlerim,
Yarimin öptüğü yeri,
Gülle dikenlerim,'

diyerek yanağını uzatır beklerdi.

Gülten uzanır, onu dudaklarından öperdi.

Olup biteni odanın bir köşesinde elimde açık kalmış bir kitapla ve her geçen dakika biraz daha kızarmış bir yüzle izleyen ben, odadaki fazlalığımdan utanırdım.

79

Gece ile gündüzün farkı o odada başlıyordu, iki ayrı hayat yaşıyorduk, dışarıda yaşanılanlar bizi pek ilgilendirmiyordu, beni bu hayata davet ettiklerinde direnmeden, nazlanmadan, hiçbir şey talep etmeden onlarla birlikte oldum. Önceleri o küçük evde, sonra da avlusunda genç bir salkımsöğütle elma ağacı olan evde kendimize bambaşka bir hayat kurmuştuk."

Otobüs Adana'nın geniş caddelerinden geçmeye başladığında Faik, yollarda, otobüs duraklarında kadınlı erkekli kalabalıklar gördü. Ne kadar çoktular ve ne kadar da hayatlarından memnundular!

Yüksek binaların arasından kıvrılan otobüs, otogara girdiğinde, Şahin sabırsızlıkla, "Hadi çay içelim," dedi.

Otobüsten indiler, Şahin kolunu Faik'in omzuna atıp, yüzüne eski bir dosttan az sonra ayrılacağını bilmenin hüznünü yerleştirdi. Yine de tebessüm etmeye çalışıyordu.

Otogardaki çay ocağının önündeki taburelere oturduklarında Şahin, cebinden kâğıt kalem çıkarıp bir şeyler çiziktirdi.

Ilık bir esinti, kıpırdamak için sabırsızlanan nesneleri yalayıp geçerken Faik, sımsıkı kapalı avuçlarını açtı, terlemişlerdi.

Şahin, kâğıdı Faik'e uzatırken, "Gülay'a selamlarımı iletmeyi unutma. İstanbul'a geldiğimde onu mutlaka arayacağım," diye mırıldandı.

Genç bir çocuk önlerine çay bıraktı.

Faik, oturmaktan uyuşan bacaklarını uzatıp, titreyen sesiyle fısıldadı. "Bunları ne zaman planladınız?"

Sözcükler dudaklarından dökülür dökülmez pişman oldu. Niyeti başkaydı, başka şeylerden bahsetmek istiyordu ama bunların ne olması gerektiği hakkında hiçbir fikri yoktu.

"Hiçbir şeyi planlamadım," dedi şaşkın bir ifadeyle Şahin.

Faik'in cesareti bir anda kırıldı. İçindeki ışıksız korku dehlizlerine açılan bütün kapıları kapatmalıydı, bu birdenbire olacak bir şey değildi elbette, ilk elde yapabileceklerini gözden geçirmeliydi. Birazdan kalkacak otobüste yerini aldıktan sonra düşünmek için çok vakti olacaktı.

Gülten'in mektubu vardı daha.

Okuyacağı kitaplar vardı.

Düşünmesi gereken işler, yapması gereken planlar, sorması gereken sorular...

Gülten bazen ona sorardı: "Yerimde olsan ne yapardın?"

Eli ayağı birbirine dolaşır, ne diyeceğini bilemezdi Faik, bildiği tek şey Gülten'in sorusuna yanıt vermesi gerektiğiydi, yoksa kendisini dikkate almadığını düşünür, içine kapanır, bütün akşamı hem Naşit'e, hem Faik'e zehir ederdi.

Kimi zaman küçük bir çocuk gibi kırılgan, kimi zaman da huysuz bir kedi gibi tedirgin edici olurdu.

Kendini Gülten'in yerine koyup hızla düşünürdü.

"Ne yapardım?"

Mutlaka bir şeyler söylerdi.

"Ama," derdi, o konu hakkında fikrini söyledikten sonra, "Yine de senin daha doğru çözümlerin vardır."

Yüzündeki belirsiz ifade kaygıya dönüşürken, "Bilmiyorum," diye mırıldanırdı Gülten.

Etrafındaki, üniversite okumamış onca insanın, yaptıkları işlerden, verdikleri kararlardan emin tavırlarını gördükçe, Faik'in kafası karışıyordu. Gülten de Naşit de o insanlardan daha çok şey biliyor olmalıydı, daha çok okumuş, görmüş geçirmiş olmaları gerekiyordu. Ama ikisi de yavaştı, küçücük şeylerden tedirgin oluyor, en basit sorunları çözmek için birbirlerinin ağzına bakıyorlardı.

Rıza Kıraç

Avlusunda salkımsöğütle elma ağacı olan, yatak odası güneş alan eve taşınırken de olmuştu aynı şey.

Faik, matematik öğretmeninin ev aradığını dayısına söyledikten birkaç gün sonra, bir akşamüstü dayısını görüştürmüştü onlarla. Arif, Gülten ve Naşit'le tanışıp onları, kiralamaları için bir eve götürdü.

Tek kelime etmeden avluyu, evin odalarını dolaştılar, kaçamak bakışlarla Arif'i izlediler.

Kapıdaki taşlığa oturduklarında Naşit, artık gözlerini Arif'e dikip, "Ne dersin usta?" diye sordu.

Sessizliğini uzun zaman sürdüremeyeceğini anlayan Arif, akşam esintisinde hafif hafif sallanan salkımsöğütten gözlerini ayırmadan, "Biraz boya ister, ufak tefek tamirat ama fazla masraf çıkarmaz. Ben yaparım tamiratı, Faik de var, yardım eder bana. Evin sahibi arkadaşım, kirayı düşünmeyin, hesaplısı ne ise o olur," dedi.

Uzun bir sessizlik oldu.

Faik, iyice çöken akşam karanlığına rağmen avludaki lambanın ölgün ışığında yüzünün yarısı aydınlanan Naşit'in yardım isteyen bakışlarını fark edip, az ötesindeki elma ağacına doğru bir adım attı.

"Sen ne dersin?" diye seslendi Gülten.

Faik önce sorunun kendisine sorulduğunu anlamadı, bir adım daha attı, ağaçtan düşen elmalardan birine bastı. Başını kaldırdığında iki ağacın arasından parlak bir yıldızın titreyerek belirdiğini fark etti.

"Faik," diye seslendi Gülten yeniden.

"Efendim," diyerek Gülten'e yöneldi Faik.

"Sen ne dersin, tutalım mı evi?"

7

Canım Faik,

Mektuba başlarken ne diyeceğimi bilemiyorum. Bütün başlangıç cümleleri yavan geliyor, doğru sözcükleri bulamamaktan korkuyorum. Yine de başlangıcı nasıl olursa olsun bir şeyler yazmam gerektiğini biliyorum.

Sana düşkünlüğümün her geçen gün biraz daha arttığını söylememin şimdi ne anlamı var? Gidişinle, bana nasıl bir yalnızlığı, kimsesizliği reva gördüğünün farkındasındır sanırım.

Ama içim rahat, bir gün seninle o şehrin işlek bir caddesinde buluşup birbirimize sıkı sıkı sarılacağımızı, aradan kaç yıl geçerse geçsin, yılların dostluğumuzu, sırdaşlığımızı, birbirimize düşkünlüğümüzü küçücük de olsa aşındırmayacağını, birbirimize yine o ışıl ışıl parlayan gözlerle bakacağımızı biliyorum.

Bunu bilmek bile gidişinin acısını hafifletiyor.

Umarım, mektubu yola çıktıktan sonra okursun; aklını çelmek, kafanı karıştırmak istemiyorum. Birlikte geçirdiğimiz bunca zaman birbirimizin dilini anlamamız için yeterliydi. Aynı sözcüklerle farklı anlamlara gelen cümleler kursak da her sözcüğün, her cümlenin niyetini biliyor, duygusunu tanıyoruz artık.

Rıza Kıraç

Artık okuduğum kitapların sayfa aralarındaki çiçek bahçelerini kimseyle paylaşamayacağım, özenle not aldığım paragrafların derinliğinde tek başıma kaybolacağım ama gerçekten kaybolacağım. Seninle yol almak daha güvenliydi, birbirini söken iki çiviydik.

Körelmeye yüz tutmuş heyecanlarımın kışkırtıcısı uzaklara gidiyor şimdi.

Elime her kitap alışımda seni hatırlayacağım, bir gün sana okumak için, beğendiğim her cümlenin altını çizeceğim, sözcükler beni yıldırmazsa her şeyi sana yazacağım.

Senin varlığın bütün bu olumsuzlukları dengeliyordu, seninle bir şeyler paylaşmanın heyecanı yapamadıklarımın üstüne kalın bir örtü çekiyordu.

Keşke en başından başlayabilsek. Ne güzel olurdu değil mi?

Sen ilk günkü Faik olsan, ben ilk günkü Gülten. İlk günkü gibi zaman yitip gitmese, birbirimize dair bilmediklerimiz, içimizi kemiren merak, aklımızı başımızdan alan sorular...

Oysa durmadan değişiyoruz. Sen o eski Faik misin gerçekten. Ben o eski Gülten miyim?

Naşit, o eski Naşit mi?

Hani üçümüz birlikte gidecektik İstanbul'a, ben yazamadıklarımı yazacaktım. Naşit yapamadıklarını yapacaktı. Sen her şeye sıfırdan başlayacaktın.

Olmuyor, bak seni yine yalnız bıraktık ama sen hep yalnız değil miydin zaten, bizi merakla izleyen gözlerindeki pırıltı neyin nesiydi, bizi korkutan heyecanın, tutkunun niye izini süremiyorduk da sen başını alıp gidiyordun?

Tükettiğimiz ne varsa, seninle yeniden inşa ettik, öldürdüğümüz ne varsa seninle yeniden dirilttik, özlemini çektiğimiz her şeyi yeniden adlandırdık ama şimdi bakıyorum, biz yine geride kaldık. Bu korkutmuyor mu seni? Beni korkutuyor.

Senin İçin Değil

Gözlerimi bir daha açmamak üzere kapatıyorum, sonra karanlık korkutuyor beni, gözlerimi açıyorum. Senin o ışıklı bakışların aklıma geliyor, beni deli ediyor. Bana soruyor: "Niye korkuyorsun?"

Anlamış olman lazım biz başka tarihler yaşadık, senin bilmediğin, görmediğin, bilmek ve görmek istemeyeceğin şeyler. İşte bu yüzden yalnız gitmelisin, korkmadan, cesaretle yol almalısın.

Biz, zaten nasibimize düşeni aldık.

Sana anlatmaya çalıştığımız, çoğunu anlatamadığımız yaşanmışlıklar her gün yeniden canlanıyor zihnimde. Bizi tüketen şeyler ya seni de tüketirse, ya yaralı bir hayvanın inine dönmesi gibi gerisin geri dönmek zorunda kalırsan! İnan o zaman utanacak bir şey yok. Biz burada seni bekleyeceğiz. Eğer dönmezsen, bütün pisliklerin üstesinden geldiğini düşünerek mutlu olacağım.

Şimdi yolda olmalısın, otobüs siyah asfaltta ilerlerken susayacaksın, bir sigarayı söndürüp diğerini yakacaksın, ne olursa olsun oraya ulaşmalısın, yapamadığımızı yapmalısın, kaybolmadan, heyecanını yitirmeden, iddianı küçültmeden, biraz daha inatla, sabırla...

Çok mu duygusal oldu?

İstedim ki bu bir veda mektubundan öte yeni bir başlangıç olsun.

Zamanla ben de alışırım yokluğuna.

Şimdiden, hasretle gözlerinden öperim.

Gülten

Faik içinde yükselen, bir şeyleri parçalama isteğini dizginleyip mektubu kumaş katlar gibi özenle kıvrım yerlerinden katlayıp çantaya yerleştirdi.

Daha ilk satırları okumaya başladığında şakaklarına kan toplanmış, orada başlayan ağrı bütün vücuduna yayılmıştı. Bitkin düşmüştü, tıpkı yoğun gece okumalarından sonra aklını karıştıran sözcüklerin, paragrafların yaptığı gibi, bu yolculuk bedeninden bütün gücünü çekip almıştı.

Birbiri ucuna eklenen sigaralar, bu mektuplar, ilk defa yaşadığı ayrılık duygusu Faik'in içinde duyarlı ne varsa kızıl bir ateşle dağlanmıştı. Bu duyguyu daha önceden yaşamıştı. Annesinin yattığı yatağın ucuna iliştiğinde o, feri tükenmiş gözleriyle oğlunun yüzünü okşamış, "Yardım et," demişti. Bu çok uzaklardan, yıllar öncesinden gelen bir fısıltıydı. İlk defa annesinin gözlerine böylesine kararlılıkla bakabilmişti Faik ve yıllardır Sultan, ilk defa oğlunun gözlerinde kendisi için umut ışığı görüyordu. Bu ışığın cesaretiyle, bir kez daha fısıltıyla, "Yardım et," dedi Sultan. Faik, yorganı sımsıkı kavradı, gözlerini yumdu.

Yorganı Sultan'ın yüzüne bastırırken kendi kendine anlattığı hikâyelerden birini bu defa son nefesini veren annesinin duyabileceği bir sesle anlatmaya başladı.

"Tepeye çıkıyorlar, adamın omuzlarından bacaklarını sarkıtmış küçük bir çocuk, gözleriyle ufku izleyen çocuk mutlu; annesini düşünmüyor muhtemelen, çocuk mutlu, annesi mutlu, tepeye çıkıyorlar.

Orada bir ağaç var, ağacın gözleri gökyüzüne çevrili, dalları bulutlara dokunuyor, çocuk hepsini görüyor.

Adamın dudaklarında sigara var, dumanı bulutlara karışıyor, ağaç çok büyük ama ufku kapatmıyor, çocuk ufku görüyor, yemyeşil her taraf...

Sonra kadın çıkıyor ağacın arkasından, adamı ve çocuğu yanına çağırıyor, oradan her şeyin çok güzel göründüğünü söylüyor.

Adam, çocuğu omuzlarından indirip, poposuna sevimli bir şaplak yapıştırıyor. Çocuk neşe içinde annesinin yanına doğru koşturuyor, yine her yer yeşil ama ötelerde, çok ötelerde deniz mavisi var, denize eş koşan gökyüzü mavisi.

Çocuk, kadın, adam ağacın altına oturuyor, kadın sofra kurmuş, yumurta, çökelek, reçel, dilimlenmiş domates, etli siyah zeytinler, az önce ocaktan çıkmış sıcak ekmek, hepsi var sofrada."

Faik, yorganı kavrayan yumruklarını gevşetti.

Annesinin yüzüne baktı, öldüğünden emin olunca gözkapaklarını usulca kapattı.

Odadan çıktı.

Arif gözleri açık uyuyan bir hayvan gibi soluyordu, hafifçe başını kaldırdı, Faik'in yüzüne bakınca hiçbir şey söylemedi, başı ağır bir yükün altında eziliyormuş gibi olduğu yere düştü.

Faik sedire iliştiğinde dayısının çok uzaklardan hayali bir mırıltı gibi, "Sultan," deyişini işitti.

Ağladı, ilk defa ağlıyormuş gibi, aklının en ücra köşelerine gizlediği acıyı zembereğinden boşaltarak ağladı. Ağladıkça çıkardığı sesler duvarlara, odadaki nesnelere çarpıp başka birinin anlamsız hırıltıları, hıçkırıklarıymışçasına ona geri döndü.

Ölümün, yok oluşun başka bir şey olmasını dileyerek ağladı, ne dilediğini bilmeden, anlamadan, nasıl olması gerektiğini aklının ucundan bile geçirmeden, kendini heba ederek ağladı.

Arif, uzandığı sedirde, dizlerini karnına çekmiş, ellerini göğsünde birleştirmiş, gözlerini ve avuçlarını bir daha açmamacasına sımsıkı yummuş, infazını bekleyen bir mahkûm gibi mırıl mırıl dua okumaya başlamıştı.

Faik bütün gücünü toplayıp iliştiği sedirden kalktı, mutfağa doğru bir iki adım atıp durdu.

"Ne yapacağız şimdi?" diye mırıldandı. Arif'ten bir yanıt bekliyormuş gibi orada öylece durdu.

Sonra mutfakta yüzünü yıkadı, su yüzüne değdikçe teni acıyordu.

"Kolonya," dedi muavin, Faik, avuçlarını dua eder gibi açtı.

Otobüs, tek tük ağaçların, evlerin sıralandığı, kimi zaman da aralarında küçük dereciklerin aktığı, kavak fidanlıklarının uzun gölgelerinin birbiri üstüne düştüğü yollardan geçti, hava kararmaya başlıyordu. Bir ara otobüs, yıkıntılardan ibaret bir kentin sokaklarından geçti. Yol boyunca, cephesinde yosunların göverdiği eski binalar, yaşamdan umudunu kesmiş, sadece kursağımızdan iki lokma ekmeği nasıl geçiririz, diye düşünen yoksul insanlar gördü.

Biraz nefes alması gerekiyordu ama otobüs son sürat, düşmanına tos atmaya giden koca bir mahlukat gibi yoluna devam ediyordu.

Faik'in gözleri yanındaki boş koltuğa takıldı bir süre, her geçen dakika biraz daha kararan manzaradan payına düşeni almak için yüzünü cama dayadı.

"Yüzünü cama dayar öyle anlatırdı hikâyesini.

'Sana bir hikâye anlatayım mı, ister misin?' diye sorarak başlardı konuşmaya.

Anlardım ki bana söylemek isteyip de bir türlü cesaret edemediği, başkalarına hiçbir zaman anlatamayacağı, anlatmak istemeyeceği bir şeylerden bahsedecek Bahri. Kızıl, kirpi saçlarının altındaki kaşlarını yukarı kaldırır, hikâyesine başlangıç sözcüğü arardı.

Bir süre sessizce beklerdik ikimiz de. Onun doğru sözcükleri bulmak için beklemesi merakımı kışkırtır, onu rahat dinleyebilmek için sedirde kıpırdanır, sedire iyice yerleşince bir sigara yakardım.

O, sigara yakmazdı, hikâyesini anlatmaya başladıktan bir süre sonra mutlaka durur, düşünürdü, işte bu tıkandığının işaretiydi. O zaman bir sigara yakıp dumanı hortumdan tazyikle boşalan su gibi havaya bırakır, asıl söylemek istediğine gelmeden önce lafı ağzında geveler, ardından anlatmak istediklerinden tamamen uzaklaşarak bambaşka konuları kişileri hikâyeye katardı.

Ben anlardım, başkalarının hikâyesi diye anlattığı birçok olayın kahramanı kendisiydi. Onun korkunç bir hafızası vardı, durmadan dinlenmeden yeni şeyler üreten hayal gücü, başkalarıyla paylaşmak istemediği hikâyeleri, kalabalıklarda bile bir yolunu bulup sığınmayı başardığı yalnızlığı vardı.

Babasıyla mecbur kalmadıkça konuşmaz, kendisinden bir şey istediğinde hemen isteğini yerine getirir, yanından uzaklaşırdı. Ona, baba dediğini duymadım hiç; Terzi, derdi.

Zaten, 'Terzi'nin oğlu,' diye çağırırlardı Bahri'yi.

Anlattığı hikâyelerden çıkardığım kadarıyla babasının yaptığı işten nefret ediyordu.

Annemle dayımın İstanbul'a gitmesiyle birlikte odasının davetsiz misafiri olmamdan daha çok, Terzi'nin yanında ona yardımcı olmam Bahri'yi tedirgin etmişti.

İçten içe beni kıskandığını hissediyordum, işte bu duygu bizi birbirimize yaklaştırdı.

Bahri'yi incitebilecek her şeyin önüne geçmeye çalıştım, ilk zamanlar onu rahatsız etmemek için odada parmaklarımın ucunda yürüyordum.

Terzi hakkında hiç konuşmuyorduk ama onun yan odadaki varlığı hep aramızdaydı, hep yapmamamız gereken şeyleri fısıldıyordu kulağımıza. Bir yandan da büyük bir aldırmazlık içindeymişiz gibi yaşıyorduk geceyi.

İki yeniyetmenin yarasını gizlemeye çalışması; bir süre sonra işe yaramaz bir çabanın ötesine geçmeyecekti tabii ki, ikimize ait bir mahremiyetin sınırlarını zorluyorduk. Sonra garip bir eziklik duygusunun tam ortasında bulduk kendimizi, neredeyse ayrı yataklardan akan iki ırmağın, dağların arasında buluşup denizlere doğru birlikte koşmaya karar vermesi gibi, bütün zaaflarımızı çocuksu bir coşkuyla o kitaplarla dolu masaya döktük.

Ama Bahri hâlâ, düşman ajanları tarafından dinlenme korkusu yaşayan temkinli bir komutan edasında hikâyelerini şifreliyordu; bir gece, yıllar önce yaşamış yaşlı bir kralla oğlu hakkında bir hikâye anlattı.

Kral babası gibi olmaya çalıştıkça kendisini işe yaramaz bir ölümlü gibi hisseden bir veliahtın tahtı reddetmesini öyle uzun anlattı ki hikâye bir süre sonra çetrefilli bir hal aldı, sonunda hikâyeyi bağlamayıp yorgun düştü.

'Hadi yatalım,' dedi.

Bahri, anlattığı hikâyede kraliçeden hiç bahsetmiyordu, sadece arada bir sözü geçen bir kadın vardı; çirkin, uzun saçlı, anladığım kadarıyla dokunduğu her şeyi kirleten bir kadın.

Tahtı reddeden veliaht tek şartla krallığı kabul edeceğini söylüyordu babasına; şartı, o kadının boynunun vurulmasıydı.

Yaşlı kral, oğlunun bu isteği karşısında boynunu büküyor, gözyaşları dökerek bunun mümkün olmayacağını söylüyordu.

İlk zamanlar bu hikâyeden hiçbir şey anlamamıştım. Terzi, kral olamayacak kadar ihtirassız, alelade biriydi. Sonra o kadını düşündüm, varlığıyla yokluğu belli olmayan, sessizce sofrayı toplayan o kadın, sanki dilsizdi ya da benim farkına varmadığım bir eksikliği vardı.

Sonraları Bahri'nin annesini kendisine yaklaştırmadığını, ona bir kez dahi güzel bir söz söylemediğini fark ettim.

Bahri, Tanrı'dan korkan ama her fırsatta onun varlığını inkâr eden bir tanrıtanımaz gibi annesini inkâr ediyor, onun etrafında dolaşmasından, hatta ondan bahsedilmesinden utanıyordu sanki.

Bu hikâyelerdeki parçaları ne zaman birleştirip Terzi'nin, Bahri'nin babası olmadığı sonucuna ulaştığımı tam hatırlamıyorum ama ona hiçbir zaman gerçeği sorma cesareti bulamadım.

Dayımın ağzını aradığımda ise, "Terzi'nin ikinci karısı,' dedi. 'Bahri'nin babasına ne oldu?' diye sordum. 'Sınırdan geçerken öldürüldü,' dedi. Yalanı sürdürmemesi için daha fazlasını soramadım dayıma.

Terzi, elinde iş olmadığında küçücük dükkânın bir köşesine sıkıştırdığı eski gazeteye sarılı bir paket çıkarır, tek kişilik bir ayinin hazırlıklarına başlardı.

Bahri'ye gömlek ve ceket dikiyordu, bir süre sonra bu ayini öyle sık yapmaya başladı ki sanki birkaç gün içinde Bahri aralarından ayrılacakmış da takım elbisenin alelacele yetiştirilmesi gerekiyormuş gibi işi bitirmeye çalışırdı.

Kendi kendine konuşan bir deli gibi mırıl mırıl bir sesle, 'Burası gibi değil İstanbul, insan üstündekilerle var,' derdi Terzi.

Bazen, Bahri'yi çağırır, ölçü alır, hazırladığı parçaları onun üstünde prova edip, beğenip beğenmediğini sorardı ona.

Bahri, yüzündeki soğuk ifadeyi bozmadan, 'İyi,' derdi.

'Şuraya bir pili koymamı ister misin?'

'Sen bilirsin, nasıl durur ki?'

'Deneyelim,' derdi.

Bir adım geriye çekilir, gözlerini kısar, Bahri'nin üzerindekilere bakar, 'Oluyor galiba,' derdi.

Faik, Bahri'yle göz göze geldiğinde onun az sonra kapıdan uçarak çıkacağını sanır, telaşlanırdı.

Terzi, o alacalı kumaşlardan kanatlar dikiyordu Bahri'ye, kırmızı kafalı bir kuş olup uçup gittiğinde, arkasına baksın istemiyordu. Kanat taktığı kuşun ayar bir kuş olmayacağını, olmak istemeyeceğini daha başından biliyordu."

❖ ❖ ❖

Rıza Kıraç

Dağların doruklarından yamaçlarına doğru inen kara bulutlar akşamın kızıllığını boğmuştu, uzaktaki evlerin ışıkları ağaçların arasından bir kaybolup bir belirerek göz kırpıyordu.

Faik, çantasından bir kitap çıkarıp okumaya çalıştı. Bir kuşun kursağındaki yemi yorması gibi zihnindeki soruları yoracağından emindi. Okuduklarından bir şey anlamıyor, aynı paragrafları yeniden yeniden okuyordu.

Yorgunluk bazen kusursuz bir şiir gibi gelirdi Faik'e, şiir ruhunun derinliklerini yaraladıkça o yaraları kanırtmak gelirdi içinden, yorulduğunda ise tutkuyla sarılırdı onu yoran şeye; oysa şimdi yorgunluk, bildiğini sandığı bütün sırları aşmıştı.

Sudan çıkmış balığın pul dökmesi gibi zihnindeki bütün düşünceler, yüzler, sesler, isimler, sokaklar, evler, fotoğraflar patır patır kucağına dökülecekti.

Naşit'in olur olmaz yerlerde, olur olmaz şeyler için söylediği o büyülü sözcüğü mırıldandı kendi kendine.

"Alelade bir karmaşa."

Salim Amca için de, "Alelade bir karmaşa," derdi.

Eşeğin üstünde iki büklüm gelirdi Salim Amca. Yüzündeki kırışıklardan, bembeyaz teninden bir ölü görmüş gibi korkardınız, konuşmaya başladığında, onu o garip, anlamsız cümleleri kurmaya zorlayan şeyin ne olduğunu merak etmeden duramazdınız.

Salim Amca'nın öldükten sonra dirildiğine inanırdı kasabalılar.

Bir ölünün ağzından dökülen sözcükler ne kadar anlaşılır olabilir ki?

Karısıyla iki gözlü bir evde yaşardı.

"Bu yaşlı eşek dışında hayatta hiçbir şeyim yok," diye mırıldanırdı kederle.

Faik, bu sitemli mırıltılara şahit olduğunda, "Biz de varız ya Salim Amca," demeye bir türlü cesaret edemezdi.

Bir süre sonra, Faik, bu yalnızlık yakınmalarından Salim Amca'nın garip bir haz duyduğunu fark etti.

O ölü adam, her şeyini bu yakınmalar üstüne kurmuştu. Kasabalılarla konuşmuyor, kahvehaneye geldiği ender zamanlarda da sessizce, boş bir masa aranıyor, kamburuyla masaya kapaklanıyordu.

Faik, kahvehaneye gittiğinde Salim Amca oradaysa, Bahri'yi de mutlaka onun masasında bulurdu. Konuşmaz, birbirlerinin varlığından habersiz iki insan gibi sadece otururlardı.

Bahri, geveze kasabalı gençlere, masadan masaya laf atmak için fırsat kollayan ak sakallı yaşlılara ilişmez, onların önüne çaylarını bırakır, ocağın arkasına geçer, bardakları yıkar, çayı harmanlar, yeni bir demliğe su çeker, kendine bir bardak çay alır, yalnızca Ölü Kambur'un -köylüler ona bu adı takmıştı- masasına otururdu.

Bir gün Faik, "Kim bu adam?" diye sorduğunda, Bahri, yüzündeki çilleri kırıştırarak gülümsemiş, "Ölümlü garibanın biri," diye geçiştirmişti soruyu.

Aynı günün gecesinde kahvehanede yalnız kaldıklarında Bahri, adamla ilgili rivayetleri anlatmıştı Faik'e. Kimilerine göre, gençliğinde bir kıza âşık olmuş, ailesi kızı vermeyince Salim Amca kendini asmak istemişti; asmıştı da ama ölmeden birileri fark edip ipten indirmiş, o günden sonra omiriliği zedelendiği için kambur kalmıştı. Kimilerine göre ise, askerde çok eziyet etmişlerdi Salim Amca'ya, okuryazarlığı olmayan, kendisine verilen işleri beceremeyen, iki lafı bir araya getiremeyen biri olduğu için de derdini anlatamıyor, durmadan dayak yiyormuş. Bir gün çavuşlardan biri bunu çok kötü dövmüş, gururuna yediremememiş Salim Amca, kendini asmaya kalkmış, kurtarmışlar ama yine aynı son! Birkaç ay hastanede yattıktan sonra tezkereyi vermişler eline.

"Bir gün, kendini asmaya kalktığını söyledi," dedi Bahri.

"Sana mı anlattı?" diye sordu Faik.

"Onunla hiç konuşmadık ki yalnızca işaretle çay ve sigara ister, otlakçıdır, parası olmadığından otlakçıdır. Diğerleri gibi kurnazlığından değil."

"Bir iş yapmıyor mu?"

"Yapıyor, yapmaz mı? Ama kimse para vermez ona, yumurta, peynir, tavuk, bulgur, mısır, bazen de eşeği için saman, ellerinde ne varsa onu verirler, kimse para vermez. Zaten parayı tanımaz, kaç paraya ne alınır, ne verilir, bunlar onun işi değil. Zararsızdır, kimsenin etlisine sütlüsüne karışmaz, bir köşede öyle durur. Eğer birinin angaryası varsa Salim Amca'ya koşar; odun kırılacak Salim Amca bulunur, odunu kırar; saman balyaları taşınacak Salim Amca'ya havale edilir; değirmene un gidecek, orada traktör dururken Salim Amca çağrılır. Kambur durduğuna bakma; güçlü, dinç bir adam, senin benim, yerinden oynatamayacağımız kayaları kaldırır."

Faik, dayısıyla, avlusunda salkımsöğütle elma ağacı olan evin eksiklerini gediklerini gidermeye başladıklarında Salim Amca da onlara yardım etmişti. Bir maymun gibi duvara tırmanıp oradan evin çatısına geçmiş, kırık kiremitleri bir kenara yığmış, sonra o kambur kendisi değilmiş gibi çatıda dikilip, "Fazla bir hasar yok Arif Usta, bir iki kiremit o kadar," diye yüksek sesle konuştuğuna ilk kez tanık olmuştu Faik.

Salim Amca, çatıdaki kırık kiremitleri sağlamlarıyla değiştirdi.

Sıvası dökülen duvarları onarıp boyadılar, mutfağa ve tuvalete fayans döşediler.

Evin son halini gezen Gülten ile Naşit susuyordu.

Arif, "Hâlâ kararsızsanız, bu eve biz taşınacağız," dedi gülerek.

Naşit, kızaran yüzüne utangaç bir tebessüm yapıştırıp, "Ne dersin?" diye sordu Gülten'e.

"Çok güzel olmuş ama kirası ne?"

"Orasına karışmayın dedim ya. Siz evi tutuyor musunuz, tutmuyor musunuz?"

İki gün sonra traktörle gelen eşyayı odalara yerleştirdi Salim Amca, bir iki ıvır zıvır da eşeğinin sırtında taşıdı.

8

Ayık olmak lazım.

"Bunların gerçekte ne olduğunu bilebilmesi için, insanın günlük hayattaki saflığından kurtulup acımasız bir polemikçi olması gerekir."

Böyle derdi Naşit; küçük sırların arasına, büyük düşünceler sıkıştırıyormuş gibi, gizemli bir fısıltıyla konuşurdu kimi zaman.

Gülten çoğu kez susar dinlerdi.

Gecenin ilk tülünün inmesiyle -Gülten, alacakaranlığa böyle derdi- içinde küçük kıpırtılar hisseden Faik, koltuğunun altında kitaplar, annesi ile dayısının yanından sokak kapısına doğru kayar, onları ölümün yırtıcı sessizliğinde bırakırdı.

Konuşmak ne zaman unutulmuş bir ihtiyaç, eski bir gelenek olmuştu tam hatırlamıyordu.

Dayısıyla birlikteyken havadan sudan konuşuyorlardı ama annesi yanlarındayken üçü de sözleşmiş gibi öylece suspus otururlardı. Sultan, o ölü bedeniyle anlaşılması güç bir ağırlığı evin her yerine saçar, sabırla bu ağırlığın bütün mekâna nüfuz etmesini, kendisine huzur getirmesini beklerdi. Bir süre sonra, uykulu kafası omzuna düşen Sultan'a seslenirdi Arif.

"Git yat, uyuyorsun."

Ancak üçüncü dördüncü seslenmede, bazen omuzlarından sarsalamayla uyanır, "Hııı," diye bir hırıltı çıkarırdı.

Faik akşamları, Gülten ile Naşit'e gitmek için evden çıktığında koca bir taş kütlesi gelir üstüne yığılır, bütün vücudunu un ufak eder, ellerinin, bacaklarının bütün maharetini siler süpürürdü. Taşlığa zar zor oturur, bir sigara yakar, aklıyla yüreği arasındaki çetrefil, derin çelişkileri bir sigara içiminde örselerdi.

Yine de oturduğu yerden kalkabilmesi için, yanına aldığı kitaplardan bir iki paragrafı, pencerelerden sızan ışığın yardımıyla okumak zorunda kalırdı. Okudukça üzerindeki taş, ağır ağır da olsa kalkar, ellerine ayaklarına yeniden güç gelir, aklının yüreğinin önüne geçeceğini, aradığı her neyse o avlulu evde, çirkin suratlı kaba adamla, gözlerinden büyülü hüzünler saçan kadında bulacağını bilirdi.

Okudukça, arkasında bıraktıklarının tedirginliğini yanında taşımaktan korkuyordu.

Okudukça, her geçen gün önünde biçimlenen dünyaların kokuları, renkleri, nesnelerin büyülü biçimleri, şehirlerin yapay aydınlıklara boğulan sokakları, binaların irili ufaklı asansörleri, garip gürültüler çıkararak çalışan modern dünyanın miskin makineleri, sıcak toprakları kaplayan soğuk taş kaldırımları, alna yazılan karayazgı gibi her yeri istila eden yapışkan asfaltları, kitapların sayfa aralarına kimi zaman sinsice gizlenmiş, kimi zaman da "buradayım" diye çığlık çığlığa bağrışan nedenini bilmediği, şehirli çelişkileri onu ürkütüyordu.

Bir akşam bunları anlatmaya çalıştı Faik.

Sultan ile Arif'i evde bırakıp dışarı çıktığında her zamankinden daha yoğun bir çaresizlik, güçsüzlük hissetmiş, oturduğu taşlıktan kalkamamıştı, sonra nasıl olduysa kendi kendine bir hikâye anlatarak, oturduğu yerde ufak ufak kıpırdanmış, küçük adımlarla yağmurların toprak yolda açtığı irili ufaklı su yollarına takılıp düşmeden yürümeyi başarmıştı.

Kendine anlattığı hikâyeye öyle dalmıştı ki ne geçtiği sokakları ne sokaklarda gördüğü insanları ne de avlunun kapısından geçişini hatırlıyordu. Elma ağacının az ötesindeki gıcırtılar çıkartan eski, ahşap sandalyeye oturmuştu.

Bir süre sonra, "Ne yapıyorsun orada, içeri gelsene," diye seslendi Gülten.

Sonra Faik o akşamüstü hissettiklerini anlattı onlara.

Anlamadılar.

Yabancı bir geçmişin izlerini mi takip etmek gerekiyordu, yabancı bir gelecek için onlarla aynı sözcüklerden aynı anlamları mı çıkartmak gerekiyordu? Yoksa daha en başından onlara ters mi düşmeliydi?

Kapaklarındaki isimleri telaffuz etmekte zorlansa da kitapları okumaya devam etti Faik.

Kendisinin olmayan küçük düşlerin, hep yabancısı kalacağını sandığı karabasanların, yapay, anlamlandıramayacağı kadar karmaşık duygusal yoğunlukların ince ince şifrelendiği kitapları okudu.

Bazı kitaplar otomatik bir silah gibi Faik'in beynine mermi boşaltıyor, onu her şeyden biraz daha uzaklaştırıyordu; Arif'ten, Sultan'dan, Terzi'den, okulda gevezelikten başka bir şey yapmayan sınıf arkadaşlarından...

Oysa Naşit ile Gülten ilk zamanlardaki gibi kitaplar hakkında Faik'le konuşmuyor, sorduğu sorulara kaçamak yanıtlar veriyor, bir an önce kitap, edebiyat, felsefe bahsini kapatmaya çalışıyorlardı.

Faik, dayısının odanın iki duvarına yaptığı, yüksekliği ayarlanabilen raflara dizili kitapların önünde durdu.

Naşit koltuğa oturmuş, elinde kalem, gözlerini ayırmadığı zekâ bulmacasını çözmeye çalışıyordu.

Gülten, bir süredir giymediği, modası geçmiş elbisenin yakasına bir şeyler eklemek için eski moda dergilerini karıştırıyordu; içinde yükselen gerilimin nedenini bilmeden bir kitaplığa bir de Gülten ile Naşit'e baktı.

Bahri'nin odasında, masaya dirseklerini dayayarak ya da sedire sırtüstü uzanarak okuduğu kitapların dünyası ne kadar saf bir sevgi ürünüyse, Gülten ile Naşit'in kitapları o denli şiddet, karmaşa, karamsarlık, öfke yüklüydü.

O akşam Faik, kendisinden gizlenen bir gerçeği fark etti: Naşit ile Gülten bu kitapların çoğunu yarım yamalak okumuş ya da hiç okumamıştı, bu saatten sonra okumaya da niyetleri yoktu.

Öfkelenmekten, yaşadıkları sükûnetin başkalarının düşleriyle zedelenmesinden korkuyorlardı. Niye bu kadar kitap edinmişlerdi o zaman, niye bunları buraya kadar taşımışlardı, İstanbul'da birilerine verebilir, hatta satabilirlerdi. Uzun süredir kitapların tek sayfasını bile çevirmeden büyük bir özenle koruyorlardı onları. Politik kitapları en üst raflara, şiir kitaplarını göz hizasına, roman, öykü kitaplarını el altındaki raflara dizmişlerdi.

Faik, her geçen gün biraz daha yalnızlaştığını, güçsüzleştiğini, yükünün biraz daha ağırlaştığını fark ederek okumaya devam etti.

Kitaplık odasına Gülten, "hobi odası" diyordu. Artık eskisi gibi dergilerden patron çıkarmıyordu ama bir ara etek modellerine merak salmış, bir ikisinin çizimlerini incelemiş ancak aradığı kumaşları bulamadığını bahane ederek dergileri, patronları bir köşeye toparlayıp öylece bırakmıştı. Hobi odasına uygun bir hobi arayışı içindeydi, ne yapmak istediğini bilemiyordu.

Avludaki derme çatma ahşap masanın başında toplanmışlardı. Uzun bir kabloyla elma ağacının çıplak dalına asılan ampulün getirdiği aydınlıkta üçünün de yüzünde alacakaranlığın yanıltıcı ifadeleri vardı; gölgeler yüzlerine hüzünlü birer maske takmıştı.

Faik, son okuduğu kitap hakkında konuşmak istiyordu. Gülten, bir hobi bulması konusunda kendisine yardım etmediği için her fırsatta Naşit'e takılıyor, onun da bir şeylerle uğraşması gerektiğini uzun, iğneli cümlelerle söylüyordu.

Naşit, alaycı gülümsemelerle, "Benim hobimle mesleğim aynı, matematik," diyordu.

Bu yanıt Gülten'i çileden çıkarıyor, bir sürü yeteneği olmasına rağmen hiçbir şey yapmadığı için Naşit'i miskinlikle suçluyordu.

"İstersen logaritmaları gösterebilirim sana ya da kâğıt kalem kullanmadan karekök alma alıştırmaları yapabiliriz," dedi Naşit.

"Resim yap," dedi Faik.

"Yapabilir miyim dersin?"

"Yaparsın," dedi Naşit.

"İyi de ne resmi yapacağım?"

"Onu sen bilirsin. Ben yardım ederim sana," dedi Faik.

Naşit gülerek, "Bu iş, duvar boyamaya benzemez," dedi alaycı gülümsemeyle.

Gülten uzanıp Faik'in elini tuttu.

"Hadi resim yapalım."

Oyun ne zaman başlamıştı?

Gözlerine yakıştırdığı ifadenin hakkını vermiyordu Gülten.

O ifadede neler saklı değil ki; Faik hepsini gördü, içinde büyüyen karmaşanın ne olduğunu anlamaya çalıştıkça biraz daha uzaklaştı Gülten'den.

Resim yaparken ellerinin titrememesi için dua ediyordu. Bu iş, yazı yazmaya, boş kâğıt üstüne gelişigüzel çizgiler çiziktirmeye benzemiyordu. Faik'e göre, resim yapmak, hayatta kalmak için celladının önünden kaçmak gibi acı vericiydi.

Bir iş yapmanın, işe başlamanın iç ferahlatıcı hafifliği bir süre sonra ağır, yıkıcı bir sevgisizliğe dönüşmüştü.

Naşit açık açık dalga geçiyordu. Yine de şehre inip resim defterleri, suluboya için özel kâğıtlar, üçüncü kalite tuval, guvaş, yağlıboya, birkaç tane kömür kalemiyle birlikte, üstünde numaralar yazan resim kalemlerinden aldı.

"Ben üstüme düşeni yaptım," dediğinde yüzündeki aşağılayıcı tebessüm, sözcüklerden daha kırıcıydı.

Naşit yaptığı hatanın hemen farkına varıp sessizliği seçti, mahcup bir edayla köşesine çekildi. Bir ara mutfağa gidip yeni bir çay demledi. Pastaneden aldığı kurabiyelerin yanına biraz çökelek, zeytin ekledi.

Gülten, resim yapmaktan vazgeçtiğinde, karakalemle, kömürle karalanmış bir kâğıt yığını bıraktı arkasında.

Faik bir süre daha kâğıtları çiziktirmeye devam etti.

Her geçen gün biraz daha can sıkıcı bir yere dönüşen hobi odasında Faik, yaptığı çizimleri hemen unutmaya çalışarak, çirkin yüzler, kötürüm insanlar, nasıl aydınlatacağını bilmediği karanlık sokaklar, cılız, yapraksız ağaçlar, kâğıda bir türlü istediği gibi aktaramadığı rüyalarının garip atmosferlerini çiziktirdi.

Bir süre sonra, Gülten'deki yılgınlık Naşit'in de canını sıkmıştı, artık iğneleyici sözler söylemiyordu.

Gülten, tam Faik'in elinden tutup başka bir hobi edinelim diyecekti ki Naşit, "Basit bir iki şey göstereyim size, bunları yaparsanız en azından kâğıdı kalemi kullanmayı, objeleri adam gibi görmeyi becerebilirsiniz," dedi.

Gülten dudak büktü.

Faik bir sigara yakıp, Gülten'in dudaklarındaki aldırmazlığı, Naşit'in yüzündeki aşırı ciddiyeti görmezden gelmeye çalıştı.

Önüne boş bir kâğıt çekip, nesneleri uzay boşluğu dediği yere yerleştirmeye başladı. Sonra onlara hacim, ağırlık verdi, nesneleri renklendirmeden önce karakalemle ışıklandırdı, uzay boşluğunda noktalar keşfederek noktalardan ince çizgiler, çizgilerden kavisli köşeler, köşelerden sert çeneler, burunlar, kaşlar, gözler, açılmış parmaklar, aralanmış dudaklar, metalik otomobil tamponları, kıvrılan şoseler, bahar sürgünleri vermiş sümbüller, çirkin çulluk yavruları, zarif atmacalar, iç içe girmiş bulutlar çizdi.

Her şeyi yeniden başlattı Naşit.

Kalemlerin ucu açıldı, derinliğin ne mene bir şey olduğuna dair konuşuldu, bilek açmak için egzersizler yapılması gerektiği fikrinde birleşildi, önce desen çalışması yapılacaktı... Perspektifi keşfedeceklerdi, olduğundan başka bir dünya vardı orada, belki bir gün perspektifi deforme etmeyi bile başarabilirlcrdi.

"Bunun için," dedi Naşit. "Perspektifi görmek, hissetmek gerekli; görmeden, hissetmeden hiçbir şeyi deforme edemeyiz."

Naşit, beyaz tuvale gri bir astar atıp, "Kendi portremi yapacağım," dedi.

Kâğıtlara bir şeyler çiziktirdi, yırttı attı, çiziktirdi yırttı attı...

Faik, Naşit'in parmaklarının titrediğini, kaşlarının tıpkı dersteki gibi hiddetle çatıldığını, yüzünün tüplerdeki kırmızı boyadan daha kırmızı olduğunu gördü.

"Ben yatıyorum," dedi Naşit fısıltıyla.

Hobi odasından yılgınlıkla çıkıp gitti.

Gülten, oturduğu koltuktan, yerde bağdaş kurup sırtını kitaplığın raflarına dayayan Faik'e baktı bir süre, sonra yavaşça yere doğru kaydı, dizlerinin üzerinde Faik'e doğru süründü.

Gülten'in bakışlarından bir anlam çıkarmaya çalıştıysa da işe yaramadı.

Faik'in yüzünü tek eliyle avuçlayıp dudağının kenarından uzun uzun öptü, sonra bütün takatı kesilmişçesine başını Faik'in dizlerine yaslayıp, anne karnındaki bir bebek gibi kendini iki büklüm kilimin üstüne bıraktı.

Faik, ne yapacağını bilemeden öylece donup kaldı, her an Naşit kapıdan içeri girebilir korkusuyla baş etmeye çalıştı. Gözlerini kapıya dikip, usulca elini havaya kaldırdı, parmakları yolu bulurdu, yeter ki Naşit içeri girmesindi.

Parmakları Gülten'in saçlarına ulaştığında ona bir hikâye anlatmak istedi. Başka bir yerdeydiler, Gülten'in saçlarını okşuyordu.

Eski bir resim: güneş de var, yıldızlar da; sokak yoktu, ev yoktu; her yer ağaçlık, yeşillik; dalların arasına gizlenmiş güvercinler, kumrular, serçeler, alakargalar. Yürümenin ne olduğunu yeni keşfeden çocuk heyecanıyla oradaydı.

Faik parmakları Gülten'in yanağına değdiğinde, eğilip parmaklarının değdiği yeri öptü.

Ertesi akşam Naşit hobi odasında Salim Amca'yı bir sandalyeye oturttu.

Salim Amca, odadakilerin ciddiyetinden ürkmüş, niye o sandalyede kıpırdamadan oturması gerektiğini sormamıştı.

Faik, kitaplığın alt raflarındaki eski dergileri karıştırıyor, Gülten, mutfakta yiyecek bir şeyler hazırlıyordu.

Eskiz kâğıtlarına, tuvale aktaracağı resmin desenlerini çiziyordu Naşit.

Salim Amca her zamanki ölgün sesiyle arada bir şeyler mırıldanıyor, odadakiler söylediklerinden hiçbir şey anlamıyordu.

Naşit eskiz kâğıdından başını kaldırıp Salim Amca'ya baktı, alnına biriken teri koluna siliyordu.

"Annen nasıl?" dedi Naşit.

İş olsun diye sormuştu, konuşursa resim yapmanın getirdiği sıkıntıyı dağıtabilirim diye düşünmüştü, sorusunun yanıtını beklemeden yeniden eskiz kâğıdına döndü.

"Ölümü bekliyor," dedi Faik.

Elinde çay tepsisiyle odaya giren Gülten, tepsiyi yavaşça taburenin üzerine bırakırken, "Bu böyle olmayacak, bir şövale almak lazım," diye mırıldandı.

Naşit, "Yoktu, sipariş ettim getirecekler," dedi.

"Biliyorum, söylemiştin," diye çıkıştı Gülten.

Salim Amca yine bir şeyler mırıldandı, sonra sandalyeden kalkıp tepsiye yöneldi.

"Ben verirdim Salim Amca, sen kımıldamasaydın," dedi Gülten.

Salim Amca elinde çay bardağı, yeniden sandalyeye oturdu, işini öğrenmişti, sandalyede oturması gerekiyordu. Çayından höpürdeterek bir yudum aldı.

"Annenle niye tanıştırmıyorsun bizi?" diye sordu Naşit.

Derginin sayfalarını ağır ağır çeviren Faik bir şey demedi.

"Pikniğe gidelim," dedi Gülten. "Havalar biraz ısınsın, anneni, Arif'i de alıp gidelim, değişiklik olur."

Piknik önerisine yanıt alamayınca odadan çıktı Gülten, biraz sonra elinde tabaklarla döndü, onları tepsiye bıraktı. Faik'in yanına oturdu, şimdi omuz omuzaydılar, ensesinde Gülten'in nefesini hissediyordu.

"Ne diyorsun, gidelim mi pikniğe?" diye üsteledi Gülten.

"Annem gelmez," dedi Faik.

"Ölümü bekliyormuş," dedi Naşit.

"Ne biçim söz o öyle, hasta kadıncağız, yarın öbür gün iyileşip, bizden daha uzun yaşayabilir."

"Ben demedim, Faik öyle söylüyor."

Gülten, yüzünü Faik'e yaklaştırdı, kendisine bakmasını istiyordu; o ise, önündeki derginin yazısız, fotoğrafsız bir köşesine bakıyordu, gözleri sayfa uçları kızarmaya başlamış saman kâğıdında aylak bir yürüyüşe çıkmıştı.

"Gerçekten böyle mi düşünüyorsun?" diye sordu Gülten.

Faik, kendine hikâye anlatmaya başlamıştı bile; içindeki ses ne kadar gür, kendinden emin çıkarsa hikâyenin o kadar kusursuz olacağını düşünüyordu.

Bir tepenin karla kaplı yamacında ilerliyorlardı, az ötesinde babası ile Kör Arif, katırların iplerini çekerek, kara bata çıka yürüyordu.

"Gökyüzünde gri bulutlar vardı. Durmadan yağan kar gökyüzünün rengini yalanlıyordu.

İçindeki coşkunun nedenini biliyordu Faik, hep babasıyla bu yolu yürümek, sınırın, dikenli tellerin ötesine geçmek istemişti; işte şimdi gidiyorlardı, geri de döneceklerdi.

Kör Arif'in sigarasından duman yükseldikçe kar yağışı daha da yoğunlaşıyor, Faik'in önünü görmesini engelliyordu. Artık bir tepeye tırmanıyorlardı.

Kör Arif, dudaklarında sigara, türkü söylemeye başladı. Faik daha önce bu türküyü duymamıştı.

Kar yağışı şiddetli bir tipiye dönüşmüştü. Tenini kesen rüzgârdan korunmak için elleriyle yüzünü örtmeye çalışıyordu, türkü gittikçe uzaklaşıyor, rüzgârın ıslak, keskin uğultusundan başka bir şey duyulmuyordu.

Faik gözlerini yumdu, kendi kendine bir hikâye anlatacaktı, kimsenin bilmediği, kimsenin duymayacağı, kimsenin okumayacağı bir hikâye..."

9

Gözlerini alacakaranlığa açtı.

Koltukların çoğu boştu, yine de otobüsün içini pis bir uyku kokusu kaplamıştı. Ayağa kalkıp sersem adımlarla şoför koltuğunda sigara içen muavine doğru yürüdü.

"Ne zaman hareket ediyoruz?"

Muavin parmaklarının arasındaki sigarayı iş olsun diye küllüğe silkelerken, "Daha yeni durduk," dedi.

"En az yarım saat buradayız."

Otobüsten indiğinde yüzüne düşen küçük kar tanecikleri hemen eridi, çantasını koltuğunun altına sıkıştırıp, park etmiş otobüslerin, benzin istasyonunun yanından geçip, derme çatma bir kulübeyi andıran lokantaya doğru ilerledi.

Lokanta tıka basa doluydu; gözlerinin görebildiği her şey Faik'e büyük bir göçün ortasında olduğunu mimliyordu; kucaklarında çocuklarıyla, ilk defa bir masada oturuyormuş gibi sandalyeye ilişen ürkek kadınlar, sararmış parmaklarında, dudaklarında sigaralarıyla, birkaç günlük sakallı erkek yüzleri, bu yolculuğa daha en başından karşı duran yaşlı, yorgun kadınlar, erkekler...

Faik, pencere önünde küçük bir masaya oturdu. Bıyıkları yeni terlemeye başlamış genç garson hemen Faik'in yanına seğirtti.

"Çorba," dedi.

Biraz sonra sararmış melamin bir tabakta çorbayla, ikiye bölünmüş bayat ekmeği masaya bıraktı genç garson.

Bir iki kaşık çorba içti, bayat ekmekten bir parça koparıp uzun uzun çiğnedi, çorbadan bir kaşık daha içemeyeceğini anlayan Faik, kaşığı masaya bıraktı. Kirli camdan dışarıya baktı.

Konaklama yerine yeni bir otobüs yanaşıyordu, yaşlı yüzündeki derin çizgileri birkaç günlük sakalıyla saklamaya çalışan, kamburu çıkmış bir adam, elinde bir hortum ve fırçayla az önce Faik'in indiği otobüsü yıkıyordu. Masadan kalkıp genç garsonu arandı; içemediği çorbanın parasını ödeyip lokantanın boğucu havasından kendini dışarı attı.

Lokantanın kapısında bekleşen dört beş genç bir yandan sigara içiyor, bir yandan da itişip kakışarak şakalaşıyordu. Faik, ceketinin yakasını kaldırıp dudaklarına sigara yerleştirdi, gençlerden biri çakmağını çıkarıp Faik'in sigarasına uzattı.

Sigarayı yakıp "sağ ol" anlamında başını salladı Faik.

"Sen nereye düştün?" diye sordu genç.

"Anlamadım..."

"Askere gitmiyor musun?"

"Ben yaptım askerliğimi," dedi Faik, kendinden emin.

"Bizim işimiz zor. Yarın sabah teslim olacağız."

"Yalan söylüyor," dedi içlerinde en iriyarı olanı. Eski bir pardösüye sarılmış, gözlerini kısarak konuşuyordu. "Yakalarlar koçum, bu işin sonu yok, bak ben iki sene kaçtım, şimdi tıpış tıpış gidiyorum."

"Pederin zoruyla," dedi, elindeki küçük zinciri durmaksızın sallayan.

"Kes lan ibne," dedi, iriyarı olanı.

"Bize ne askermiş, kaçakmış, baba zoruymuş... Herkes istediğini yapar, sen aldırma birader, arkadaşlar heyecanlı... Kolay değil, memleketten uzakta... Kim bilir neler göreceğiz," diye ortalığı yatıştırmaya çalıştı Faik'in sigarasını yakan genç.

"Yüzbaşının kızını s...meyeceğimiz garanti," dedi iriyarı olanı.

Gençler histerik kahkahalar attı.

"İyi geceler," diyerek, kalabalıktan uzaklaştı Faik.

Otobüse doğru yöneldi, benzinliğin sol yanındaki çayhaneyi görünce fikrini değiştirip dışarıdaki taburelerden birine oturdu, kar atıştırmaya devam ediyordu.

Naşit ile Gülten'e gitmek için evden çıkıp, üzerine çöken ağırlıkla taşlıkta kaldığı akşamlardaki gibi kendini güçsüz hissetti Faik.

Üzeri rengârenk boyalarla lekelenmiş bir çift iskarpin durdu Faik'in önünde. Yerden başını kaldırırken, "Hoş geldin dayı," dedi.

Arif, yeğenine gülümseyerek baktı bir süre. Sonra, arkadaşıyla buluşmaya sözleşmiş yaramaz bir çocuk gibi Faik'in yanına oturdu, ellerini dizlerinde birleştirdi.

İkisinin sessizliğini bozacak bir rüzgâr çıkacaktı birazdan, belki küçük bir hortum, tozu toprağı girdabında savurarak ilerleyecek, dayıyla yeğenin derin bir nefes almasına yardımcı olacaktı.

"N'aptın?" diye sordu Arif.

"Hiç," dedi Faik, dayısının sesindeki yorgunluğu görmezden gelerek; halbuki "Naşit Hoca'ya gideceğim" diyecekti, dudaklarından, "Hiç" çıktı.

Üstüne çöreklenen ağırlıktan kurtulmak için hiçbir şey yapmak istemiyordu. Arif, gelip yanına oturmasaydı, belki ayağa kalkıp ağır adımlarla avlulu evin yolunu tutabilirdi. Şimdi, bir sorumluluğu yerine getirmenin tuhaf huzuruyla oturuyordu.

Akşamın gözleri karanlık bir göle düşerken ağır ağır nefes aldılar. Evlerin, ağaçların, yollardaki taşların gölgeleriyle birlikte karanlıkta kayboluyorlardı.

Rıza Kıraç

Arif, ceketin cebinden tütün tabakasını çıkarıp, kâğıdı bir makinenin dişlisine bırakır gibi parmakları arasına yerleştirdi. Tütünle buluşan kâğıt Arif'in parmakları arasında dönmeye başladığında, Faik gözucuyla dayısını izledi.

Arif, kutsal bir emaneti öpmek ister gibi parmakları arasında yuvarladığı kâğıdı dudaklarına yaklaştırdı.

"Sana da sarayım mı?" diye sordu.

"Sağ ol, istemem."

Önüne oturdukları ahşap kapı yavaşça açıldı. İkisi de arkasına bakmadı.

Sultan, dayı ile yeğenin arasına çömelip, ince uzun parmaklarını birbirine kenetleyerek öylece olduğu yerden karanlığa baktı.

Birbirlerine söyleyecek çok şey olmasına rağmen hiçbiri konuşamadı; sözcüklerin, söylemek istediklerini doğru olarak ulaştıracağından kuşku duyuyorlardı.

Sultan, her geçen gün biraz daha ölüme yaklaşan bedeninin varlığından tiksinmeye başlamıştı, zamanından önce pörsüyen teni kendisini bile korkutuyordu; bunu anlatamazdı onlara, çukurlarında iki küçük çizgiye dönüşen gözlerinde artık yaşamaya dair en küçük bir pırıltı, geleceğe ait ufacık da olsa bir umut belirtisi olmadığını biliyordu.

Arif, ona anlatmalıydı, Faik artık bir yetişkindi, anlayacak yaşa gelmişti.

"Böyle bir akşamüstü köye döndüğümde babam ocağın başında homurdanarak karşıladı beni. Ne dediğini anlamadım. Yüzünde az sonra evi ateşe verecekmiş gibi bir hal vardı. Anneme Sultan'ı sordum. Babamın, bir haftadır Sultan'ı üst kattaki ambarda kilitli tuttuğunu söyledi. Yukarı çıktım, anahtarı bulamadım.

'Babanda anahtar,' dedi annem.

'Ambarın anahtarını ver,' dedim ocağın başında bağdaş kurmuş tespih çeken babama.

'N'apcan?' dedi.

'Sultan'ı çıkaracağım oradan,' dedim.

'Çekil git önümden, kafası karışmış onun, bir de seninle uğraşmayayım. Senin de hesabını görmem lazım, kaçtır haber gönderdim, niye o vakit gelmedin de, şimdi önümde zehirli mantar gibi bittin, benim çok bilmiş, hayırsız oğlum?' dedi.

'Sonra konuşuruz bunları, anahtarı ver, yazık etme Sultan'a,' dedim.

'Sana bi bok vermem, çek git başımdan!' dedi.

Üst kata çıktım, balkona baktım, karanlıktı, kapıyı kıracak bir şeyler aradım bulamadım, seğirterek bahçeye indim, ahırın yanındaki küçük odunlukta bir nacak olacaktı, samanların arasına biraz daha bakındım, nacağı buldum, yukarı çıktığımda kapının önünde babam duruyordu.

Elimde nacak beni karşısında görünce, 'N'apcan, şimdi de kapıyı mı kıracaksın? Zarardan başka bir şey yapmıyorsun zaten, def ol git başımdan!' dedi.

Kımıldamadan karşısında duruyordum, annem merdivenlerin başında bağırıyordu.

'Yapma oğlum, babanın sözünü dinle, atandır.'

Kendimi tutamadım, hüngür hüngür ağlamaya başladım, nacak hâlâ elimdeydi.

'Önümden çekil baba,' dedim.

Cebinden anahtarı çıkarıp kapıyı açtı, yüzüme bakmadan merdivenlerden indi, arkasından baktım, omuzları titriyordu.

'Ne biçim evlatlarsınız, sizin yüzünüzden gün yüzü göremeyecek miyim?' diye bağırdı ağlayarak.

Aralık kapıdan girdim, ambar karanlıktı, cebimden kibrit çıkarıp yaktım, ne bir ses ne de bir soluk vardı.

Sonra Sultan'ı gördüm. Ambarın bir köşesine sinmişti.

Babam günlerce konuşmadı bizimle, annem ulak gibi ondan haber taşıyor, neyi yapıp, neyi yapmamamız gerektiğini söyleyip duruyordu.

'Allah hayırlısını versin; kocanın da evladın da,' diyerek ortalıkta dolaşıyordu.

Sultan'la ambarın yanındaki odada kalmaya başladık.

'Dönmeyecek,' diyordu.

'Bu kadar beklemezdi, bir haber gönderirdi, bir şey geldi başına,' diyordu.

On, on beş gün sonra haber geldi. Dönmüş, Sultan'ı görmek istiyordu.

Annem, 'O adamla Sultan'ın evlenmesine razı değil baban, bir kaçakçıyla evlenmek istiyorsa çekip gitsin, gözümden uzakta ne yaparsa yapsın, diyor,' dedi.

Konuşmazdı; emreder, bağırır, sevgisini kendine saklar, kaşlarını çatıp gözlerini kısar, herkesi sindirirdi babam. Ondan hep kaçmıştım, kaçmakla kurtulamayacağımı biliyordum ama onun yüzüne bakmak bile korkutuyordu beni. O akşam onun karşısında nacakla nasıl durduğumu bilmiyorum. Daha önceden yapmalıydım bunu.

Belki de Gülay'la yaşadıklarım aklımı başıma getirmişti biraz da olsa büyütmüştü beni.

Sultan'a, dedim ki: 'Bohçanı hazırla, seni götüreceğim.'

'Babam öldürür bizi,' dedi.

'Hiçbir şey yapamaz,' dedim.

Babanı arayıp buldum, yanına gittim, Kör Arif'le oturmuş konuşuyorlardı, bir köşeye çektim onu, 'Uzak bir köye git, bir ev tut, bir iki parça eşya al, Sultan'ı getireceğim, bundan sonrası size kalmış,' dedim."

Salim Amca'nın ölü yüzünü tuvale aktarmaya başlayan Naşit, her akşam yapmaya çalıştığı resimle kavga ediyordu; her şey tastamamdı da bir şey eksikti.

Gülten tuvalin başına geçip, "Ne güzel olmuş işte, ben bunun yarısını bile yapamam," dedi.

Faik, okuduğu kitabın arasına sigara paketi sıkıştırarak oturduğu yerden kalkıp, Gülten'in omzunun üstünden tuvaldeki yarısı boyanmış desene baktı.

Naşit, pencerenin önüne geçip bir süre avluyu izledikten sonra, "Dışarıda oturalım," dedi.

"Soğuktur şimdi, hasta eder bu hava insanı," dedi Gülten.

Ellerinde çay bardakları elma ağacının altına oturdular.

Gülten'in omuzlarına bıraktığı saçları serin rüzgârla tel tel yüzüne vuruyordu. Dudakları hep aralıktı, sanki bir şey söyleyecekti de nereden başlayacağını kestiremiyordu. Gülten'in suskunluğu biraz daha devam ederse, Naşit bütün gece okuldan, derslerden, okul müdürünün anlamsız yönetmelik tutkusundan bahsedecekti.

Gülten sandalyesini yaklaştırıp, başını Naşit'in omzuna yasladı. İnce uzun parmaklarını, Naşit'in günün her saati dağınık saçlarına daldırırken, "Naşit'le nasıl tanıştığımızı anlattık mı?" diye mırıldandı.

"Yok. Anlatmadın."

"Gerçekten anlatmadık mı, Naşit?"

"Hatırlamıyorum, anlatmış olabiliriz."

"Naşit ikinci sınıftaydı, benim okula başladığım yıl koridorlar da kantin de hep karışıktı. O zaman moda bir kitap vardı, hatırlıyor musun Naşit?"

"*Felsefenin Temel İlkeleri.* Hâlâ moda."

"Evet evet, bu adam elinde o kitapla dolaşıp duruyordu. Koridorda bir iki kere Ülkücülerle dalaşırken gördüm Naşit'i. Alnında kırmızı bir damarla dolaşırdı hep. Okulda hiddetinin, hırsının dindiğini hiç görmedim. 'Kızıl Damar' adını vermiştim Naşit'e. Okulu yarım bırakan bir arkadaşım vardı. Naşit'le sevgili olmadan önce onunla dolaşıyordum okulda, neredeyse hiç ayrılmazdık, kikir kikir dolaşırdık. Bizim sınıfta bir çocuk vardı, ben ona âşıktım; yani aşk değil de tutulma diyelim, çocukça bir şey; birisini beğendiğinde gidip kur da yapamıyorsun; hafif kadın oluyorsun o zaman. Aslında arkadaşım o çocuğu gösterip, 'İşte bu çocuk senin yanına çok yakışır,' demişti. 'Hadi oradan, sen önce kendine bul bir tane,' dedim. O günden sonra gözüm hep o çocuktaydı, elimde olmadan bakışlarım kayıyordu, çok güzel gözleri vardı, diğer çocuklar gibi bakımsız da değildi."

"Ama faşistti."

"Hiç de faşist falan değildi, sadece politikaya ilgisizdi, biraz liberaldi; ne solcuları seviyordu ne de sağcıları. Okuldaki çatışmaları ilkel bulduğunu söylemişti."

"Kendisi modernmiş gibi."

"Kıskanma," diyerek, sevimli bir çocuk ifadesi takınıp Naşit'i yanağından öptü.

"Yine kantinde kikirdeşiyoruz, bir iki gün önce solcular dersleri boykot etmişti, boykot bitip okula döndüğümüzde ortalıkta ders anlatacak hoca yoktu. Kavga olmaz da bina boşaltılmazsa bütün günümüzü kantinde geçiriyorduk. Bir ara kantini de kapattılar, koridorların arasına demir kapılar koydular, avluya çıkmamızı engelleyecekler. Neyse, bir gün arkadaşım ne yapıp etti o çocuğu masaya getirdi."

"Gülay getirmişti," dedi Naşit.

"Evet, Gülay'dı. Bizden biraz büyüktü. Solcu çocuklar çekinirdi ondan, hem okulun gediklisiydi hem de kimin ne olduğunu çok iyi biliyordu. Kolay yola gelecek biri değildi yani, hoppa diyeceğim ama öyle de değil, tuttuğunu koparan birisi. Neyse, çocuk oturdu masaya, üzerinde uzun paltosu, elinde defterleri, kitapları vardı. Benim elim ayağıma dolaşıyor, ne diyeceğimi bilmiyorum. Gülay ikide bir masadan kalkıp bizi yalnız bırakıyor. İşte 'ne yapar ne edersin, derslerle aran nasıl?' gibisinden konuşmaya yeni yeni başlıyorduk ki Naşit gelip masaya oturdu. Ben onunla tanışmıyorum ama o bizim çocuğu tanıyor. Çocuğa pis pis bakıp, 'Beni tanıştırmayacak mısın?' diye çıkıştı. Çocuk bizi tanıştırdı ama Naşit'in derdi başka. Sonra birden yanımızdan ayrıldı. Nereye gitmiştin?"

"Hiçbir yere gitmemiştim. Kantinin uzak bir köşesinden sizi izliyordum."

"Bundan daha önce bahsetmemiştin."

"Seni öyle uzun süre izlemiştim, hiç haberin olmadı."

"Sapık kocacığım! Kızarmaya mı başladı alnın yine? Neyse, biraz daha sohbet ettik, çocuk ayağa kalktı, gidecek. Gülay anladı, yanımıza geldi. 'Nereye gidiyorsun, daha yeni oturduk,' dedi. İşi varmış, 'Yarın buralarda olurum,' deyip gitti. Ertesi gün çocuk yok ortalıkta. Naşit bitti hemen yanımda. O zaman da şimdiki gibi çirkindi ama sakalları biraz gizliyordu çirkinliğini, di mi?"

Naşit "evet" anlamında başını salladı.

"Eski bir çantası vardı Naşit'in; çantadan bir kitap çıkarıp bana uzattı. Yırtık pırtık bir kitap, ne kapağı var ne de bir yerinde kitabın ismi yazıyor."

"Benim Üniversitelerim."

"Evet ama kitabın adı hiçbir yerde yazmıyordu, 'Oku bunu,' dedi. 'Bunu okumadan üniversiteyi bitirmenin anlamı olmaz.'"

"Sahaftan aldığım günün akşamı okumuştum. Kafam karışmıştı, Gülten'in de kafası karışsın istedim."

"'Nereden çıktı şimdi bu?' dedim. Hiç unutmuyorum, 'Ben,' dedi Naşit. 'Senin gibi güzel bir kız görmedim.' Bu defa ben kıpkırmızı olmuştum. Naşit zaten kıpkırmızı bir suratla gezdiği için onun yüzünde bir şey belli olmuyordu. 'Konuşmayı beceremem,' dedi, halbuki bütün gün politika konuşuyordu arkadaşlarıyla. 'Bu kitabı okursan belki konuşacak bir şeylerimiz olur,' dedi. Kitabı okumaya başladım, birkaç gün sonra okul çıkışı beni takip etmiş. Gülay'dan ayrıldıktan sonra yanıma geldi. 'Okudun mu Gorki'yi?' diye sordu. 'Okumadım,' dedim. Halbuki okumaya başlamıştım kitabı. Kafam karışmıştı, o çocuğun yerini yavaş yavaş Naşit alıyordu. Okulda ilk senem ya kimin ne olduğunu da bilmiyorum, geveze, uçarı bir çocukla arkadaş olup başımı belaya sokabilirdim. 'Kitabı okuyunca seni bulurum,' dedim. 'Elini çabuk tut,' dedi, ne demekse!"

Naşit, gürültüyle burnunu çekti, üşümüş gibi ceketinin yakalarını birleştirerek, "Beni reddetseydin, başka bir kız vardı ona yanaşacaktım," dedi.

"İyi de ben sana evet demedim ki."

"Hayır da demedin, öyle başladı işte. Kendi kendine."

"Hiç de kendi kendine olmadı, şiir yazmıştın benim için. Uzun, sıkıcı, karmakarışık laflarla dolu bir şiirdi," dedi Gülten.

Naşit gülerek, "Aparma bir şiirdi, sağdan soldan topladığım birkaç mısrayı birleştirip küçük oynamalar yapmıştım," dedi.

"Sonra ne oldu?" diye sordu Faik.

"Beni evine çağırdı. Üç tembeli bir eve tıkmışlar! Evi pislik götürüyor."

"Sen gelmeden evi temizlemiş, sonra alışveriş yapmıştım."

"Ev yine de kirden gözükmüyordu. 'Gülay da gelsin,' dedim. Üçü de matematik okuyor, ne ev işinden anlıyorlar ne de başka bir şeyden. Gülay bunlarla dalga geçmeye başladı. Mutfakta bir terek vardı, üstüne yemek tarifleri asmışlar; ama öyle gülünç ki bir tanesi sıradan bir omlet tarifiydi."

"Çetin çok iyi yemek yapardı," dedi Naşit.

"İçinizde eli yüzü düzgün bir o vardı. Ama ben, sana âşık oldum. O eve gittiğimiz gün, 'Kitabı okudum,' dedim. 'Eee,' dedi. 'Biraz karmaşık, karanlık bir kitap, içim sıkıldı okurken.' 'Yoksa bitirmedin mi?' diye sordu Naşit. 'Tamamını okudum,' dedim. 'Marx'la, Nietzsche'yi uzlaştırmaya çalışan genci nasıl buldun?' diye sordu. 'Nietzsche'yi tanımıyorum, Marx'ı da okumadım,' dedim. Hemen yan odaya geçip bir iki tane kitapla döndü. *Zerdüşt'*ü getirdi, bir de *Komünist Manifesto*'yu."

"Çocukluk işte," dedi Naşit.

Gülten, Naşit'in omzuna bir şaplak indirip, "Nesi çocuklukmuş bunun?" dedi.

"Daha o saat önüne kitap dayıyorum, bok var. Biraz aşktan meşkten söz etsene, kızı evine getirmişsin. Öyle değil mi Faik?"

"Ben bilmem. Sevgilim olmadı hiç."

Gülten oturduğu sandalyede huysuz huysuz kıpırdandı.

Naşit, masanın üzerinden bir sigara alıp dudaklarının arasına yerleştirdi, sigarayı yakmadan, "Sınıftaki kızlarla niye ilgilenmiyorsun?" diye sordu.

"Hepsi çok çirkin," dedi, yüzüne hınzır bir gülümseme yerleştirip.

"Sana şehirli kız yakışır," dedi Gülten gülerek.

"Bence korkuyor," dedi Naşit, dudağındaki sigarayı yakıp Faik'i izlemeye başladı.

Parmakları arasında boş bardağı evirip çeviriyordu Faik, yüzüne yavaş yavaş yerleşen somurtkan ifade birazdan dudaklarının kenarında sinirli bir tebessüme dönüşecekti.

"Korkmuyorum," diye mırıldandı Faik, söylediğine kendi de inanmak ister gibi.

10

Salim Amca, sabah, karısı henüz uykudayken yataktan kalktı; sobayı çalı çırpıyla tutuşturup, içine odun attı; ahıra gidip eşeğinin başını sıvazlayıp onu yemledi, biraz dolaşsın diye ipini çözdü ama eşeğin ahırdan çıkmaya niyeti yoktu.

Sopası durmadan çıkan çalı süpürgesini urganla bağlayıp evin önünü, bahçeyi süpürdü; birkaç yıl önce diktiği ama hâlâ cılız bir görüntüsü olan çamın toprağını eşeleyip, can suyu verir gibi suladı onu.

Bir sigara yaktı, bahçeyi çeviren taşların üstüne oturup şehre inen boş patikayı seyretti; üst mahalleden bir köpek havlıyordu. Sigarasını bitirince ahırın yolunu tuttu, uzun bir ip aldı. Evin önündeki ağacın kalın bir dalına bağladığı ipin sağlamlığını ölçmek için bir iki çekiştirdi, sonra boş bir tenekenin üstüne çıkıp kendini astı.

Salim Amca gibi sesi soluğu çıkmayan karısı, bahçede kocasını ipin ucunda sallanırken görünce dünyaları yıktı.

Kasabanın çoluğu çocuğu, genci yaşlısı, bahçe duvarının arkasına sıralandı, Allah'ın bir kulu bahçeye girip Salim Amca'yı ipten indirmedi.

Kadın acıdan çökmüş yüzüyle kasabalılara, "Allah aşkına yardım edin, kocamı ağaçtan indirecek bir Müslüman tohumu yok mu?" diye yalvardı.

Kadına yardım etmek için kimse kılını kıpırdatmadı. Kadın, taşların önüne yığıldı kaldı.

Kasabalılar, hem Salim Amca'nın intihar ettiğine inanmıyordu hem de intihar ederek Müslümanlıktan çıkan bir gâvura el sürmek istemiyordu.

Kadın kasabalıların kocasını ağaçtan indirmeyeceğini anlayınca çöküp kaldığı yerden kalktı, kocasını bacaklarından kavrayarak, boynundaki ipten kurtarmaya çalıştı; ne yeterince güçlüydü ne de boyu ipe ulaşacak kadar uzun.

Ağacın altında bir süre çırpındı, sonra eve girdi, elinde bir bıçak ve sandalyeyle dışarı çıktığında yağmur çiselemeye başlamıştı.

Kadın ipi kesti.

Salim Amca'nın ölü bedeni, belki de bütün yaşamı boyunca çıkaramadığı gürültüyle yere yığıldı.

Arif, kalabalığı yarıp cesedin yanına geldiğinde, kadın kocasının morarmış boynundaki ipi çözmeye çalışıyordu.

Yağmur sağanağa dönüşmüştü.

Arif, gözyaşlarını gizlemeden kadını cesedin yanından uzaklaştırdı, boynundaki gevşemiş ipi bıçakla kesti.

Salim Amca'nın ölü bedenini eve taşıyıp yatağa uzattı, çenesini bağladı, çarşafla üstünü örtüp bir bıçak koydu, ruhuna Fatiha okudu.

Kasabaya üç gün aralıksız yağmur yağdı.

Salim Amca için kazılan mezarı hemen o saat yağmur suları doldurduğu için ancak dördüncü gün gömülebildi.

11

Tek şeritte işleyen yolda otobüs ağır ağır ilerliyordu. Otobüsün boğucu havasından kurtulmak için Faik gözlerini yumdu, kendi kendine hikâye anlatmaya çalıştıkça, kalbini sıkıştıran, içini bunaltan huzursuzluk daha da büyüyor, geceyle birlikte yolculuk bir kâbusa dönüşüyordu.

Faik'in zihninde canlanan tuvalde, Salim Amca'nın gözleri kapalı portresi duruyordu.

Salim Amca'nın ölümünden sonra, yapmaya çalıştığı resimdeki eksiği fark etmişti Naşit. Resimdeki gözler çok canlıydı; oysa ölü bir adamın resmini yapıyordu.

"Gözkapakları kapalı olmalı, o bir ölü," dedi Naşit.

Gülten, ses çıkarmadan bir köşede Naşit'in resmi bitirmesini izledi, bu birkaç gece sürdü. Gülten, resmin nasıl yapıldığından daha çok, Naşit'in çalışırkenki tavırlarıyla ilgileniyordu; küçük bir bıçakla palet niyetine kullandığı tahtanın kenarına küçük çentikler atıyor, çay bardağının yanında kaşık olmasına rağmen, fırçanın kirli sapıyla çayını karıştırıyor, farklı renkler elde etmek için karıştırdığı boyaları tuvale sürmeden, tahtanın kenarına açtığı çentikte kontrol ediyor, fırçayı kutsal bir şeyle buluşturacakmış gibi, yavaşça uygun gördüğü noktaya dokunduruyor, istediği sonucu alıp almadığından emin olmak için, kaşlarını çatarak iki adım uzaktan resmin son haline şöyle bir baktıktan sonra, sanki yarım kalmış bir konuşmayı devam ettirir gibi Faik'e o an aklına gelen, yaptığı işle hiç ilgisi olmayan bir soru soruyordu. Faik sorunun yanıtını vermeden, Naşit, tuvaldeki son fırça darbesiyle ilgili bir şeyler mırıldanıyordu.

Gülten, Salim Amca'nın portresinin bitimini takip eden günlerde, bir yerlere gizlediği patron kâğıtlarını yeniden ortaya çıkardı. Bu defa, odanın bir köşesine bağdaş kurup, kucağına yerleştirdiği büyük bir tahtanın üzerinde, Faik ile Naşit'in görmesini istemediği resmin eskizlerini çiziktiriyordu.

Gülten'in bu gizliliğinden sıkılan Naşit, matematik notlarını tuttuğu kırmızı kaplı harita metot defterini çıkarıp, Faik'i sınava hazırlamaya başlamıştı. Naşit, sınavda soracağı konularla ilgili açıklama yapıp bir iki örnek soru çözdükten sonra, ertesi akşam çözümlerini getirmesi için, dosya kâğıdının bir yüzünü dolduracak kadar problemi sıralar, "Bu soruların sınavda gelmesini bekleme, bunlar sadece alıştırma," diyerek yüzüne sinsi bir tebessüm yapıştırıp gözdağı verirdi Faik'e.

Naşit'in ders anlatırkenki ciddiyeti, yukarıdan bakan alaycı tavrı Faik'i tedirgin eder, çözüm yöntemini bildiği soruları yanıtlarken basit hataları peş peşe yaparak, yanlış sonuçlara ulaşırdı. Bir süre sonra, başucunda zebani gibi dikilen hocasının gözlerinin içine hiçbir şey söylemeden bakar, ne demeye çalıştığını anlamasını bekledi. O bakışların ne anlama geldiği konusunda uzman olan Naşit, bir bahane bulup kısa sürelerle Faik'in yanından ayrılır, kendine geçici küçük uğraşlar uydurarak hobi odasını ufak adımlarla dolaşır ama ilk fırsatta yeniden Faik'in başına dikilirdi.

"Bitti," derdi Faik.

Naşit uzaktan kâğıda şöyle bir göz atıp fikrini belirttikten sonra yeni soruyu yazardı.

❖ ❖ ❖

Gülten bir akşam, Salim Amca'nın portresini şövaleden indirip, oraya boş bir tuval yerleştirdi. Eskizdeki çizgileri tuvale aktarmaya başladı. Naşit ile Faik, kısa bir süre ilgisiz gibi görünmeye çalıştıysa da dayanamayıp Gülten'i izlemeye başladılar.

Gülten kendi portresini yapıyordu.

Naşit, tuvale şöyle bir baktıktan sonra, "Yüzün çok gergin olmuş; yanaklarında, gözlerinde felçli bir gerginlik var," diyerek, Gülten'in elindeki kalemi alıp, resimde düzeltmeler yapmaya başladı.

Sessizce Naşit'i izleyen Gülten, kısa bir an Faik'le göz göze geldi.

Gülten, içinde yükselen ateşi yüzüne yansıtmamak için direndiyse de bunu beceremedi. "Anlaşıldı kocacığım," diyerek Naşit'in elindeki kalemi çekip aldı.

"Bu benim portrem, benim gibi gergin ve hastalıklı olmalı," diye çıkıştı.

Naşit, sessizce tuvalin başından ayrılırken, "Sigara paketimi gören oldu mu?" diye mırıldandı.

Faik gözlerini açtı.

Otobüs hareket etmiyordu. Koltukta kımıldamadı.

Şoför kontağı kapatıp otobüsün kapısını açarak kendini yoldaki araçların arasına attı.

Faik, otomobillerin, kamyonların farlarıyla aydınlanan yolda, konvoyun ucunu görmek için yerinden doğruldu, yol bir yılan gibi kıvrılıyor, ileride neler olduğu görülmüyordu.

Dudaklarının ucunda sigarasıyla geri dönen şoför, sinirli hareketlerle koltuğuna kurulduktan sonra, "Yol çökmüş, bekleyeceğiz," diye seslendi.

Muavin, elinde bir şişe suyla şoförün yanında bitti hemen, "Çok sürer mi?" diye sordu.

"Ne bileyim ben, belki yavaş yavaş yol verirler, belki de sabahı bekleriz."

Faik, koltuktan kalkıp, muavinin soran bakışlarına aldırmadan otobüsün kapısına yöneldi. "Uzaklaşmayın," diye seslendi muavin.

Faik "tamam" anlamında başını salladı.

Araçlar arasında bekleşenlerin meraklı bakışları Faik'e yöneldi, üzerine çevrili gözlere aldırmadan başını kaldırıp, otobüsün tırmandığı tepenin ucundaki yıldızların oynaşmalarını izledi, sanki içlerinden biri az sonra kayacaktı.

"Sabahı bulur," dedi, beyaz bir otomobile yaslanmış sigara içen yaşlı adam.

"Kaldık mı burada!"

"Belki birazdan açılır yol," diye mırıldandı Faik, adama bakmadan.

"Bir kere daha oldu böyle, sabahladık. Diğer şerit işleseydi bir umut yavaş yavaş giderdik, demek göçük büyük."

Faik bakışlarını birden adama çevirdi, göz göze geldiler.

"Uyumamışsın sen, kaç saattir yoldasın?"

"Hatırlamıyorum," dedi Faik.

"Memleketine mi gidiyorsun?"

"Saat kaç?" diye sordu Faik.

Adam saatine baktı, üşümüş gibi ceketine sarılarak, "On ikiyi çeyrek geçiyor," dedi.

Kısa bir sessizlik oldu, Faik yeniden tepenin ucundaki yıldızlara bakmaya başladı.

"Memlekete mi?" diye tekrar sordu adam.

"Bu otomobil sizin mi?"

Yaşlı adam, parmak uçlarında çevirdiği sigarayı ayağının dibine bırakıp, "Benim," diye mırıldandı.

"Askere gidiyorum, yarın teslim olacağım," diye bir yalan attı Faik.

"Heyecanlı mısın, korkuyor musun?"

"Düşünmemeye çalışıyorum."

Adam güldü, bir adım atıp elini Faik'in omzuna götürerek, "İnşallah işe yarar," dedi.

Faik, bir adım ötesinde duran yaşlı adama baktı, yüzündeki sevimsiz tebessüm canını sıkmıştı.

Yaşlı adam, kısacık bir an dikkatle Faik'e baktı, tebessümü buz kesti, elini Faik'in omzundan çekti.

Arabanın kapısını açarken, "İyi geceler, iyi yolculuklar asker," dedi.

"İyi geceler," diye karşılık verdi Faik.

Otobüse döndüğünde, unutmak istediği ama bir türlü beceremediği kâbuslarının ayrıntılarında dolaştı Faik. Yoksa bu yolculuk kendi kendine anlattığı hikâyelerin gerçek hayattaki sızıntıları mıydı?

Yaşadıklarını, bu geceden sonra yaşayacaklarını bir daha sıraya koyamayacağının bilincine vardı birden, her şeyin iç içe geçeceğini, birbirinin içinde eriyip bir bütünü oluşturacağını anladı Faik; sessizce oturdu koltuğa, uykusu vardı.

Gözlerini yumdu, otobüsün hareket edeceğini düşündü, o mide bulandıran sarsıntıyı tatlı bir sarhoşlukmuş gibi düşledi. Otobüs, yüzlerce ölü nesnenin yanından hızla geçecekti.

Uykuyla uyanıklık arasındaki o belirsiz ruh hali, yanan bir ateş topunun ardından koşup, onu yakalamaya çalışmak kadar tehlikeliydi.

Yüzler görüyordu; belirsiz yüzler, tebessümler, kızgın, kayıtsız, boşluğa bakan gözler, çektikleri acıyı yüzünden eksik etmeyen insanlar...

O yüzlerin hepsini tanıyordu.

Zaman içinde bir kaybolup bir beliren kendisi miydi, yoksa o yüzlerin hikâyesi miydi emin değildi şimdi. Tek belirgin şey annesinin sesiydi, o sesi tanıyordu, tüm tınılarıyla, derinliğiyle, şefkat ve çaresizliğiyle duyuyordu, onu bir daha göremeyeceğini biliyordu, yine de yavaşça gözlerini araladı, karşısında annesi yoktu, yeniden gözlerini karanlığa yumdu.

Faik, otobüsün içinde yükselen gürültüye aldırmadı.

Sonra birden gözlerini açtı, çantasını koltuğunun altına alıp ayağa kalktı, muavini aradı, otobüsün en arkadaki koltuklarından birine oturmuş, askere giden gençlerle sohbet ediyordu.

Muavin, kendisine yaklaşan Faik'i fark edince gözkapaklarını sonuna kadar açıp şaşkın şaşkın etrafına bakındı.

"Bagajı açar mısın?" dedi Faik.

"Yol kapalı, bir yere gidemezsin," dedi muavin.

"Bagajı aç. Bavulumu alacağım," diye çıkıştı Faik.

Muavin sohbet ettiği donuk bakışlı gençlerin arasından sıyrılıp otobüsün ince uzun koridorunda koltuklara tutunarak kapıya doğru yürüdü.

Bagajın kapağını kaldıran muavin, "Ne yapacaksın, nereye gideceksin gecenin bu karanlığında, yolun açılmasını bekle," diye diretti yeniden.

Faik, muavinin söylediklerine aldırmadan, omzunda çantası, elinde bavulu, beyaz otomobile yöneldi.

Yaşlı adam, Faik'i görünce hiçbir şey söylemeden anahtarları aldı, bagajı açtı.

Otomobilin ön koltuğuna oturdu, sigara yaktı, pencereyi yarısına kadar açtı, yaşlı adam koltukta rahat etmek için kısa bir süre olduğu yerde debelendi, kontağı çevirdi, bekleşen araçların arasındaki küçük boşlukta ileri geri manevra yapıp otomobilin önünü dönüş yoluna çevirdi, boş yolda hızla ilerlediler.

Zamanın akışının tersine bir yolculuk başlamıştı.

Faik, yaşlı adamın gözlerinde gizlediği sorulara aldırmadan peş peşe sigara içti.

Aracın uzun farları asfaltta derin yaralar açarak ilerliyor, yaralar kangrene dönüşmeden, karanlık, dostunun üzerine kapaklanıp acıyı dindiriyor, yolun kara tenini tedavi ediyordu.

Tek kelime bile etmeden birkaç saat aynı yolda ilerlediler, sonra adam direksiyonu hafifçe sola kırarak otomobili şehirlerarası yoldan çıkardı, fidanlıkların sıralandığı bir şosede ilerlediler.

Karanlık, soluk mavi bir tüle dönüştüğünde, yaşlı adam otomobili yolun kenarına yanaştırıp yavaşça kapıyı açtı.

"Uykum geldi, biraz hareket etmeliyim," diye mırıldandı, birden aklına gelmiş gibi sevimli bir gülümsemeyle, "Sen de gel, biraz nefes alırsın," dedi.

Her yeri serin bir çiy tabakası kaplamıştı, yapraklar dallarında daha ağır, araçların kuytularında gizlenen kuşlar sabırsız, çığırtkan; toprak haşarıydı.

Ayakkabılarını ağırlaştıran çamura aldırmadan, yaşlı adamla birlikte bayır aşağı indi. Derenin kenarına geldiklerinde, yaşlı adam iki büyük taşa ayaklarını yerleştirip avucunu dereye daldırdı, su içti, yüzünü yıkadı. Ceketin cebinden çıkardığı mendille elini yüzünü kurularken, "Su çok soğuk," diye mırıldandı.

Faik, adamın yüzündeki birkaç günlük sakalın gizleyemediği tedirginliği ancak fark edebilmişti, o yüze daha fazla bakamadı.

Yaşlı adamın su içtiği yere doğru bir iki adım atıp, ayaklarını onun gibi taşlara yerleştirdi Faik, suyu avuçlayıp yüzüne soğuk bir maske taktı.

"Kaç yaşındaydın?" diye sordu yaşlı adam.

"Ne fark eder ki?"

"Merak işte."

"Daha çok var mı?"

"Biraz daha var, köyü geçtikten sonra yokuş tırmanacağız."

124

Derenin kenarında, köklerini dışarı vurmuş bir kavağın yanındaki taşa oturan yaşlı adam sigara yakıp, parmakları arasındaki kibrit çöpünü suya fırlattı. "Beni nasıl tanıdın, seninle hiç karşılaşmadık?" dedi.

"Evet, karşılaşmadık."

"Benim bir suçum yoktu, elimden geleni yaptım, acemi askerle iş yapmak çok zor, korkup telaşlandılar."

Faik bir şey demedi, dereye kapılmış, ine çıka yol alan bir yaprağı izledi.

Yeniden yola çıktılar.

Tek katlı, yorgun evlerin sıralandığı, bir yamaca kurulu köye geldiler. Köyün ara sokaklarında sarsıntılı bir yolculuk yapıp, ellerini göğsünde birleştirmiş yaşlı bir kadının kapısında beklediği kahvehanenin önüne geldiklerinde, kamburu altında neredeyse iki büklüm gözüken kahveci, yaşlı adamı tanıdığını belli eden bir gülümsemeyle karşıladı onları.

Dimdik karşılarında durabilecekmiş gibi doğrulmaya çalışan kahveci, "Hanım kahvaltılıkları çıkarır şimdi," dedi.

Kadın, yaşını yalanlayan bir ivedilikle kahvaltı sofrası kurdu, çayları getirip, kocasının yanındaki sandalyeye oturdu.

Bıyıkları ağarmış, küçük çakır gözleri çukurlarına iyice çekilmiş kambur kahveci, Faik'e bakmadan, "Siz yabancısınız galiba," dedi.

Yaşlı adam, kahveciye susmasını isteyen bir işaret yaptı. Kamburu altında masaya kapaklanan kahveci, yaşlı adamın işaretini görmedi ama yine de bir şeyler hissetmiş gibi sustu.

Otomobil çamurdan ağırlaşan lastikleriyle yokuşu tırmanmayı bitirdiğinde, güneş yüksek bir tepenin ardından kendini göstermişti.

Otomobilden indiler. Yaşlı adam ellerini beline yerleştirip, arkasını büyük bir dağa vermiş irili ufaklı tepelerle bezeli manzaraya baktı.

Faik, adamın bir iki adım arkasında duruyordu, her şey öylesine büyük ve uzaktı ki ürkmüş, ürpermişti. Korunaklı bir hayattan aforoz edilmiş, nasıl bağlanacağını bilmediği yazgısıyla, ölümün açtığı büyük bir yarıktan, saçma bir manzaraya bakıyordu.

Oysa bu dağları, sarp kayaların arasında yılan gibi kıvrılan patikaları biliyor olmalıydı; Kör Arif'in anlattığı, dağların, tepelerin, kayaların, karın geçit vermediği, katırların soluk soluğa yıkıldığı yerdi burası.

"Bu mıntıkada devriye gezerdik. Aslında ben pek araziye çıkmazdım, askerlerin başına iki çavuş dikip sınır karakolunda kalırdım. O sabah Sarı Dağlar'ın ardından sınırı geçenler olduğu ihbarını almıştık ama izlerini kaybettirmişler. Bu dağlarda devriye gezen askerler, hiç kimseyle, hele kaçaklarla karşılaşmak istemez. Kaçaklar da, diğer köylüler de askerleri hiç sevmez. Hele bir de sınırdan geçene kurşun sıktın mı, köpek muamelesi görürsün. O günlerde sıkı denetim vardı, yüzbaşıya, 'Sınırı yolgeçen hanına çevirdiniz, silah sokan bile var,' diye çıkışmış üstleri, o da gelip bana kusuyor pisliğini, ben de işi sıkı tutuyorum mecburen, askerleri azarlıyor, kızıp bağırıyorum. Daha çok kendime kızıyorum, elimde bir sürü fırsat varken bu işi bırakıp şehre yerleşmedim diye. Son nöbet noktasına giderken askerlerden biri bağırdı. Gerisi toz duman."

"'Daha zamanı var saz arkadaşı,' dedi Kör Arif. Sigarası üst dudağına yapışmış, kar gözlerini alıyordu, alnından, yanağından gözlerine akan derin çizgilerin birleştiği yerde bir damla gözyaşı vardı.

'Bunun zamanı mı olur Arif?' dedi babam.

'Olur olur,' dedi. 'Allah bilir zamanını, biz bilemeyiz.'

Katırların üzerindeki sıkı sıkı bağlanmış heybelerin, çuvalların üzeri yine kar toplamıştı; babam, karları temizlerken, 'Sen ne dersin oğul?' diye sordu.

'Bana söz düşmez baba, siz bilirsiniz,' dedim.

'İstersen al senin olsun benim oğlan,' dedi gülerek babam.

'Lan saz arkadaşı, sen adam olmazsın, Sultan gibi akça pakça anayı bırakıp, benim kara çuvala ana der mi Faik, bir de al senin olsun oğlan, diyorsun.'

'Ana demez misin bunun karıya?' diye sordu babam.

'Benim anam babam var,' dedim sıkılarak.

'Bak gördün mü? Oğul dediğin böyle hayırlı olacak. Bu oğlan, baba mesleğini de devam ettirir şimdi. Yapar mısın lan kaçak?'

Bir şey demedim. Kör Arif, sorduğu soruyu kendi yanıtladı.

'Yapar tabii, ne yapılır ki başka, kör toprağı sürecek değil ya.'

'Belki dayısı gibi boyacı olmak ister,' dedi babam.

Kör Arif, katırın üzerindeki heybenin ağzını açarak kuru üzüm çıkarıp, birazını avucuma döktü, sonra dudağının ucunda, neredeyse közü kalmış sigarayı tükürüp, kuru üzümleri birer ikişer ağzına atmaya başladı.

'Daha vakit var Arif,' dedi babam.

'Belki okuyup devlet memuru olur, bana kalsa onu şehre gönderirim, gerçi daha erken, yarın ne olur bilinmez ki.'

Soğuktan kırmızıya kesmiş burnunu koluna silip, 'Bizim titrek Cemil'in oğlunu bilirsin sen, şehirde bekçi yapmışlar; o soysuzu bekçi yapıyorlarsa senin oğlan komiser olur,' dedi Kör Arif.

'Ne bekçisi olmuş ki?' diye sordu babam.

'Lan oğlum, ne bekçisi olacak, işte karakoldan göndermezler mi, git şu sokağa bak, asayişi senden sorulacak, diye salıyorlar adamı.'

Babam güldü, onun güldüğünü çok az hatırlıyorum, güldükten sonra, suç işlemiş de suçunun nedenini açıklamak zorundaymış gibi konuşurdu: 'Saz arkadaşı, o hayvan, mahalledeki evleri soyar, ona güvenip kim evini teslim eder ki herife sokağı teslim etmişler. Ulan bu şehirli kısmına aklım ermiyor, kim bilir daha ne gülünç şeyler oluyordur.'

Annem şehre taşınmak istemiş. Babam, 'Olmaz,' demiş, 'Ben yapamam orada.'

Annem, 'Günlerce karda, kışta yoldasın, mayını var, jandarması var, hasreti var, ben nasıl bekliyorum seni biliyor musun?' diye sormuş.

Babam boynunu bükmüş.

Dayım, 'İstersen şehirde bir iş ayarlarız, girersin bir fabrikaya çalışırsın, günün belli, gecen belli, maaşın belli, evden uzak olmazsın,' demiş.

Babam yine boynunu bükmüş, 'Sizin içiniz rahat olur ama benim içim rahat olmaz,' demiş.

'Ben kaçağı bırakırsam, saz arkadaşım da yapamaz, onca yolu gidip gelecek birini bulamaz, bulsa bile, yanında ben olayım ister.'

'Yine kaçak yaparsın,' demiş dayım. 'Şehirde bir sürü adam var mal satan, Kör Arif'i de alırsın yanına, belki bir dükkân bile açarsın, hem dükkân sahipleri daha çok kazanıyor.'

'O ayrı,' demiş babam.

Annem ağlamamış, daha fazla ayak direyememiş, babam nasılsa, öyle sevmiş onu.

'Sen şehre gitmek istiyor musun?' diye sordu Kör Arif. Sanki, kör gözüne birden fer gelmiş, yüzünün bütün sevimliliği bir anda kurnaz bir tilkiye dönüşmüştü. Ne söylersem söyleyeyim yaranamayacaktım.

'Bilmem,' dedim.

'Bilirsin bilirsin... Hele biraz büyü, bak neleri öğrenip bizi adam yerine koymayacak, canının istediğini yapıp, bizi de hor göreceksin.'

Sustum, diyecek bir şey yoktu.

Babam ellerini birbirine vurdu, kar aralıksız yağıyordu, tepelerin üstündeki siyah bulutlar yavaşça yere iniyordu.

'Biraz kuru üzüm versene,' dedim Kör Arif'e.

'İstediğin üzüm olsun yiğidim,' dedi.

Gece yarısına doğru uzaktaki tepelerin eteklerinde tek tük ışıkları gördük, heyecanlanmaya başlamıştım, bir an önce sıcak bir yerde oturup dinlenmek, derin bir uykuya dalmak istiyordum, bir yandan da yorulduğumu bilsinler istemiyordum, kendimi tutamadım, 'Ne zaman dinleneceğiz?' dedim.

'Yoruldun mu?' diye sordu babam.

'Yok,' dedim, sonra lafı değiştirmek için, 'Bu köyün adı ne?' diye sordum alelacele.

Kör Arif, yerden bir avuç kar almış yiyordu.

'Adı yok,' dedi.

'Sınıra hâlâ çok yakınız, burada devriye gezenler olabilir, tepeyi aşıp Cafer'in evinde dinleneceğiz,' dedi babam.

Her yer bembeyazdı. Evlerin titreyen ışıkları hiçbir yerde göremeyeceğiniz can çekişen kırmızı böcekler gibiydi; uzağından dolaştık. Işıkları arkamızda bıraktıktan sonra başka bir patikaya çıktık.

'Geçmiş olsun küçük adam,' dedi Kör Arif. 'Tehlikeyi atlattık.'"

12

Naşit, tebeşiri parmakları arasında döndürüp tahtadaki işaretlerin ne anlama geldiğini, problemleri çözmek için nasıl akıl yürütmek gerektiğini anlatmaya başladığında, çirkinliğinden hiçbir şey eksilmezdi; bilgisi, zekâsı yüzünün çirkinliğini gizleyemediğinden öğrencileri arasında "Çirkin Soytarı" adını almıştı.

Faik, daha ilk gün Naşit'in içindeki şiddeti fark etmiş, bunun nedenini anlamaya çalışmıştı. Onu okulun sınırları dışında tanımaya başladığında da bu çift kişilikli adamın, basit şeyler karşısındaki kinine, beceriksizliğine, acizliğine tanık olup Naşit'i Naşit yapan bu özellik karşısında üstüne düşen rolü yerine getirmeye, çocukça bir dürtüyle, onu çevresindeki basit şeylerden uzak tutmaya çalışmıştı. Kimi zaman bunu nasıl yapacağını bilemediğinden, çoğu kez de kendini Naşit gibi çaresiz, aciz hissettiğinden, Faik'in içinde kime yönlendireceğini bilemediği kaba, yırtıcı bir kin birikmişti.

Onun, günlük hayata ilişkin söyleyeceği hep bir şeyler olurdu, bu konulardaki beceriksizliğine rağmen konuşmaktan hiçbir zaman çekinmez, insanlar hakkındaki yargılarını ağzına geldiği gibi patavatsızca sonuna kadar söyler, sonra söylediklerinin Faik üzerindeki etkisini görmek için susar, gözlerini Faik'in gözlerine diker, anlattığı olay ya da kişi her neyse, her kimse, "Yaa, sen olsan şimdi ne yaparsın?" diye sorardı.

Faik, bütün uzun sohbetlerin, tahlillerin sonunda kısaca bir, "Bilmem," deyip susardı.

Gülten, kimi zaman Naşit'in anlattıklarını abarttığını, hatta çoğu kez çarpıttığını iddia edip, kocasına çıkışırdı.

Sınıftaki öğrencileri Naşit'in her söylediğini dikkatle dinler, tahtaya yazdığı her formülü, her problemi harfiyen defterlerine geçirir, hayata ilişkin -sınıfta, evdeki konuşmaların aksine, hayata dair kısa cümleler kurardı- tahlilleri can kulağıyla dinlerlerdi.

Ama sınavlardan sonra sınıfta her şey birbirine girerdi.

Naşit, "Ben bir soytarı mı, yoksa çirkin, koca burnunun altındaki kalın dudaklarından ateş saçan bir canavar mıyım?" diye sorardı öğrencilere.

Yanıt alamazdı.

Sınıftaki derin sessizlik matematik öğretmeninin kinini katmerler, ağzına geleni söyler, "Anlattığım konulardan hiçbirini anlamadınız da mı böyle boktan sınav kâğıtları veriyorsunuz?" diye kudururdu.

En baştan başlardı, sene başından beri gösterdiği konuları yeniden anlatarak, tek derse bütün konuların özetini sığdırırdı. Öğrenciler korkudan kıllarını kıpırdatmadan hocalarını izler, ancak yine hiçbir şey öğrenemezlerdi.

Zil çaldığında, Naşit, hâlâ tahtaya yüzü dönük bir problem çözüyor olur, hiç kimse yerinden kımıldamazdı. Sorunun yanıtını tahtaya yazmayı bitirdikten sonra, elindeki tebeşiri hırsla fırlatır, masanın üzerindeki defterlerini, kitaplarını toplar, öğrencilerin yüzüne bakmadan, "Bu sınavı saymıyorum, haftaya bütün konulardan yeniden sınav yapacağım," diyerek kapıya yönelirdi.

❖ ❖ ❖

Dersin bittiğini söyleyen zil her gün dört beş kere ona içinde bulunduğu soğuk duvarları, teksirle gelen yönetmelik değişikliklerini, ders programını, okul içindeki nöbetleri hatırlatıyor, sayılarla oynaşmayı bırakıp bu angaryalardan nasıl uzak duracağının hesaplarını yapıyordu.

Taşınma konusunda günlerce düşündüğü avlulu ev, Naşit'in sığınağı olmuştu; okul dönüşü havanın serin ya da sıcak oluşuna aldırmadan bahçedeki masaya oturur, bir sigara yakar, çantasından not defterini çıkarıp öğrencilerin isimlerine bakarak onların yüzlerini hatırlamaya çalışır, hal ve gidişlerini gözden geçirirdi. Bunu hafıza oyunu haline getirmişti Naşit, yıl ortasına doğru öğrencilerin hemen hepsini tanıyor olurdu.

Elinde bir iki poşetle, bazen koltuğunun altına sıkıştırdığı kese kâğıtlarıyla, Gülten belediyedeki işinden döndüğünde Naşit'i avluda bulur, kendi kendine konuşur gibi, "Eve girmedin mi daha?" diye mırıldanırdı.

Gülten'in sorusuna Naşit'in yanıtı hep gecikirdi.

Hava soğuk bile olsa, yüzünde bir tebessümle, "Hava güzeldi, dayanamadım," derdi.

Gülten de bir sandalyeye oturur, biraz soluklandıktan sonra, "Faik gelecek mi?" diye sorardı.

"Gelir herhalde," derdi Naşit.

Konuşmadan oturup, sokaktan gelen sesleri dinlerler, bazen derin derin iç çekerler, genellikle sigara üstüne sigara yakarlardı.

Gülten kalkmaya yeltendiğinde, "Nereye?" diye sorardı Naşit.

"Ne bileyim, bir şeyler hazırlarım herhalde," derdi Gülten, miskin bir edayla sandalyeden kalkmaya çalışırken.

"Otur biraz, daha erken," derdi Naşit.

"İstersen yürüyüşe çıkalım."

"Yorgunum, yarın yürürüz," diye fısıltıyla konuşurdu Naşit.

Karısının yüzüne bakardı sonra, o bezginliğin, bitkinliğin altında bir huysuzluk arar gibi, "Ne oldu, kötü bir şey mi var?" diye sorardı.

Az önce kalktığı sandalyeye yavaşça ilişen Gülten, "Yoo, sadece biraz yorgunum," diye mırıldanırdı.

"Çay yapayım ister misin?"

"Olur," derdi Gülten.

Faik gelene dek, birbirinin benzeri sözler ederlerdi.

Bazen, hesaplanmadan yanağa kondurulan küçük öpücükler dudağa kayar, sessizce içeri çekilirlerdi. Dingin dokunuşlar, tutkulu bir sevişmeye dönüşürdü.

Gülten, kasılıp gevşeyen bedenini odanın alacakaranlığında sergilemeyi severdi. Saçlarını topuz yapar, yavaş yavaş giyinirdi.

Odalarda, mutfakta çıplak dolaşır, ocağın üstüne tencereyi yerleştirirken, Naşit'in arkadan gelip kendisine sarılmasını, ensesine bir öpücük kondurmasını beklerdi.

Faik'in gelmesiyle her şey değişirdi.

Gülten, tuvale çizdiği portresini kırmızının tonlarına boyadı. Naşit'in dediği gibi tuvaldeki yüz felçliydi, gözler anlamsız irilikte ve saçları birbirine girmiş yün çilelerini andırıyordu, yine de Gülten'i bir kere gören biri, tuvaldeki yüzü tanırdı.

"Bu ilk ve son resmim olacak," dedi Gülten.

Ezberlemeye çalıştığı uzun şiiri mırıldanarak ayağa kalktı Faik, tuvalin başına geçip bir süre baktı resme, kendi kendine, "Güzel bir resim oldu bence," dedi.

Eski bir gazetenin sayfalarını gelişigüzel çeviren Naşit, "Faik'in de bir portresini yapsana," diye mırıldandı.

"Dalga geçmen için mi?" dedi Gülten.

"Ciddiyim. Mavi. Faik'in rengi mavi olmalı. Eline de bir altıpatlar yakışır."

Gülten, şaşkın şaşkın Naşit'e baktı.

"Bakma öyle bön bön, kaçakçının oğlunun eline silah yakışır, bizim gibi yalandan devrimcilerin elinde durduğu gibi durmaz Faik'te," dedi.

"Onun için mi tabancayla çektirdiğin fotoğrafları yırttın?"

Naşit, elindeki gazeteyi gürültüyle buruşturup bir köşeye attı. "Yıllar önceki çocukluğumu yüzüme vurma," diye çıkıştı.

"Ne zamandır silah taşımak çocukluk?"

"Yeter Gülten! Eskiden konuşacaksak adam gibi konuşalım."

"Konuşacak bir şey yok," diyerek odadan çıktı Gülten.

İkinci Bölüm

Araf

Ölüler canlıların düş ürünüdür.

John Berger

1

Küçük bir odaydı; köşeleri kırılmış formika bir masanın başında oturuyordu, sağ yanındaki pencere ile duvar arasına sıkışmış demir dolabın üstünde, yazıcıların izin kâğıtlarını doldurdukları uzun şaryolu daktilo duruyordu. Yüzbaşı parmakları arasında salladığı gözlüğü burnunun üstüne yerleştirdiğinde yüzündeki bütün ifade gizleniyor, kendisini çözümlenmesi gereken bir problemmiş gibi astlarının önüne koyuyordu.

"Hazır ol"da bekliyordu, yüzbaşının bakışlarına yakalanmadan, onun yüzündeki ifadeden bir anlam çıkarmaya çalışıyordu.

"Otur Faik," dedi.

Makam masasının karşısındaki duvara sıralanmış sandalyelerden birine ilişti.

"Yaklaş biraz, öyle ötede otur demedik."

Odada çıkan her ses, gerçek cüssesinin birkaç katı gürültüye dönüşüyordu. Temkinli bir hareketle sandalyeyi havaya kaldırıp masaya yakın bir yere bıraktı, yavaşça yeniden sandalyeye ilişti.

"Yarın gidiyorsun," diye mırıldandı yüzbaşı.

Kışkırtıcı bakışlarını Faik'in yüzüne dikip, "Beni sevmediğini biliyorum," dedi, birden formika masanın demir çekmecesini açtı gürültüyle; kulakları tırmalayan ses duvarlarda yankılanıp, arkasında kulak uğultusu bırakarak belirsiz bir noktada kayboldu.

Çekmeceden bir paket sigara çıkarıp Faik'e uzattı. Yüzbaşının eli bir süre havada kaldı.

"Alsana oğlum, bu da bizim nezaketimiz," dedi.

Faik, uzanıp bir sigara aldı.

Yüzbaşı, masada küllük olmadığını fark edince, bir alttaki çekmeceyi çekti, çekmece takıldı, odaya yayılan metal gürültüsüne aldırmadan çekmeceyi hırsla çekip açtı, küllüğü aynı hırsla masaya bıraktı.

Faik, kısa bir süre de olsa gözlerini yummak istedi.

Sigaradan derin derin birkaç nefes çekip, küllüğe iliştirdi yüzbaşı, yeniden en üst çekmeceye uzandı, altıpatlar bir tabanca çıkarıp topunu çevirerek açtı, mermilerin yerleştirildiği deliklere baktıktan sonra, tabancayı yeniden eski haline getirip masaya bıraktı.

"Nasıl buraya geldiğini sorma, Bahri Teğmen'in armağanı."

"Teşekkür ederim komutanım," diye bir hırıltı çıktı Faik'ten.

Yüzbaşı küllükteki sigarasına uzanırken, "Nereden tanışıyorsunuz Bahri Teğmen'le?" diye sordu.

Faik, masadaki silahtan bakışlarını ayırmadan, "Çocukluk arkadaşıyız, aynı kasabada büyüdük komutanım," dedi.

Parmaklarındaki sigara her geçen dakika biraz daha ağırlaşıyordu, yarısına gelmeden söndürmek için küllüğe uzandı Faik, sigaranın közü sönmemek için direniyordu, inatla sigarayı küllüğe bastırıp ayağa kalkmaya yeltendi.

"Otur biraz," dedi yüzbaşı.

Faik yeniden sandalyeye ilişti.

"Kaçakçıymış baban, sen de yaptın mı kaçak işi?"

"Hayır komutanım."

"Niye?"

"Ben küçükken öldü babam."

Yüzbaşı yeniden masanın üzerindeki gözlüğüyle oynamaya başladı, daha soracağı şeyler vardı, burnunun kenarını kaşıdı bir süre, sonra yeniden eli gözlüğe gitti ama onu bir köşeye itekleyip, bakışlarını Faik'e dikti.

"Kimin bu tabanca?"

"Babamındı komutanım."

"Hiç atış yaptın mı bununla?"

"Hayır komutanım."

"Niye yanında taşıyordun?"

"Bırakacak kimsem yoktu. Baba yadigârı."

"Bunu yanında taşımanın suç olduğunu bilmiyor muydun?"

"Cahillik komutanım."

"Bu yüzünden mi deliğe girdin yani."

"Evet komutanım. İstanbul'a gelirken otobüsü durdurup aradılar. Ben tamamen unutmuştum tabancayı, bavulumdan çıkardılar."

"Nasıl öldü baban?"

"Sınırı geçerken vuruldu."

"Bu yüzden mi askerliğe karşısın? Bak bitirdin işte, kaçmana gerek yoktu."

Faik oturduğu sandalyede kıpırdandı, yüzüne yerleşen tebessümü, yüzbaşının yanlış anlamasından çekiniyordu.

"Kaçmıyordum komutanım, sizin anlayamayacağınız türden bir yolculuğa çıkmıştım. Uzun bir yolculuk olacağını biliyordum da yolun bu kadar uzayacağını tahmin edemedim.

Doruklarında bulut hareleri taşıyan dağları, sarp geçitleri gördüm, babanın, Kör Arif'in ayak izlerini, seslerini aradım bulamayacağımı bile bile.

O eski asker beni tanıyordu, size benzemiyordu, siz başka bir şeysiniz!

Dönüş yolunda, endişeli bakışlarla aracın dikiz aynasından beni izliyordu, belki kendisine kötü bir şey yapmamdan korkuyordu, ellerinin direksiyonu kavramasında, sürücü koltuğundaki oturuşunda bir gariplik vardı, belki de şimdi ben uyduruyorum bunları; her şey giderek içinden çıkılmaz bir hal alıyordu zaten!

Dedi ki: 'İhbar eden biri varmış, karakola dönünce öğrendik.'

'Neyi öğrendiniz?' diye sordum, saf saf.

'Babanı ve yanındaki arkadaşını tanıyan biri, onları birkaç defa ihbar etmiş.'

Bütün bunların tesadüf olması mümkün değil mi?

Komutanların, 'Sınırdan kimsenin geçmesine izin vermeyin, yolgeçen hanı oldu burası' demesi, babam ile Kör Arif'in ihbar edilmesi, benim bu yolculuğa çıkmam, tanımadığım yaşlı adamla, bilmediğim yollarda dolaşmamız, otobüslerde daha önce görmediğim, bilmediğim adamların bana, benimle ilgili bir şeyler anlatması, benim bilmediğim bir hikâyenin içinde, sevmediğim, silik, yaban bir kahraman olmam...

Hepsinin tesadüf olmasını isterdim, yoksa gerçekten gördüklerim, yaşadıklarım tesadüf müydü? Bütün bunlar ya bir uydurmaydı ya da beni sınamak için biri ya da birileri tarafından sinsice planlanmıştı.

Dönüş yolu, gidişimizden daha uzun sürmüştü, daha sarp yollardan geçtik, yıkıntıların altında kalan insanların çığlıkları kulaklarıma ulaşıyor, ben duymazdan geliyordum.

'Nereye gidiyorsun?' diye sordum ihtiyara.

'Benim işim bitti artık,' dedi.

Bu yanıtın ne anlama geldiğini sormadım. Uzun süre sağ yanımızda bir ırmakla aktık. Dört yol ağzına geldiğimizde neredeyse bir çölün kıyısına varmış gibi bedenimi bitkin, ruhumu ezik hissettim.

İhtiyar bagajı açtı, bavulumu ayağımın dibine bırakıp, 'Batıya gideceksen burada, doğuya gideceksen karşıda bekleyeceksin,' dedi.

Elini uzattı, yoldan bir otomobil son sürat geçti. Elini sıktım.

'Kendine iyi bak,' dedi.

Teşekkür ettim.

Beyaz otomobiline bindi, batı ile doğuya giden yolu kesen, yılankavi şosede kaybolana dek otomobilin arkasından baktım. Bir sigara yaktım, bir otobüs gürültüyle doğuya, bir otomobil ıslık çalarak batıya giderken güneş de yavaş yavaş dağların koynuna sinmeye hazırlanıyordu.

Asfalt yolun ortasına dek yürüdüm; ıssızlık...

Ayaklarımın ve aklımın gücüne inansaydım, gözümü yumup kendi etrafımda neredeyse sonsuz kere dönecek, durup gözlerimi açtığımda, burnumun dikine durmadan yürüyecektim.

Yanımdan korna çalarak hızla geçen bir otomobil aklımı başıma getirdi yolun ortasında öylece duruyordum.

Yüzbaşım, senin yanına gelmeye karar vermişim!

Bavulun yanına vardığımda doğudan gelen bir otobüs gözüktü. Biraz yaklaşınca sinyallerini yakıp söndürdü, elimi kaldırdım, yavaşladı, durdu, kapı açıldı, aynı otobüstü, yola devam ediyordu.

Muavin, bilmiş bilmiş gülümseyip, 'Geri geleceğini biliyordum abi,' dedi. Bir şey demedim."

❖ ❖ ❖

Yüzbaşı kamuflaj elbisesinin ceplerinde bir şeyler arandı, sonunda bir kâğıt parçası çıkarıp Faik'e uzattı. "Bahri Teğmen'in adresi, 'Beni bulsun,' diye haber gönderdi. Üzerime düşeni yapayım, gerisi sana kalmış. Bu gece toparlan, yarın sabah tezkereni alıyorsun. Çocuklarla fazla cıvıtmayın yalnız, kulağıma laf gelirse, Bahri'nin arkadaşı falan demem iki üç gün içeri atarım seni haberin olsun. Sabah çıkmadan beni bul, emanetini nizamiyede verebilirim ancak."

Faik, ayağa kalkarken sandalye büyük bir gürültü çıkardı, kısa bir süre gözlerini yumup, "Emredersiniz komutanım," dedi.

2

Nizamiye kapısından çıktıktan sonra, çantasını omzuna atıp, ağır adımlarla yürüdü Faik. Birer ikişer atıştıran yağmur, yeni yaşamın ilk nimetiymiş gibi geliyordu ona. Biri adını seslendi. Arkasına dönüp baktı, gülümsüyordu, göz göze gelince parmakları arasındaki sigarayı atıp seğirtti, sonra omuzlarından tutup Faik'i kendine doğru çekti, kollarıyla sardı, yanağına kondurduğu öpücük yağmur damlası gibi içini serinletti.

Saçları hâlâ ıslaktı Arif'in, alnından kaşlarına bir yol bulup akan yağmur sularını parmaklarıyla sildi. Gözlerinin kenarındaki çizgiler daha bir derinleşmiş, yüzündeki belli belirsiz tebessüm, Faik'in daha önceden tanık olmadığı bir sevimlilik, imrenilecek bir güzellik katmıştı dayısına.

"Şimdi, senden uzakta geçen her günü, kendi kendime anlattığım onlarca hikâyeyi, en başından başlayarak sana anlatmak isterdim sevgili dayıcığım; zamanında söylenmemiş sevgi sözcükleri gün geçtikçe değerini yitirir mi?

Beni böyle çırılçıplak yakalamanı istemezdim, yola çıktığım günkü kararlılığımla hatırlamanı isterdim. O günkü çocukluktan hiçbir şeyin değişmediğine tanık olmanı isterdim!

Ama değiştim, daha yola çıktığımın ilk saatinde, korkunun bildik soğuk yüzünü görür görmez değişmeye başladım. Elimin ayağımın kesildiğini hissettim, her an bir hikâye anlatmam gerektiğini düşünüp kendimi yatıştırmaya çalıştım, kimi zaman seni anlattım kendime, anlattıkça, yeniden, yeniden tanımladım seni. Olmamış, yaşanmamış bir sevginin ağırlığını, hep gizlenmiş, hakkı verilmemiş bir düşkünlüğün zayıflığını hissettim, bütün bütün çocuktum, ne o günlerce anlamadan okuduğum kitaplar ne geceler boyu notlar düştüğüm defterler ne Naşit'in dingin ruh hali ne de Gülten'in beni çocukluktan yetişkinliğe taşıyan dokunuşları gerçekti.

Düşle gerçek arasındaki o bıçak sırtı çelişkiler tenimi kesmeye başladığında her şeyin yeniden tanımlanması gerektiğini fark ettim. Bunu görmezden gelemezdim, bildiğim bir şey de hep baştan başlamam gerçeğiydi.

Bunu sen öğretmiş olmalısın, nasıl yaptığını bilmiyorum, zaten yola çıkmam gerektiğini de sen söylemiştin, yapmak isteyip yapamadıklarını birinin yapmasını istiyordun. Biliyorum, bütün bunları sözcüklerle söylemedin, sana özgü bir maharetle anlattın her şeyi.

Belki, sen de kendi kendine anlatıyorsundur bir şeyler, bana anlatamadığın, sözcüklerin yeterli olmadığı bir şeyler vardır, hiçbir zaman anlatmayacağın düşkünlüklerin vardır.

Sessizlik bir kuraldı.

Senin yapman gerekenleri ben yapıyorum; yapamadığın, belki de hiç yapmaya yeltenmeyeceğin şeyleri...

Zihnimde hep şaşaalı hikâyeler dolaşıyordu, bilmediğim yüzler, tanımadığım sesler, mekânlar, uzun belirsiz yolculuklara çıkmış insanlar, eprimiş ruhlar, hep gecikilmiş buluşma yerlerinde aranılan birileri, dokunsan dağılacak bedenler; gerçekten hepsi yalın, gösterişsiz yaşanmış hikâyeler mi, yoksa benim şaşaalı uydurmalarım mı?

Bir de tanımadığım insanların anlattığı hikâyeler var, aklımın hâlâ ermediği, ermeyeceği kadar karmaşık, büyülü...

Bunları sana anlatsam hepsinin alelade şeyler olduğunu söylersin, biliyorum ama bunun yeterli olmayacağını da biliyorum, artık içimdeki seslere daha çok kulak veriyorum, olağanüstü şey aramıyorum, aradığımı buldum, hep yanı başımdaymış zaten, olduğu gibi kendini sunmuş bana, farkına varmamı bekliyormuş, öyle alengirli sorulara da gerek yokmuş.

Şimdi karşımda sen varsın ama hiçbir sözcük, söylemek istediklerimi, gerçek niyetimi ulaştıramayacak sana, sen de değişmişsin, hem de öyle bir değişmişsin ki daha ağzından çıkan ilk sözcükte ele verdin kendini, eminim farkında bile değilsin; önceden başka türlü 'Faik' derdin, o iki hece uzardı dudaklarında, benim adımı, adım olmasının ötesinde bir vurguyla söylerdin; yürürken, konuşurken, düşünürken, herhangi bir işe başlarken, senin o 'Faik' deyişini hatırlar, cesaret alırdım.

Söyleyemezdim bunları sana, belki hissediyordun, kim bilir, belki de, şimdi aklımdan ne geçiyorsa hepsini biliyorsundur.

Bizim, bize ait, söylemediğimiz korkularımız vardı.

Niye hiç konuşmazdık?

Annem niye hiç konuşmazdı?

Bense hep, iki yabancıymışsınız gibi sizin hakkınızda sorular sorardım kendime...

Böyle olması gerekiyor, başka türlü olması mümkün değil, yarın öbür gün başka insanlarla tanışıp, başka mekânlarda, başka şeyler yaşarken de böyle olacak sanıyordum. Hep onların akıllarından geçenleri tahmin etmeye çalışacağım, onların gizleri, zaafları hakkında fikirler yürütüp tek başıma bulmacalar yaratıp, çözmeye çalışacağım sanıyordum.

Öyle olmadı, kasabadan ayrıldıktan sonra tanıdığım herkes konuşuyordu; yolda, hapishanede tanıdıklarım hep konuşuyordu, üniformaları içinde birer kurbağaya benzeyen askerler kısa bir sustuklarında bile bakışlarıyla bir şeyler anlatmak için can atıyorlardı. Herkesin anlatmak istediği birden fazla hikâyesi vardı.

Sonra bana sordular, 'Sen kimsin, nerelisin, kimlerdensin, hikâyen nedir, bak o kadar anlattık di mi, şimdi sıra sende,' dediler.

Onlara şunu söylemek isterdim: 'Sizden gizleyecek bir şeyim yok, benim hikâyem uydurmalarla dolu, öyle ki artık gerçeğin nerede başladığını, uydurmanın nerede bittiğini bilmiyorum, yine de merak ediyorsanız size yepyeni bir hikâye anlatabilirim, dinlemek ister misiniz?'

Doğrusu çok yoruldum; ne hapishanede geçen günlerin esareti ne komutanların bitmez tükenmez emirleri yordu beni; beni yoran, yeni tanıdığım insanların sorularıydı.

Onlara hep başka 'Faik'ler gösterdim, bütün 'Faik'leri sevdiler, onlarda kendilerini buldular, biraz yaramaz, biraz korkak, biraz şakacı, geveze, duyarsız, kimi zaman gamsız, kimi zaman dost canlısı, paylaşımcı ama daha çok yalnızlığımı sevdiler nedense. Hemen hepsi, benim güçlü, dayanıklı, inatçı, korkunç iradeli biri olduğumu söylediler, ben bunların farkında değildim, demek ki birilerinin göstermesi lazımmış, komik!

Hapishanede genç bir yankesiciyle tanışmıştım, aslında su katılmamış bir dolandırıcıydı, bencil, ahlaksız değildi, kendine göre bir doğrular silsilesi kurmuş, orada durmaksızın kendini temize çıkarıyordu, nasıl yaptığını hiç anlamadım, ikide bir 'hayat öğretir' derdi.

Ne kadar sıradan, ne kadar içi boşalmış olsa da söylediği o tek cümleyle her şeyi özetliyordu, gerçekten hayat öğretiyor.

Davam başlayana kadar içeridekiler bana mahkemede nasıl davranmam gerektiğine dair öğütler verip durdu, kimisi, 'Tabancanın senin olmadığını, bunun düşmanların tarafından kurulmuş bir kumpas olduğunu söyle,' dedi.

'Düşmanım yok,' dedim.

'Olur mu?' dedi. 'Mutlaka bir düşman bulmalısın, şimdiden ayarlamaya bak.'

Kimisi, 'Siyasi bir şeyler uydur, içeride havan olur, politik tutuklular arka çıkar sana,' dedi.

Ben ne dedim?

'Tabanca, babamın efendim,' dedim.

'Ruhsatı var mı?' diye sordu hakim.

'Kaçakçılar ruhsata ihtiyaç duymaz efendim, babam öldüğünde bana miras kaldı tabanca,' dedim.

'Ruhsatsız tabanca taşımanın yasalara karşı gelmek olduğunu bilmiyor musun?'

'Biliyorum efendim,' dedim.

'Mermileri nereye gizledin?' diye sordu.

'Babam mermi bırakmadı efendim, onunla hiç atış yapmadım, hatta hiçbir silahla atış yapmadım efendim,' dedim.

Dava, silahla herhangi bir suç işlenip işlenmediğinin tespiti için ileri bir tarihe ertelendi, balistik incelemenin sonucu beklenecekti. Babam o tabancayla kimseyi öldürdü mü bilmiyorum ama onun suçunu üstlenmeye çoktan hazırdım.

Hapishaneyi sevmeye başlamıştım, oradaki insanlar öğretiyordu, farkında değildiler öğrettiklerinin, söyledikleri her şeyi aklımın bir köşesine yazmaya başlamıştım, onların anlattıklarıyla benim okuduklarım, Naşit ile Gülten'in söyledikleri, ne kadar birbiriyle çelişirse, o denli büyük haz alıyordum.

Sonra mahkûmiyet açıklandı, içeride kaldığım süre göz önüne alındığında çok yatmayacaktım ama yine de hemen tahliye edilmediğim için sevindiler.

'Biraz daha bizimle olacağını biliyorduk zaten,' dediler.

Niyeyse, bana politik bir suçluymuşum gibi davranıyorlardı, kaçakçının oğluydum, bunu bir yoluyla öğrenmişlerdi.

Uydurduğum hikâyelerin hiçbiri akıllarını karıştırmamıştı ve birçoğuna göre mutlaka politik bir bağlantım olmalıydı, gerçi onları politik suçlu olmadığıma inandırmak için özel bir çaba göstermedim, belki bu yüzden sadece içlerinden biri bana inandı, cinayetten müebbet yemişti, on yıldan fazladır içerideydi, dört hapishane dolaşmıştı ve ceza indirimlerinden sonra bir on yıl daha yatacaktı. Hapishanede dönen, benim farkına varmadığım irili ufaklı bütün dolaplardan haberdardı. Elli yaşını aşmıştı, kırlaşmış, dökülmüş saçlarına, cılız bedeniyle hiç ilgisi olmayan göbeğine rağmen güçlü biriydi.

Bir defasında üç kişiyle tek başına kavga etmek zorunda kalmış, içlerinden birine kafa atıp adamın yüzünü dağıtınca, diğerleri korkudan bir köşeye çekilerek suspus olmuştu.

Çok konuşmazdı, mırıldanmalarını duyabilmek için bütün dikkatimi ona verirdim. Duvar dibine bağdaş kurup çay içerdik onunla, bir zamanlar ne kadar çok para kazandığını anlatırdı, zenginliğin ne büyük bir nimet olduğundan dem vururdu.

'Hiçbir şey baki değil,' derdi.

Eline geçen bütün parayı pavyonlarda harcamış.

'Pavyon nasıl bir yer bilir misin?' diye sorduğunda, 'Bilirim,' dedim.

Bahri anlatmıştı, yoksa anlatmamıştı da pavyonların nasıl bir yer olabileceğine dair tahminlerde mi bulunmuştuk, şimdi hatırlamıyorum.

'Erkeklere mahsus bir yer,' diye geçirdim içimden.

Bir arkadaşı kazık atmış ona, 'Paraları pavyonda harcasam da evimin rızkını bir köşeye koyardım hep,' diyordu.

'Ama arkadaşım olacak bu adam beni iflas ettirdi, büyük bir miktar borç vermiştim ona, önceleri birkaç gün içinde geri vereceğim, dedi.

Sonra kayıplara karıştı, borçlarımı ödeyemedim, elimde ne var ne yok alıp gittiler. İzine düştüm, aylarca aradım durdum pezevengi, bulduğumda altında bir karı vardı. Geberttim ibneyi, kaç mermi sıktığımı hatırlamıyorum, şimdi karşımda olsa, elime bir silah verseler aynını yaparım. Pezevenk can çekişirken kadınla göz göze geldik, aman diledi, onunla bir alıp veremediğim yoktu ki vurayım; boşa dil dökme, sana bir şey yapacağım yok, dedim.

Ama, o bana yapacağını yaptı, beni ihbar etti, gerçi ben de kaçıp gizlenmek gibi bir şey yapmadım, nereye kadar kaçarsın ki?

Geldiler, elleriyle koymuş gibi buldular beni. Meğer kadın beni tanırmış, o orospuyla bir gece yatmışmışım, hele bir düşünsene, hatırlamıyorum bile. Kadın tanıklık etti mahkemede, taammüden cinayet dediler, ben para verdim, dedim, senet sepet sordular, ne senet sepeti, adam daha önceden aldığı borçları tıkır tıkır ödüyordu, para büyük olunca ocağıma incir dikti, parayı geri vermedi, dedim.

Neyse, sen birkaç ay sonra çıkıp kurtulacaksın, böyle salak saçma işlere bulaşma,' dedi.

'Olur,' dedim.

'Olur deme,' dedi. 'Olur dersen söylediklerimi unutup mutlaka bir aptallık yaparsın, bu söylediklerimi unutma,' dedi.

Rıza Kıraç

Ne onları ne de hikâyelerini unuttum, hepsini hatırlıyorum ama az önce çıktığım kışladan hiçbir şey aklımda kalmadı. Askerde hapishanedekinden daha fazla insan tanımış olmalıyım ama bir tek yüzbaşıyı hatırlıyorum."

Kahvehanede herkesten uzak bir köşeye oturdular.

Arif, gözleri ışığa yeni alışmış bir çocuk gibi şaşkın şaşkın gözlerini ovalayıp çevresine bakındı, ıslak saçlarından dökülen yağmur sularını elinin tersiyle sildi.

Ellerini masanın üzerinde birleştirip, sanki daha dün birbirlerinden ayrılmışlar gibi, "Eee, nasılsın?" diye sordu.

"İyiyim dayı."

"İyi iyi... Kilo almışsın, askerlik yaramış sana."

Sustular, eski bir geleneği yerine getirmek için.

Dışarıda yağmur şiddetlendi, kaldırımlarda koşuşturan insanlar bir yandan yağmurdan kaçıyor, bir yandan tek tük de olsa yoldan hızla geçen otomobillerin sıçrattığı sulardan korunmaya çalışıyorlardı.

Arada bir, kahvehanenin kapısı gürültüyle açılıyor, kapının önünde kediler gibi silkelenen adamlar sağa sola selam vererek, daha masaya kurulmadan dudaklarına bir sigara yerleştirip, çay istemek için gözleriyle çaycıyı arıyorlardı.

Herkesin birbirini az çok tanıdığı belliydi, meraklı bakışlar arada bir Faik'le Arif'in oturduğu masaya kayıyor, sonra başlar yeniden masadaki sohbete, oyuna çevriliyordu.

"Gülten'le Naşit selam gönderdi. Seni çok özlemişler," diye mırıldandı Arif.

Faik, yüzünün alacağı alaylı ifadeye engel olmak için zoraki gülümsedi.

"Nasıllar?" dedi kendi kendine konuşur gibi.

"Bildiğin gibi. Pek bir şey değişmedi. Hâlâ aynı şeylerle uğraşıyor-

150

lar. Naşit'i son gördüğümde biraz sinirliydi. Senin yanına geleceğimi söylediğimde heyecanlandı, 'Ben de gelsem,' dedi önce, sonra, 'Çocukların sınavı var, ne yapsam ki?' diye bana sordu. 'Sen bilirsin,' dedim. Düşündü biraz daha, sonra, 'Selam söyle,' dedi."

Arif konuşurken başını öne eğiyor, masa örtüsünün eprimiş motiflerini, parmaklarıyla kumaşa çiziyordu, bir an sustu, başını kaldırıp yeğeninin gözlerine baktı, Faik de ona bakıyordu.

"Geri dön," dedi birden. "Birlikte çalışırız, istersen kasabadan şehre taşınır bir dükkân açarız. Yine Gülten'le, Naşit'le görüşürsün. Az çok birikmiş param var, gül gibi yaşar gideriz."

Faik ceplerinde bir şeyler aradı, bulamadı. "Sigaran var mı?" diye sordu.

Arif ceketinin cebinden çıkardığı sigara paketini masaya bırakırken, "Büyük şehir seni hırpalar," diye mırıldandı.

Faik, boş bardakları toplamak için ortalıkta gezinen çaycıya iki çay işaret etti, içine çektiği sigara dumanını bir türlü dışarı bırakamıyordu, sonra birden, "Benimle konuşursan gelirim," dedi, aralanan dudakları arasından gri dumanlar yükseldi.

"Konuşuyoruz ya işte," dedi şaşkın, ürkmüş bir yüzle Arif.

"Konuşmuyoruz. Hiçbir şey anlatmıyorsun. Benimle konuştuğunu hiç hatırlamıyorum. Konuşuyor gibi yapıyoruz, hiçbir şey söylemeden. Aklından geçenleri hiç anlatmadın bana."

"Ben alışık değilim. Bir de ne konuşacağız? Ben bildiğin bir adamım. Olduğum gibi. Sen söyle, ne istiyorsan onu konuşalım."

Arif'in gözleri, Faik'ten çaycıya kaydı, masaya bardakları bırakırken, "Geçmiş olsun. Bitmiş galiba," dedi adam.

"Sağ ol, bitti."

Çaycı, ağır adımlarla diğer masalara yönelirken, "Ne istiyorsun benden söyle, hepsini konuşalım. Sen sor, ben yanıtlayayım," diye üsteledi Arif.

"Babam nasıl öldü?"

Arif, yeniden başını öne eğdi, sonra yavaşça sigaraya uzandı, paketin kenarlarını parmakları arasında ezdi, sonra içinden bir dal sigara çıkarıp parmakları arasında döndürmeye başladı. Durdu, bakışlarını Faik'in yüzüne dikti, gözlerini garip bir kızıllık bürümüştü.

"Bunu bilmek bir işine yaramaz, öğrenip ne yapacaksın?" diye mırıldandı.

Ölü bir tebessüm yayıldı Faik'in gergin yüzüne.

"Babamın nasıl öldürüldüğünü biliyorsun di mi?"

Arif, sigarayı dudakları arasına yerleştirip kibriti çaktı, kısa bir süre kibritin alevine baktı, sigarasının ucunu ateşlerken gözlerini yumdu, bir şeyler söylemek ister gibi dudaklarını araladı.

"Gülay kim?"

Arif'in yüzünde kocaman bir boşluk açılmıştı, Faik o boşluğa bakmak istemiyordu, bakışlarını dayısından uzağa çevirdi.

Derinden gelen bir hırıltı, "Boş ver bunları, hepsi geride kaldı," dedi.

"Ne oldu da her şeyi unutmak istiyorsun?" diye hırsla sordu Faik.

"Sana hep söylemek isteyip, bir türlü dilimin varmadığı şeyler olduğu doğru. Sen, bizim yaşadıklarımızın sorumluluğunu, ağırlığını üstünde hissetme, Faik ol... Geçmişin hesabını ödedik biz, sen bunlardan uzak kalmalısın. Başka bir hayat yaşamalısın. Ama gözümün önünden kaybolmana içim elvermiyor. Dinlediğim masalların hepsi aklımda, şuracıkta duruyor; hep adalet yerini bulurdu o masallarda, büyüdükçe öğrendim ki adalet yerini bulmasa da sen bağışlamalısın, kendini durmadan yenileyen, yaralarını tedavi edebilen biri olmalısın; şimdi bana istediğin soruyu sor, aklını karıştıracak hiçbir şey anlatmayacağım sana. Sultan da böyle isterdi. İstiyorsan git, gitme diyemem, yalnızca bana bir gününü ayır, bu gece bir otelde kalalım, biraz daha göreyim seni. Sonra istediğin yere git. Seni kınamam, kin tutmam.

Ben hep kasabada olacağım. Belki bir gün dönmek istersin, orada sana ait bir ev olduğu aklından çıkmasın."

"Okulda bir kız vardı, aynı sınıftaydık. Gözlerini üzerimden ayırmazdı, uzun ince parmaklarının duruşundan ne zaman anlamlar çıkarmaya başladığımı hatırlamıyorum.

Bahri'yi tanıdıktan sonra, insanların parmaklarının duruşuna dikkat eder olmuştum.

Hâlâ aklıma geldikçe o kızın parmaklarının duruşunu özlüyorum.

Halbuki o kızın bakışlarının üzerimde olması beni hem tedirgin ederdi hem de daha önce bilmediğim bir heyecanı bütün bedenime yayar, beni sarsak, beceriksiz bir adam yapardı.

Renkli gözleri vardı, şimdi hatırlamıyorum, yeşil miydi, yoksa elâ mı? Siyah saçlarını toplayıp örerdi, yanıma geldiğinde dudaklarının kenarında hiçbir zaman nedenini soramadığım bir tebessüm olurdu; kendini anlatırdı kısacık cümlelerle. İçimde bir şeyler kıpırdanır, varlığını ulu bir nimet gibi görürdüm. Onunla baş başa kaldığımızda, bir gizimiz varmış gibi kısık sesle konuşurdu, yaşadığı her şeyin ikimize ait olmasını isterdi, gözlerini bir noktaya sabitler, dudaklarının kenarına sadece benim görmemi istediği bir gülümseme yakıştırır, arada bir bana göz atıp kaldığı yerden anlatmaya devam ederdi.

Ona anlatacak o kadar az şeyim vardı ki; oysa o annesini anlatırdı, akşam eve gittiğinde neler yaptığını anlatırdı, iş yaparken başını bağladığı hasseyle nasıl alnını sildiğini, sonra annesine, okuldan, derslerden, benden bahsettiğini söylerdi.

Uzanıp yanağından öpmek isterdim, aklım karışır, ellerim titrerdi, ellerimin titrediğini görmesini istemez, onları gizlerdim.

Bir gün, 'Seni seviyorum,' dedi.

Aniden, fısıltıyla, 'Seni seviyorum.'

Duymazdan geldim.

Yine aynı şeyi söyledi. 'Seni seviyorum.'

Yine duymazdan geldim.

Korkmuştum, bunun nasıl bir şey olduğunu bilmiyordum ki içgüdülerimle bile olsa ne yapmam gerektiğini kestiremiyordum, mantıklı bir şeyler söyleyemez miydim? Aslında olup biteni de tam anlamamıştım, kendi kendime sordum sonra. 'Benim neyimi sevebilir ki?'

Ona ne vaat edebilirdim ki?

Elimde olmadan ondan kaçmaya başlamıştım. Hem korkak hem de işe yaramaz biriyim, diye düşünüyordum.

Naşit'in derslerinde daha tedirgin, sarsak olmaya başlamıştım, ona bakmamaya çalışıyordum ama kızın oturduğu sıraya kayıyordu gözlerim. Bir şekilde bunların Naşit'in kulağına gitmesi düşüncesi beni delirtiyordu. İyi de, onlara düşkünlüğüm niyeydi? Neden bunu kendime sorduğumda hep kaçamak yanıtlar veriyordum?

Oysa seni ve annemi uzun sessizliklerden sonra yalnız bıraktığımda, içimde yükselen ihanet korkusunun üstesinden gelebilmiştim.

O kızı sevmiştim, bana bakan gözlerindeki utangaçlığın, düşkünlüğün, sevgi beklentisinin farkındaydım. Şimdi yanımda olsa, parmaklarını öpsem, af dilesem, ona ihtiyacım olduğunu, benimle birlikte olmasını istediğimi söylesem, aradan geçen onca yıla rağmen, bir şeylerin karşılığını vermiş olurdum. Ama bunun, nasıl bir şeylerin karşılığı olduğunu hâlâ bilmiyorum.

O yaşayamadığım aşkı anlattım hapishanedekilere. Bir anı, yaşanmış, tadına varılmış bir şey olarak değil de bir hikâye gibi.

Beni dinlediler, o kızı çok sevdiler. Ama, onu bırakıp bana acı çektiren bir kadınla birlikte olduğumu öğrendiklerinde -hikâyeyi böyle bitirmiştim çünkü- bana çok kızdılar. 'Olmayacak duaya amin demişsin sen,' dediler. Ne demekse! Hikâye benim hikâyemdi. Annemin anlattığı bir masal değildi, benim hikâyem onun anlattıkları gibi mutlu bitmiyordu. Sanki hep aynı kâbusu, hep aynı iç karartıcı sonları anlatıyordum onlara. Elimden bu kadarı geliyordu. Bir gün içlerinden biri yanaşıp fısıltıyla, 'Kız ne yapıyor şimdi?' diye sordu.

'Öldü,' dedim.

Uzun uzun yüzüme baktı. 'İntihar mı etti?' diye sordu.

'Hayır, hastalandı, sonra da iyileşemedi.'

Onu öldürdükten sonra rahatlayacağımı sanıyordum. Öyle olmadı, ağır bir taş geldi, yüreğimin orta yerine oturdu. Onun öldüğünden öyle emindim ki oturup o ölüme ağladım.

Sanki az önce gözlerimin önünde can vermiş, bedeni ellerimde soğumuştu, gözlerinden son fer çekilirken ona karşı işlediğim günahları bir bir yeniden hatırlayıp, vicdanımı temize çıkarmaya çalışmış, başaramamıştım.

Şimdi komik geliyor ama o zaman kendimi inandırmıştım. En az benim kadar suçlu olan biri daha vardı: Gülten.

Beni öylesine sıkı bir tutkuyla kendine bağlamıştı ki karşı koyamıyordum ona. Onun bana bakışında, konuşurkenki edasında, sessizliğindeki gizli sitemde, dokunmak isteyip de dokunmamasında, söylemek istediklerini dolaylı yollarla bana hissettirmesinde, hep bir hesap kitap işi vardı, yapmak istediğini yapmış, küçücük aklımı çelmişti. Onu her düşündüğümde Naşit'e yakalanacağım diye korkuyordum. Bazen, laf arasında Gülten'e olan düşkünlüğümü beceriksizce ele veriyordum; Naşit oralı olmuyordu.

Bütün bunları hapishanedekilere anlattım. Hikâyelerimi seviyorlardı; Naşit ile Gülten'e başka isimler vererek, 'Uzun bir yolculukta tanıştığım iki kardeş,' dedim.

Daha sonra, başka isimlerle aynı hikâyeyi, tutkulu aşk yaşayan genç bir çift olarak anlattım onlara, ben üçlü aşkın üçüncü üyesiydim. Kötü adam, acı çeken, elinde yalnızlıkla ortada kalakalan, garip tutkuları yüzünden hep horlanıp aşağılanan, bütün bu olup bitenlere rağmen hep ayağa kalkan, sonra yine tökezleyip yüzükoyun yere kapaklanan talihsiz bir aşk adamı!

Komikti, çünkü kendime acımamam bir yana, ağza alınmayacak hakaretler yağdırıyordum.

Askerdeyse hikâyelerimi kendi kendime anlatıyordum daha çok. İçtima alanındaki uzun bekleyişlerin, anlam veremediğim talimlerin, Naşit'le yaptığımız derslere hiç benzemeyen gece derslerindeki gevezeliklerin katlanılır olmasının başka bir yolu yoktu.

Sonra bir gün Bahri geldi. Onu görmeyeli yıllar olmuştu, aslında görünüşü pek değişmemişti, sadece üzerindeki üniformanın kimliğine bürünmeye çalışıyordu; kırmızı, kirpi saçlarını şapkasıyla, çillerini yüzüne yapıştırdığı tebessümle kamufle etmiş, gözlerindeki mutluluk parıltısını görmem için güneş gözlüğünü eline almıştı.

'Ziyaretçin var,' dediklerinde, onun geldiğini hemen anladım. Birkaç gündür içimde garip bir ivecenlik gezinip duruyordu, bir şeyler olacağını sezinlemiştim; ancak o gün, ziyaretçin var dediklerinde, bu evecenliğin nedeninin Bahri olduğunu kavrayabildim. Birkaç erle yemekhanenin dış duvarlarını sıvıyorduk. Elimi yüzümü yıkadım, depoya bakan erden yeni bir kamuflaj elbisesi aldım, botlarımı boyadım, subay gazinosuna doğru yürürken kiminle karşılaşacağımı biliyordum ama onu tanıyıp tanıyamayacağımdan emin değildim.

Gazinodan içeri girdiğimde rütbelilerin dikkatini çekmeden etrafı kolaçan ettim; yoktu. Çay ocağındaki erle göz göze geldik. Adımı söyledim, 'Ziyaretçim gelecekti,' dedim.

'Otur bekle,' dedi.

Bir masaya oturup, gözümü kapıya diktim. Birazdan içeri iki teğmen girdi. Yüzlerine bakmıyordum, parmaklarının duruşundan tanıdım Bahri'yi, her zamanki gibi bir şeylere dokunmak istiyordu. Ayağa kalkıp selam verdim.

Bahri'nin yanındaki teğmen selamıma karşılık verdi. Ağır adımlarla bana yaklaştı ve kollarıyla omuzlarımı kavrayıp beni kendisine doğru çekti. O an, karşımdaki üniformalı adamın başka bir Bahri olduğunu fark ettim.

Masaya oturduğumuzda, Bahri'nin yanındaki teğmen soğuk bir sesle, 'Demek meşhur Faik sensin,' dedi.

Sadece gülümsedim.

Parmakları arasında salladığı gözlüğünü masaya bırakıp, 'Seni görür görmez tanıyacağımı biliyordum, neredeyse hiç değişmemişsin,' dedi Bahri.

Çok değişmiştim, değişmeye devam ediyordum.

'Hâlâ çok kitap okuyor musun?'

'Hapishanede kitap okumayı bıraktım,' dedim.

'Yasak mıydı?' diye sordu diğeri.

'Hayır, kitap namına bir şeyler vardı, okumayı neden bıraktığımı hatırlamıyorum. Belki de çok boş vaktim olduğu için,' dedim.

Teğmenin yüz ifadesinde hiçbir değişiklik olmadı, sakin bir şekilde, 'Ben içecek bir şeyler alayım,' diyerek masadan kalktı.

Konuşmadan Bahri'yle birbirimize bakıyorduk. Yüzündeki sevimli ifadenin anlamını çıkarmaya çalıştım, aslında bu kadar yolu niçin geldiğini, izimi nasıl bulduğunu sormak istiyordum. Birden canım sıkılmaya başladı, biriktiriyordum, can sıkıntısının da üstesinden gelebilirdim. O kadar çok biriktirmiştim ki durmadan konuşmak, bir şeyler anlatmak istiyordum. Benimle ilgisi olmayan, karşımdaki her kimse onu ilgilendirmeyecek hikâyeler... Birden, 'Kasabaya gittim,' dedi.

Bir şeyler sormamı bekliyordu. Boş boş yüzüne baktım. Kızmaya başlamıştım, bunun nedeni Bahri'nin yüzündeki ifadeydi sanırım. Sanki benimle ilgili bilmesini istemediğim bir sır öğrenmişti de bu bilgiyle beni tehdit ediyordu.

'Ne oldu?' diye sordum.

'Bir şey yok,' dedi.

Oysa, Terzi ölmüştü.

Çayları içtik, Bahri ve teğmen arkadaşıyla gazinodan çıktığımızda, uzun zamandır görmediğim güzellikte bir güneş gökyüzünde yükselmişti, çamların altındaki, ağaç gövdelerinden yapılma masalara doğru birkaç adım attık.

'Nerede buluşalım?' diye sordu teğmen arkadaşı Bahri'ye.

'Ben, seni bulurum,' dedi.

Elimi sıkıp bizden ayrıldı.

Yürümeye devam ettiğimiz o an, derinliksiz, hakkıyla anlatılmamış iki roman kahramanı gibiydik.

Bunu sana nasıl anlatabilirim bilmiyorum dayıcığım, tükenmişlik gibi bir şey, her geçen gün sana benziyor, kendime ait hiçbir şeyden bahsetmek istemiyordum.

Masalara ulaşmadan, 'Babam öldü,' dedi Bahri.

Bir an durup yürümeye devam ettik. Ağaçların zayıf dalları arasından güneş ışığı üstümüze vuruyordu.

Ne diyeceğimi bilemiyordum.

'Terzi gerçek babam değildi, bunu biliyor muydun?' diye sordu.

Biliyordum, bir şey söylemedim. Ona, kendisine dair bir hikâye anlattım ama o duymadı, belki hissetmiştir.

Terzi'nin karısı onu terk etmişti, daha doğrusu genç bir adamla kaçmıştı, o zamanlar şehirde yaşıyorlardı.

Mağazaların olduğu caddenin arka sokağında her zamanki gibi küçük bir dükkânı vardı. Çok para kazanmıyor ama evini geçindirebiliyordu, hatta bir apartman dairesi almak için para biriktirmeye bile başlamıştı. Köyden kocasıyla şehre gelen genç kadın sıkılıyordu, niçin sıkıldığını tam bilmiyorum, bunun bir sürü nedeni olabilir. Köy yaşamının nimetlerini şehrinkilere tercih etmiş olabilir mesela.

Kadının nasıl bir adamla kaçtığı konusunda kesin bir bilgiye sahip olmadığım için, erkek hakkında söyleyeceğim her şey hayal ürünü olacaktır.

Bana kalırsa kadın daha önce bilmediği bir şeyle karşılaştı; âşık oldu mesela. Bu, bir kadının kocasını terk etmesi için son derece geçerli bir neden.

Belki de kaçtığı erkek iyi yalan söylüyordu; belki kadın, kocasında görmediği incelikleri o adamda yaşadı, bilemem.

Sabah kocası dükkânı açmaya gittiğinde, kadın akşamdan gizlice hazırladığı küçük bir çantayla evden çıktı. Adamla buluştu, otobüse binip başka bir şehre gittiler ya da adam bir kaçakçıydı, onun köyüne kaçtılar, kim bilir, iki sokak öteye de gitmiş olabilirler.

Öğleyin Terzi, karısının yemek getirmesini bekledi, kadın gelmedi. Dükkânı bırakıp gitmek istemiyordu, gerçi evi yürüyerek on dakika uzaklıktaydı ama yine de dükkânın kapısına kilit vurup eve gitmek içinden gelmiyordu. İkindi vaktine kadar bekledi. Canı iyice sıkılmış, karısına kızmış, artık sabrı kalmamıştı.

Yandaki dükkâna, birazdan geleceğini, kendisini soran müşterilerle ilgilenmesini, bir çay söyleyip onları oyalamasını söyledi. Koşturarak evin yolunu tuttu, kapıya vurdu. Karısının adını seslendi, uyuyup kalmıştır diye kapıyı yumrukladı. Sonunda anahtarı çıkarıp kapıyı açtı, içinde bir korku belirmişti, karısının başına bir şeyler gelmiş olmalıydı, yoksa mutlaka kapıyı açardı. İçeri girdi, salona, yatak odasına, misafir odasına, tuvalete, mutfağa, balkona her yere baktı, yoktu.

O gün dükkâna dönmedi, ertesi gün de evden hiç çıkmadı, yatakta yatıyor, uyuyamıyordu, aklından hiçbir şey geçmiyordu, sadece korkmuştu. Büyümesine engel olamadığı bir sessizliğe teslim oldu. Günlerce kimseler kapısını çalmadı, halini hatırını sormadı. Bir gün akşama doğru derin bir uykuya daldı, günler boyu içini kemiren her neyse ona kendini teslim etti, ölecekti besbelli.

Uyudu; derin uykusunda hiçbirini hatırlamadığı uzun rüyalar gördü. Pencereye vuran yağmurun sesiyle uyandığında, kaç gün, kaç gece uyuduğunu bilmiyordu, uzun bir süre boşluğa baktı, üzerine mutlu bir dinginlik çökmüş, uyumadan önce yüzüne yapışan korkunun yerini, nedenini kestiremediği bir kayıtsızlık almıştı.

Üzerine bir şeyler alıp günlerdir kapandığı evden ilk defa dışarı çıktı, ne yapacağını bilmiyordu ama ayakları onu sabahçı kahvesine götürdü, kuytudaki masalardan birine sessizce ilişti. Sararmış bıyıkların gizlediği dudaklarına kıstırılmış sigaraları tellendiren yaşlılar bir köşede öbeklenmişti. Uzaktaki köşede ise bir kadınla gençten bir adam yan yana oturuyordu.

Kahveci, Terzi'nin önüne bir bardak çay bıraktı, uzak köşedeki masada oturan genç adam masaya yumruğunu vurdu.

Terzi, ilk yudumunu içtiği çay bardağını masaya bırakırken, genç adam hızla masadan fırlayıp kahvehaneden çıktı. Kadın, genç adamın arkasından bir şeyler söyledi. Kadının ne dediğini kimse anlamadı. Adamın arkasından koşturarak kahvehaneden çıktı. Gürültüyle kapanan kapının arkasından bir süre boşluğa bakar gibi baktı Terzi, sonra aynı anlamsız bakışı kahvehanenin önünde tartışan kadınla adama çevirdi. Kadın bir şeyler anlatmaya çalışıyordu, genç adamın dinlemeye niyeti yoktu, kadına bir tokat attı. Kadın bir an durdu, sonra karanlığa doğru yürüyüp gitti.

Terzi önündeki çay bardağına baktı, kalan son yudumu bir dikişte içti. Kahvehaneden çıktığında gün ağarmaya başlamıştı. Merkez Camii'nin arka sokağındaki duraktan bir kamyon kiraladı, dükkânda ne var ne yoksa hepsini kamyona yükledi, eve gidip sadece kendine ait eşyaları aldı.

Yola çıktıklarında kamyon şoförü, 'Nereye gidiyoruz?' dedi.

Terzi biraz düşünüp, 'Hangi köydensin?' diye sordu.

'Kasabada büyüdüm ben,' dedi şoför.

'Beni oraya götür,' dedi.

Kasabaya vardıklarında eşyalarını şoförün bir akrabasının evine yığıp, konaktan bozma otelin meydana bakan bir odasını tuttu. Birkaç gün kasabayı dolaştı, kimseyle konuşmadı.

Parmaklarına hiç yakışmayan sigarayı içmeye çalıştı, ne tütün sarmasını becerebildi, ne sigaradan zevk almasını ama o günlerde cebinden tütün tabakasını hiç eksik etmedi.

Bir gün lokantada yemek yerken, genç, şişman garson, ona nereli olduğunu sordu.

'Buralıyım,' dedi Terzi.

Tombul yüzüne sevimli bir gülümseme yerleştiren garson, 'Seni daha önce görmedim,' dedi.

'Şehirdeydim, kasabaya taşınacağım, bir dükkân arıyorum.'

'Ne iş yapıyorsun?'

'Terziyim,' dedi soğuk bir sesle.

'Küçük bir yer işini görür o zaman,' dedi garson.

'Görür,' dedi.

Yemeğini yedikten sonra, garson, Terzi'yi boş bir dükkâna götürdü. Dükkânı kiralayıp eşyalarını taşıdı. Birkaç gün masada yattı, sonra yine garsonun yardımıyla, kasabaya bir yamaçtan bakan iki odalı küçük bir ev kiralayıp eşyalarını oraya taşıdı.

Geceleri geç saatlerde eve dönüyordu. Çalışırken, yeni tanıştığı müşterilerinin meraklı, can sıkıcı sorularına kayıtsız kalabiliyordu, kayıtsız kalamadığı tek şey yalnızlığıydı, evde bir başına ne yapacağını bilemiyordu.

Bunaltıcı gecelerde kasabayı terk etmeye karar veriyor, sabah olup kendini evden dışarıya attığında ise gece verdiği karardan vazgeçiyor, her sabah erkenden kahvehanede yaptığı kahvaltıdan sonra dükkânı açıp kendini çalışmaya veriyordu.

Bir süre sonra, kasabanın gevaze ahalisinin meraklı sorularına, can sıkıcı bakışlarına, kaşlarını çatarak karşılık vermeye başladı, onlarla hiçbir şeyi uzun uzadıya konuşmuyor, kendisiyle ilgili sorulan soruları cevaplamadan geçiştiriyordu. Kasabaya ısınmaya başlamıştı, akşamüstleri kahvehanede bir iki bardak çay içtikten sonra, ellerini arkasında birleştirip, yaşlı adamlar akşam namazı için hızlı adımlarla caminin yolunu tutarken, o tek başına, ağır adımlarla kasabayı bir baştan bir başa dolaşıyordu. Kasabanın dışındaki fidanlıkları, meyve ağaçlarıyla dolu bakımlı bahçeleri, şehre inen şosenin az ötesindeki bulanık dereyi kendine mekân tutmuştu.

Bir süre sonra, şosede yürümenin içine büyük bir huzur aşıladığını, yalnızlığını yenmesine yardımcı olduğunu fark etti, bunu kimseye söylemedi, söyleyecek kimsesi de yoktu zaten, bu duygunun sarhoşluğuna kendisini bırakmak, o şosede kaybolmak, akıldışı bir yolculuktan sonra şehrin herhangi bir sokağına çıkmak istiyordu ama ayakları onu hep bulanık derenin kenarında bırakıyordu.

Yine bir akşamüstü şoseden aşağı inerken, yaşlı bir adamla, arkasından gelen bir genç kız gördü. Yaşlı adam elinde eğri büğrü bir sopayı destek ederek yürüyordu, genç kız hassesini ensesinden bağlamış, yanaklarına sevimli bir gülümseme yerleştirmiş, gözlerini Terzi'ye dikmişti.

Yaşlı adam, 'Selamünaleyküm,' dedi.

O ise sadece başını sallayarak karşılık verdi. Genç kızın bakışları Terzi'de kalmıştı, yolun sarhoşluğuna o bakışlar eklenince, yüreği bir an durdu, gözleri kıza saplandı kaldı, şosede gözden kayboluncaya kadar onları izledi, sonra dereye inmeden bir taşa oturup dinlenmek zorunda kaldı.

Ceplerini arandı, tütün tabakasını çıkarıp, eğri büğrü bir sigara sardı, birkaç nefes çektikten sonra sardığı sigara dağıldı.

O kızın kimlerden olduğunu, nerede oturduğunu öğrenmek için birkaç gün kasabayı sokak sokak dolaştı, kahvehanede kendisiyle konuşmak için yanıp tutuşan, namaza yetişmekten başka derdi olmayan yaşlılara, kendisini cin gibi izleyen meraklı gençlere, üstü kapalı cümlelerle genç kızla yaşlı adamı sordu ama hiç kimse Terzi'nin kimden bahsettiğini anlamadı.

Gördüğü kâbusların yerini, o genç kızın ışıklı yüzü, yıldız gibi yanıp sönen gözleri aldı.

Sorup soruşturmaları bir sonuç vermeyince kızdan ümidi kesti. Yeniden, rüyalarında karanlık mekânlarda tek başına kaldığını gördü, hep kayboluyor, bilmediği, daha önce görmediği sokaklarda yalnız dolaşmak zorunda kalıyordu. Gözlerini açık tutmaya, uyumamaya çalışıyordu. Uykuya direndiği bir gecenin sabahında kapısının vurulmasıyla yataktan fırladı.

O ana kadar, şişman garson dışında hiç misafiri olmamıştı, evini kimseler bilmiyordu. Kasabalılar, Terzi'nin evini bilselerdi bile,

Rıza Kıraç

sabahın köründe, böyle nemrut bir adamın kapısına gelmezlerdi. Yatakta kalakaldı. Bir an uyuduğunu düşündü, gözleri açık uyuyabilirdi, daha önce böyle bir şey başına gelmemişti ama şimdi uyanık olup olmadığından emin değildi.

Kısa bir tereddütten sonra yataktan kalktı, mutfağa gitti, bir bardak su içti, elini yüzünü yıkadı, kapı halen vuruluyordu, gelen her kimse gitmeye niyeti yoktu, ağır adımlarla kapıya doğru ilerledi.

'Kim o?' diye seslendi.

'Aç,' dedi bir ses. Terzi donup kaldı.

'Allah aşkına aç kapıyı,' dedi aynı ses.

Yavaşça anahtarı kilitte çevirdi, kapıyı açtı, kadın başı önüne eğik içeri girdi, elindeki çantayı bir köşeye bırakıp, az evvel Terzi'nin kalktığı yatağa girerek yüzü duvara dönük yattı.

Hiçbir şey söylemeden önünden geçip yatağa giden kadının karnındaki şişkinliği daha o gece fark etmişti ama kadına hiç soru sormadı. Sabah dükkânı açmak için evden çıkarken, mutfağa biraz para bıraktı.

Aynı gün öğle yemeği için lokantaya gittiğinde, şehre inen şosede gördüğü yaşlı adamla, gözlerini alamadığı genç kız uçtaki bir masaya oturmuş çorba içiyorlardı.

Genç kız bir an, tabaktan başını kaldırıp ona baktı.

Terzi başını önüne eğdi.

O aşk mıydı, başka bir şey miydi bilmiyorum ama orada bitti. O kız, Terzi'nin gözleri önünde büyüdü, kasabalı bir delikanlıyla sözlendi, nişanlandı, evlendi, çocuk doğurdu.

Muhtemelen bu yaşadıklarını kimseye anlatmadı. Bahri'ye, Terzi'nin ölüm nedenini sormadım, bu dünyadan ayrılma zamanı gelmişti, bunu ondan başka daha iyi kim bilebilir ki. Yine de tabutun başında ellerimi önümde birleştirip, başımı saygıyla eğerek

164

biraz bekleseydim, onun akıl almaz mülayim duruşunu, taşı çat-
latan sabrını, yüzüne yansıtmadığı ama insana her dokunuşunda
anında ulaştırdığı sevginin sıcaklığını, korkunç becerikli parmak-
larının duruşundaki hüznü hatırlar, birkaç damla gözyaşı döker,
onunla helalleşirdim.

Terzi'ye duyduğum hayranlığın nedeni, hakkında duyduklarıma
eklediğim hikâyelerin albenisi mi, yoksa bomboş geçen çocuklu-
ğumda, özgürce gezip dolaşabildiğim yegâne çiçek bahçesi olma-
sı mı, bilmiyorum.

Onu çabuk unuttum, nasıl oldu da bir çırpıda sildim defterimden.
Ona yaptığım haksızlığın, kadirbilmezliğin ağırlığını çok kolay
üstümden attım sevgili dayıcığım. Bunu bana Bahri öğretmişti,
ona duyduğu kızgınlığın nedenini her geçen gün biraz daha anlı-
yordum anlamasına da Terzi bunu hak etmiyordu. Oradaydı işte,
yıllardır taşımaktan yıldığı bedeniyle tabutta yatıyordu da ben
orada yoktum.

Naşit oradaydı, çocuk gibi ağlayarak Bahri'nin yanına gelmiş,
kıpkırmızı yüzünde ur gibi gezdirdiği o koca burnunu çekerek
başsağlığı dilemişti ona. Benden oğlu gibi bahsederek, Terzi'yi
çok sevdiğimi, üzerimde çok hakkı olduğunu söyledikten sonra
eve davet etmiş Bahri'yi.

O an, orada olmak isterdim dayı, sadece Terzi'nin cenazesinde
olmak istediğim için değil, Naşit'i ağlarken görmek, aczine ta-
nık olmak isterdim; benim kasabadan gidişimle onun dünyasın-
da kocaman, karanlık bir delik açılmıştı ama o bunu hiçbir za-
man söylemeyecek.

Kasabada kalsaydım benim dünyamdaki karanlık delik büyüye-
cek, o zifiri boşlukta kaybolacaktım. İçimde büyüyen korkunç ki-
nin, adını sanını bilmediğim hıncın sorumlusunu bulamayacak, o

kinin, hıncın acısını kendimden çıkaracaktım. Korktum, elimden yalnızca bu geliyordu, beni o kocaman sessizliğin ardındaki küçük mırıltılar, ses kırıntıları, durmadan görülen kâbusun dili bitiriyordu. Kendi kendime kanıtlamam gereken şey, ayaklarımın üstünde durabilme gücü değildi sadece sınanacak şey yalnızca bu olsaydı her şey daha basit, anlaşılır, katlanılır olurdu; ben bilmediğim, tanımadığım bir tutkunun izini sürüyor, onun varlığını daima hissediyor, fakat ne olduğunun yanıtını veremiyordum.

Ölümle yaşam arasındaki o dingin karmaşanın sessizliğe boğulması dayanılmaz bir acizlik...

Sen de yaşamışsındır buna benzer şeyler, benim şansım, zihnimi açan o yoğun karmaşaya teslim olma cesaretiydi. Şimdi her şey biraz daha iç içe geçmiş, bir bilinmezlik kisvesine bürünmüş, oysa kasabada zaman içinde acizliğin üstesinden gelip, daha güçlü, daha dayanıklı hissetmiştim kendimi.

Biliyorum, hapishane de, askerlik de insanların yaşam dirençlerini kırmak için uydurulmuş ama ben orada yalnızca direncimi yitirmedim, bir bakirenin vücudunu çirkin, kokuşmuş bir canavara teslim etmesi gibi ben de aklıma, bedenime, el değmemiş bütün melekelerime olan sadakatimi onların çirkin ellerine teslim ettim. Hayatta kalmak için yapılabilecek tek şey buydu sanki.

Başka bir yolu olsaydı, bu yolu fark edecek kadar zeki olsaydım, eğilmekle kırılmak arasındaki farkı bana gösterseydin sevgili dayıcığım, kırıldığımda acıyı başka türlü hisseder, sonraki darbelere hazırlıklı olurdum.

Bunları daha önce sana anlatmış olabilir miyim? Kendi kendime konuştukça kafam karışıyor, durmaksızın kendini tekrar eden bir rüyanın ayrıntılarını hatırlamaya çalışıyorum.

Bahri, seni de görmüş sevgili dayıcığım. Oturup konuşmuşsunuz, benim nerede olduğumu bilmediğini söylemişsin. Ben de bilmiyordum nerede olduğumu. Bahri buldu beni. Annesini yanına alıp İstanbul'a yerleşmiş. Şimdilerde deli gibi İngilizce çalışıyormuş, askeri hakim olacakmış ya da ona benzer bir şey. Benim aklım ermiyor böyle şeylere. Ne zaman askeri okula yazılmış, ne zaman teğmen olmuş, bir yandan askerken nasıl oluyor da bir yandan hukuk okuyabiliyor, bunları sormak hiç aklıma gelmedi.

Bahri'nin çilli yüzüne bakıyordum, o yüzde eskiye dair bir şeyler arıyordum galiba, orada olduğunu biliyordum, o yüzün altındaki kibirli çocuğu, yalnızlığının getirdiği ürkek, çekingen sözcük dizimlerini tanıyordum da o öğle sonrası, güneş ışıklarının yıkadığı ağaçların altında gizemli bir öykünün başkahramanı gibi karşımda durması ağrıma gidiyordu. Soracağım, söyleyeceğim, hatırlatacağım bir sürü şeyi bir çırpıda yuttum.

'Avluda oturduk,' dedi Bahri.

Avluda oturmuşlar dayıcığım.

Öğle namazından sonra mezarlığa taşımışlar tabutu, Terzi'nin gömüleceği çukura geldiklerinde Kahveci, 'Aşağı in,' demiş Bahri'ye.

Çukura inmiş, tabuttan çıkan kefene sarılı cesedi omuzlarından tutup çukurun dibine yerleştirmiş.

'Dikişsiz bir bezdi,' dedi Bahri.

'Ayaklarımın ucunda yatıyordu. Hadi çık artık dedi Kahveci. Anlamadım, orada öylece durmam gerektiğini sanıyordum, kefene sarılı babama baktım, Kahveci elini uzattı, ne yaptığımın farkına varamadan ben de elimi uzattım; çekti çıkardı beni çukurdan. Kocaman bir toprak yığını olana kadar çukuru toprakla doldurduk. Hoca dua okuyordu, durmadan aynı şeylerin söylendiği anlamsız bir konuşma gibi gelmişti bana. Usulca çöktüm olduğum yere.

Naşit geldi, omuzlarımdan tuttu, beni ayağa kaldırdı. Mezarlığa gelenler sırayla beni öpüp başsağlığı diledi, kimisi boynuma sarılıp ağladı,' diye anlattı cenaze törenini.

Avludaki masaya oturmuşlar, Gülten çay yapmış, benden bahsedip, yaptıkları resimleri göstermişler, ben kasabadan ayrıldıktan sonra ikisi de resim yapmayı bırakmış. Naşit, benim bir resmimi yapacakmış, bütün kompozisyon kafasındaymış, yüzümü çok iyi biliyormuş, hatta zamanında içimi bile görebiliyor, aklımdan geçenleri de okuyabiliyormuş. Bunları söylerkenki yüzünü düşünüyorum, o yüz, dudaklarından dökülenden daha fazlasını anlatır. Sözünü bitirmeden gözleri çoktan Gülten'i bulmuştur. Gülten, üzerindeki bir çift gözü fark etmiş, kocasına sert bir bakış fırlatıp, mutfağa çay getirmeye gitmiştir.

'Çok güzel bir kadın,' dedi Bahri.

'Gülten mi?' diye sordum.

'Evet,' dedi.

'Güzeldir. Ama çalışmıyorsa mutsuzdur, evde oturmaktan sıkılmıştır,' dedim.

'Hayır,' dedi. 'Belediyede kadrolu olmuş.'

Sustu Bahri, bütün kışlayı yukarıdan görebildiğimiz bir yamaca gelmiştik, betondan küçük bir set vardı önümüzde, sete dirseklerini yaslayıp, yüzünde çok ender gördüğüm o çok anlamlı tebessümle baktı bana.

'Yattın mı Gülten'le?' diye sordu."

3

Kahvehaneden çıktıklarında yağmur durmuş, küçük kentin sokaklarında bir iki otomobilin dışında her şey, sanki yüzyıllardır gizlendikleri kuytularına çekilmişti.

Arif, omzuna attığı çantayla kaldırımda, Faik ise yolun kenarına birikmiş yağmur sularında ayaklarını sürüyerek yürüdü.

Bir lokantanın önünde durdular, kısa bir tereddütten sonra içeri girip, ölü çiçek resimleriyle süslü, kirli örtülerin üstüne gelen yemekleri hiç konuşmadan yediler.

Arif hesabı ödedi, lokantadan çıktıklarında ikindi ezanı okunuyordu. Camiye doğru koşuşturan yaşlı bir adam, ortasından tuttuğu bastonla, Arif'i iterek kaldırımda kendine yol açtı.

Bir otel bulup, iki yataklı oda istediler.

Ahşap, kirli merdivenleri gıcırdatarak, odalarının olduğu kata çıktılar, koridor boyunca serili eprimiş yolluk, çamurdan gerçek rengini yitirmişti.

İki yatağın kenarında küçük birer komodin, yatakların ayakucuna bir insan geçebilecek uzaklıkta, kapıları yarısına kadar açılabilen, açıldığında da kulak tırmalayan bir gıcırtı çıkaran döküntü bir dolap, tavanda da çıplak ampule iğreti tutturulmuş, uyduruk bir cam parçası vardı.

Faik, çantayı dayısının elinden aldı, dolabın gürültülü kapısını ancak yarısına kadar açıp, çantayı içeri attı.

Pencere kenarındaki yatağın ucuna ilişen Arif, gözlerini anlamlı bir şeyler görme umuduyla odada gezdirdi, sonra pencereye doğru bir adım atıp perdeyi açtı, bir bulut yumuşaklığındaki ışık, tülden süzülüp odadaki eşyaların yorgunluğunu, hırpaniliğini ele verdi.

Arif, odanın yeni görüntüsüne aldırmadan, kısacık saçlarını yastığa gömen yeğenine döndü; şimdi başka biriydi yataktaki, onun bildiği, tanıdığı, korunması gereken, savunmasız, asık yüzlü, içindekileri biriktirip karşısındakine hissettirmeyen çocuk gitmiş, onun yerini, her zamankinden daha inatçı, neredeyse emreden bir delikanlı almıştı.

Arif bir şeyler söylemek istiyor, dili ağzında dönmüyor, damağı kuruyor, dudaklarından dökülecek sözcüklere hükmedememekten korkuyordu. Yapabilecek becerisi, gücü olsa, Faik'i elinden tutup yıllar öncesine götürecek, o zamanki Arif'i gösterecekti ona.

Sokaklardaki genç Arif'i ve Gülay'ı yeğeniyle birlikte takip edip, o tutkuya yabancı biriymiş gibi yeniden tanık olacaktı. Bunun imkânsızlığı omuzlarını çökertti, yüzünde kendisine ait olmayan bir ifade taşıyordu. Artık hayatla bağları eskisi kadar güçlü değildi. Sesi daha gür, daha arzulu, gözlerindeki ışık daha ikna edici olmaz mıydı? İçindeki korku, yaşadığı her gün için "Bu son günüm mü" diye soran bir sesin eseri değil miydi?

Bunu nasıl söyleyebilirdi ki Faik'e "Ben ölüyorum," diyebilir miydi?

Pencerenin önünde amaçsız bir iki adım attı, yeniden yatağın ucuna ilişti, Faik'e baktı, kolunu yüzüne siper etmiş, derin derin soluk alıp veriyordu. Arif yavaşça kendini yatağa bıraktı, ellerini karnında birleştirip, gözlerini tavana dikti, dudaklarından mırıltı halinde bir iki ses çıktı ama o seslerin ne anlama geldiğini, ne demeye çalıştığını kendisi de kestiremedi.

Gözkapaklarını yavaş yavaş kapatırken, "Bilmiyordum," diye mırıldandı, artık ne dediğini duyuyor, anlıyordu; bir süre sustu, sonra yüzünde, her an yanlış bir şey söyleyebilecek olmanın kaygısıyla yeniden konuştu.

"Hiç aklıma gelmemişti ki bilseydim daha önce konuşurdum. Artık unuttuğumu sandığım şeylerin unutulmayacağını biliyorum, geçmişimizin kirli olmadığını söylesem seni rahatlatmış olur muyum? Yanıt verme, konuşmak istemiyorum artık," dedi ve sustu. Elinde olsa, Faik'e oracıkta bir hikâye anlatırdı. Öleceğini bilen bir insanın son çırpınışlarını, çaresizliğini, sevgi arayışını anlatırdı yeğenine.

"Ben hiçbir şey soramazdım. Sadece söylenileni dinler, susardım, hep böyle olması gerekiyordu. Kendimi bilmeye başlayınca, eskisi gibi olamayacağımı anladım, korkuyordum da. Korkum büyüdükçe kendimi azat ettim.

Evden kaçtım.

Büyümek tuhaf bir yük oğul, aklın karışıyor, ayakların sana ihanet ediyor, fesadı tanıyorsun, kimsesiz olduğunu görüyorsun, nedenini bilmiyorsun ama akşamın, karanlığın yükü seni eziyor, sabahın serinliğini özlüyorsun, çayır çimenin üstündeki çiy tanesine elini sürmek istiyorsun, her şeyi en baştan başlatan gün ışığını istiyorsun, kimseler sana çıkar yol göstermiyor.

Dedim ki kendi kendime: 'Eğer sen Arif'sen, al başını git, kendini öldürme köyde, buralar senin için değil, aklını kullan, kimseye muhtaç olma, el açıp dilenme, çalış, kazan, kendin harca, adam olduğunu ispat et, o zaman bunu niye yaptın, şunu niye şuraya koymadın diyemez kimse. İzin vermezsin zaten.'

Çulumu çapıtumu toplayıp şehre yerleştim. İş bulup çalıştım. Kimselere muhtaç olmadım. Ama aklımın ermediği şey o kadar çoktu ki öğrenmek de o kadar kolay değildi. Kasabadan seni yolcu ederken önünde duramayacağımı biliyordum oğul; beni yanlış anlayacağından, kınayacağından korktum. Aklın karışsın istemedim.

Dedim ki: 'Nasıl olsa eve giden yolu biliyor, istediği zaman geri döner. Kimse de niye geri geldin diyemez.'

Ben giderken arkamda birini unutmuştum, onun çektiği eziyetleri bir ben hafifletebilirdim. Allah yardımcım oldu da zamanında köye geri döndüm.

Sultan'ı babamın elinden kurtardım. Yapabileceğim bu kadardı.

Şimdi her gün, 'Babamın dediğini yapsaydım, Sultan hayatta olur muydu?' diye soruyorum kendime.

'Babamın gördüğüne, bildiğine kulak tıkamasaydım, Sultan'ın genç kızlığında çektiği o acılar daha çabuk iyileşir miydi?' diye kendi kendimi yiyorum.

Babanı kaçakçılığı bırakması için ikna edebilseydim, her şey başka olurdu. Bunları sorup durmamın bir şey değiştirmeyeceğini biliyorum, seninle konuşmak, üzerimdeki yükü hafifletmek istedim hep. Ama olmadı, yapamadım.

Bir gün Sultan dedi ki: 'Ben ölünce oğlanı al İstanbul'a git, orada büyüsün. Ona babalık yaptın bugüne kadar. Benden bir şey beklemesin, kendime hayrım yok ki ona bir hayrım dokunsun.'

Kızdım, bağırdım, 'Sen onun anasısın,' dedim. 'Ayağa kalk, elinden tutup oğluna sahip çık,' dedim.

Yüzünü duvara dönüp, 'Ben öleceğim,' dedi."

Arif sustu. Otel odasına akşamın kızıllığı çökerken, dışarıda başlayan yağmur pencerenin camını, beklenmeyen bir misafir gibi tıkırdatıyordu. Arif, başını pencereye doğru çevirirken derin bir nefes aldı. Yataktan kalkıp ceplerinde bir şeyler arandı, aradığını bulamadı.

"Sigaran var mı?" diye mırıldandı.

Senin İçin Değil

Faik, bir koluyla yüzünü kapamış, boylu boyunca yatakta yatıyordu hâlâ, boştaki eliyle ceplerini yokladı, sigara paketini yanındaki yatağa atarken kolunu yüzünden çekti, yüzündeki ifadeyle, gözleri kırmızıya boyanmış, hayal ürünü bir hayvana benziyordu. Birden yataktan doğruldu, dayısı sigara paketine elini uzatmadan paketi geri aldı, bir sigara yakıp dayısına uzattı, bir sigara da kendine aldı.

Tavandaki çıplak ampule doğru dumanlar yükselirken Arif yeniden konuşmaya başladı, unutmak istediği her şeyi anlattı. O güne kadar yaşadığı sessizliğin acısını çıkarmak değildi niyeti; kaybolmaktan korkuyordu, aklı başında bir nehirdi de akacağı denizi arıyordu, kendi kendisine sorular soruyor, sonra bunları yanıtlamaya çalışıyordu.

Ölümü yaklaşan adamın hikâyesi dışında her şeyi anlattı.

Faik, yıllardır başkalarına anlattığı hikâyelerin bilmediği ayrıntılarını keşfeden, sessiz bir gezgindi. Dayısının anlattığı her olay, dışarıdaki hayata karşı Faik'i çıplak, hatta derisiz bırakıyordu, artık kendisine dokunan her şeyin eskiye göre daha acıtıcı olacağını biliyordu.

Gece yarısına doğru konuşmaktan yorulan Arif, bedenini yatağa bırakmadan önce, odayı bir sis bulutu gibi kaplayan sigara dumanını gecenin karanlığına kovmak için pencereyi açtı. Yağmurun sesine karışan bir iki sarhoş narası odadaki sessizliği, dinginliği bozmaya yetmedi.

Arif, üzerine battaniyeyi çekip, gözlerini yan yatakta bağdaş kurmuş oturan, bir yandan da sigara içen Faik'e dikti, saatlerdir konuşan, az önce son sözlerini söyleyip o yatağa uzanan kendisi değilmiş gibi, büyük, sonsuz bir boşlukta akıyordu, yeğenine sormak isteyip soramadığı soru yine boğazına düğümlenmiş, ağzı kurumuştu.

Faik, parmakları arasındaki sigarayı önündeki küllüğe bastırıp söndürdü, yataktan kalktı, küllüğü gecenin karanlığına döküp, pencereyi kapattı.

4

O gece bilmenin ağırlığıyla uyudu Faik. Düşlerinin bu denli birbirine girdiği bir uykuyu daha önce uyumamıştı. Uyku tutmayan gecelerin ağırlığı hep bir yanında duruyordu oysa usulca uykuya açılmak istemişti her zaman, bedenini, ruhunu, gözlerindeki mücevheri, hayallerindeki bilinmezliği teslim ederek, o dünyanın kapısından sorgusuz sualsiz geçip teslim olmak isterdi. Yeni bir dünyada var olduğunu biliyordu uyurken, bir yandan da bu yeni dünyanın, gerçek hayattaki varlığından şüphe duyuyordu. Bilinçli bir yok oluşun tasarlanmamış, söz geçirilemez gerçekliğiydi yaşanan.

Her şeyin yeniden başladığı, yeniden sonlandığı, yeniden yazılıp ezber edildiği, unutulanların aklın altındaki sır perdesinde açığa çıktığı, sonsuz kere büyütülebilecek bir fotoğraf kadar net görüntülerin iç içe geçtiği bir bilgi oyunuydu bu. Durmaksızın yağan karla kaplı yolda katırların nal izlerini, uzaklardaki evlerin solgun kırmızı ışıkları altında kaybolan çıplak kadın bedenlerini, sesleriyle yüzleri benzeşmeyen ölümlüleri gördü rüyasında.

Uyandığında pencereden giren ışık her şeyi göz alıcı bir sırla kaplamıştı. Yeniden yumdu gözlerini, sanki belirsiz bir iki sima ona bir şeyler anlatarak gelip geçti uykuyla uyanıklık arasındaki o ince çizgide. Başının iyice ağırlaştığını hissediyordu artık, her geçen dakika yataktan kalkması biraz daha zorlaşıyordu, oysa daha dün sabah, ondan önceki ve bir önceki sabah, kurulmuş bir saat gibi uyanıp yataktan kalkmıştı.

Gözlerini açmadan doğruldu, aylardır her gece görülen kâbusa uyanmaktan korkuyordu Faik, yaşanılanla arzu edilen yer arasındaki o uçurumun bir daha kapanmamak üzere açılma olasılığı bile yıllarca gözlerini yummasına gerekçe olabilirdi.

Faik, otel odasına açtı gözlerini, yanındaki boş yatağa anlamsız bir nesneymiş gibi baktı bir süre. Üzerindeki yorganı ve battaniyeyi bir kenara atıp ayağa kalktı, şimdi iki yatağın arasında ne yapacağını bilmeden dikiliyordu. İçgüdüleri, Faik'i dolaba yönlendirdi, dolabın kapısını gürültüyle açtı, çantayı çıkarıp yatağın üstüne bıraktı. Pencereye yöneldi, içindeki yalnızlık duygusunu bastıracak sesler arıyordu artık. Dayısının kendisini bırakıp kasabaya döndüğünden emindi.

Dışarıdaki uğultuyu dinledi bir süre, binaların çatılarını izledi, bulutlu gökyüzüne baktı, yine yağmur yağacaktı, ürperdi.

Faik çantayı açtığında küçük bir kâğıda eğri büğrü bir yazıyla yazılmış şu notu buldu: "Senin yapman gerekeni yapıyorum, beni bırakıp gidemeyeceğini biliyorum oğul, benim gitmem lazım. Habersiz bırakma beni, aklım sende."

Notun yazılı olduğu kâğıtta koca bir deste para vardı. Faik, notu okuduktan sonra, paraları aynı kâğıda sarıp, ceketinin iç cebine koydu. Odadan çıkmadan bir sigara yaktı, duman boğazında keskin bir yara açarak ilerledi, ağzında acı bir tat vardı.

Üçüncü Bölüm

Çıplak

Hepimiz saçmaya inanmak için
akla yatkın nedenler arıyoruz.

Lawrence Durrell

1

Otobüsün sarsıntısıyla gözlerini açtı.

Feribotun kapakları, yorgun, metalik bir sesle kapanırken, egzoz kokusunun sinsice ilerlediği daracık koridoru küçük adımlarla geçti, merdivenleri inerken o keskin koku burnundan beynine giden ince bir sızıya dönüştü.

Büyük bir hangara benziyordu burası, otobüslerden, kamyonlardan, otomobillerden inen uykulu yüzler araçların arasından dolanıp gözden kayboluyordu. Genç bir çiftin peşine düştü, dik bir merdiven çıktı onlarla, geniş sahanlığa ulaştığında feribotun keskin düdüğü, yola çıktıkları haberini verdi.

Neye, nereye bakacağını bilemiyordu; denizin koyu mavi kokusu, körfezin sona erip, sis pus arasında gizlenen fabrikaların başladığı çizgi, çıplak tepelere sinmiş garip bir yok oluş hüznü, topyekûn Faik'in içine işlenmiş bir sır oldu.

Feribotun üst katını bir mürit gibi birkaç kez tavaf etti, oturma salonuna geçmek istemedi. Uzun ahşap sıraya oturup, kıyıdan uzaklaştıkça küçülen evleri, belirsiz noktalar haline gelen insanları izledi.

Otomobiller, yolcu otobüsleri, kamyonlar öyle ustaca park edilmişti ki en küçük bir boşluk bile kalmamıştı feribotta. Portakal sandıkları yüklenmiş büyük bir kamyonun arkasına yaşlıca bir adam maymun gibi tırmanıp, sandıkların üstüne bağdaş kurdu, sadece kendisinin bildiği bir ritüeli yerine getirircesine portakal soymaya başladı, sonra nedense arkasına baktı, tedirgin olmuştu, mahcup bir tebessümle, "Portakal ister misin delikanlı?" diye seslendi. Faik, bir şey söylemeden araca doğru yaklaşıp elini uzattı.

Adam kasadan bir portakal alıp Faik'e attı.

Yaşlı adam, yüzünde çirkin bir çocuk gülümsemesiyle bir dilim portakalı ağzına atıp, bakışlarını uzaklaşan kıyıya çevirdi.

Faik avucundaki portakalı çevirip burnuna yaklaştırdı, kokladı, parmaklarını portakalın pürtüklerinde gezdirip yeniden kokladı.

Feribotun ardında bıraktığı köpüklü dalgalara bakarken, bir martı denize daldı, yeniden havalandı, feribotun üstünde bir iki daire çizdi, portakal sandıklarının üzerindeki adamın az ötesine kondu, gagasını dik tutmaya çalışarak etrafına bakındı.

Martının bakışları Faik'i arıyordu, sonra ne olduysa, iki göz birbirinin gözbebeklerinde kayboldu. Mavi bir girdap aklını başından aldı Faik'in.

Annesinin gözlerinde buldu kendini, o ölüm gecesi, annesinin ölmek için yalvaran gözlerindeki son ışık Faik'in bütün bedenini, göz alıcı bir aydınlığa boğdu. Aklının en ücra köşelerine atmaya çalıştığı yalnızlık, annesinin gözlerinde geri dönmüştü. Parmakları arasında sıktığı yün yorganı, her geçen gün biraz daha eriyen annesinin yüzüne bastırırken gözlerinden dökülen birkaç damla yaş, şimdi denizden esip yüzüne vuran ıslak bir rüzgâra dönüşmüştü.

"Gardayım, az önce indim otobüsten," dedi Faik.

"Geçmiş olsun," dedi, telefonun diğer ucundaki ses.

Bahri'nin tarif ettiği pastaneyi buldu. Poğaça, salep istedi garsondan.

Masanın karşısındaki aynada uzun süredir görmediği sivil yüzüyle göz göze geldi, yanaklarındaki tuz lekelerini sildi. Avurtları sanki biraz çökmüş, daha da esmerleşen yüzündeki çizgiler derinleşmiş, gözlerinin altına belli belirsiz bir morluk gelip oturmuştu.

Uzun zaman geçmişti aradan; ne kadar uzundu geçen zaman? Düşle, yaşanılan arasındaki izafi zamanın ne kadarı gerçekten yaşanmıştı?

Buradaydı işte; hiç kimsenin hak etmediği bir hızla tüketildiği, küçük yoksullukların ülkesinde.

Eskiden ama gerçekten eskiden, insanların birbirlerine anlatmak isteyip anlatamadıkları sırları, kuytuların kulağına fısıldadıkları sonsuz aydınlıktaydı. Buradan her yere bir köprü kurabilirdi, resimlenebileceğine inandığı, yaşanılan hayatla, araf arasındaki bütün sırları kaldırabilecek köprünün üzerinde, sonsuz kere çoğaltılabilecek hayatlara tanıklık edebilirdi. Yapay bir güneşi tavaf eden bitkin müminler gibi, ellerini korkuyla önünde birleştirip, bilmediği, tanımak istediği hayattan şefkat dileyecekti besbelli.

Karanlığın bir rengi olmalıydı, her zamankilerden, bildiğinden başka bir renk, başka bir ışık; karanlığı da ışıktan yapabilirdi, biraz cesaret, biraz inat yeterliydi bunun için.

Bahri'nin kullandığı otomobil lojmana doğru ilerlerken yaşlı kadının yüzünü merak ediyordu Faik. Yer sofrasında bağdaş kurmuş, tükenmiş, arkası gelmeyen eski bir sevgiyi dilenen kadını düşündükçe içinde yükselen bulantıya engel olamadı. Lojmana giden yol biraz daha uzun olsaydı, Faik, nerede olduğuna bakmadan içinde ne var ne yok hepsini çıkaracaktı.

Derin bir soluk aldı, bedenini ele geçirdiğine inandığı korku cinlerinin çıkması için dua etmesine gerek yoktu, sadece biraz cesarete, inada ihtiyacı vardı. Dudaklarının kenarına mutlu bir tebessüm yerleşti. Bu bir armağan olmalıydı, gecikmiş bir armağan.

Artık her şeyi bilmek, konuşmak, soru sormak istiyordu, belki okumaya başlayabilirdi yeniden, kitaplık bile yapabilirdi kendine. Ferah bir manzaraya açılan bir pencereden bakıyordu şimdi, içine çektiği hava bir daha bedeninden ayrılmayacakmış gibi geldi, her şeyi kavraması için tetikte tuttuğu parmaklarına yürüyen kanı hissetti.

"Faik," diye bir çığlık atarak koltuktan fırlayıp, kollarıyla sıkı sıkı sardı, büzülmüş dudaklarını ilk defa Faik'in yanaklarına yapıştırdı.

"Neredesin be oğlum?" diye sitem ederken, yıllar kadının sesindeki kendine güveni büyütmüş, bedenine ise acımasız davranmış gibi geldi Faik'e.

Yüzündeki o çocuksu, bitkin korku gitmiş, genç bir kızın, hayatı yavaş yavaş, olduğunca kavramasından sonraki bildik özgüven gelmiş, elmacık kemikleriyle dudakları arasındaki karanlığa ışık vermişti.

Sofrayı salonun ortasındaki büyük masaya kurdu kadın.

Bahri, dudakları arasındaki sigarayla mutfaktan çıktı, tabakları masaya dizerken Faik'e baktı. Bir kabahat işlemiş de kusurunu affettirmek isteyen birinin sıkılganlığıyla, "Eee, şimdi nasılsın?" diye mırıldandı.

"İyiyim," dedi.

"Bunca şeyden sonra?"

"Bunca şeyden sonra," dedi Faik.

Yemek boyunca konuşmadılar. Kadın arada bir tabağından başını kaldırıp, hâlâ karşısında durup durmadığından emin olmak için Faik'e bakıyor, gülümsüyordu.

Yemekten sonra kadın televizyonun başına geçip gözlerini ekrana dikti.

✦ ✦ ✦

Bahri'nin parmakları sabırsızca masada dolaştı, kaşıkları, çatalları, kirli peçeteleri bir tabakta topladı, masa örtüsündeki ekmek kırıntılarını eliyle itekleyerek bir peçeteye silkeledi, sigara paketiyle bir süre oyalandı, sonra yarım kalan bir sözü varmış da tamamlamazsa olmazmış gibi konuşmaya başladı.

"O yaz sınava girdim. Beni almayacaklarından öyle emindim ki sınav sonuçlarının asılacağı tarihi bilmeme rağmen gidip listelere bakmadım. Birkaç hafta sonra mektup geldi. Beni kabul etmişler okula. Kesin kayıt için gerekli evraklar ve kayıt tarihleri vardı mektupta. Ne halt edeceğimi bilemedim. Babamı arayıp böyle böyle, dedim. 'Aferin benim oğluma, seninle gurur duyuyorum,' dedi. Gözlerim doldu. İnsan bir tuhaf oluyor, bana mümkün değilmiş gibi geliyordu. Böyle şeyleri başarmak için sanki başka bir yerde büyüyüp, başka bir bilgiyi, kültürü almak gerekiyordu. 'Neyin eksik oğlum, söyle göndereyim, paraya ihtiyacın var mı?' diye sordu. İnsan neyi, niçin yaptığını bilmeyince kötü hissediyor kendini, başarılı bile olsa. Korkuyordum biliyor musun? Okul başladıktan sonra birkaç ay kâbus gibi gelmişti. Dersler, etütler, fiziksel eğitimler, okunacak kitaplar, itaat edilecek emirler, girilecek sınavlar... Hâlâ, 'Benim ne işim var burada,' diyerek, çalıştığım ofisin kapısından yabancı biri gibi giriyorum bazen. Halbuki bunca zamandan sonra gözlerimin alışması gerekiyordu bu manzaraya. Sonra bir çıkış buldum kendime. Ben savaş stratejileriyle yaşayabilecek biri değilim. Hukuk okumaya karar verdim, şimdi de durmadan sınavlara girip çıkmam gerekiyor. Üniformamı giyip derse giriyorum, bir gün bu da biter. Daha fazlasını istemenin anlamsız olduğunu biliyorum çünkü. Başka çıkar yol yokmuş gibi geliyor bana. Ama yine de senin şu haline imreniyorum. İstediğin zaman alıp başını istediğin yere gidebilirsin. Sen ne yapacaksın İstanbul'da?"

"Arayacağım," dedi Faik gülümseyerek.

2

Cüzdanındaki irili ufaklı, kimi sararmış, kimi epriyip yırtılmış kâğıt parçalarını çıkarıp gözden geçirdi, artık işe yaramayacağını düşündüklerini lime lime parçalayıp çöpe attı, bir kısmını yeniden cüzdana koydu. Kâğıtlardan birine uzun uzun baktı, kargacık burgacık yazıları zar zor okunuyordu.

Sokağın adı doğruydu. Daha önce bildiği bir yapıymış gibi apartmana baktı; eski, kirli bir yapıydı. Apartmanın önünde kısa bir süre turlayıp, sokağın alt köşesinde beklemeye başladı.

Bir sigara yaktı, sonra bir sigara daha. Biraz daha bekledi. Top oynayan birkaç çocuktan başka kimseler yoktu ortalıkta.

Sokağı bir ucundan diğerine yürüdü, gözü hep aynı apartmandaydı, bir süre sonra yan sokaklardan birine sapıp yokuş aşağı yürüdü. Bir kahvehane aradı, canı çay içmek istiyordu.

Ertesi gün yine aynı köşe başında bekledi. Bu kez kararlıydı, gerekirse sokaktaki insanlarla konuşacaktı. Ama kiminle konuşacağını, kime ne soracağını bilmiyordu. Beklemekten sıkıldı, sokağı bir baştan bir başa ağır adımlarla birkaç kez yürüdü. Beklediği her kimse bu sokaktan geçmeyecek, o apartmandan çıkmayacaktı herhalde.

Birkaç gün sonra apartmanın zillerindeki isimleri okudu, sokak kapısından içeri girdi, aradığı ismi bulmuştu, kapının önünde tereddütle bekledi bir süre. Zile bastı. Kapının açılmasını bekledi.

Tekrar zile bastı, kapıyı açan yoktu. Kapının açılmayacağından emin, uzun uzun bastı zile.

Merdivenleri inerken küçük bir çocuk, elinde okul çantasıyla yukarı çıkıyordu; apartmandan dışarı çıktı, sokağın ucuna dek yürüyüp arkasına baktı, sokak bomboştu, yokuş aşağı inmeye başladı.

"Seni biriyle tanıştıracağım bu akşam," dedi Bahri.

Otomobil dik bir yokuştan iniyordu, arada yan sokaklara sapıyor, sonra yeniden yokuş aşağı iniyordu.

Daracık bir sokaktan geçerken Faik, "Bana bir ev bulalım," dedi.

Bahri, çilli, kırmızı yüzüne yakışmayan şaşkın bir bakış atıp, gözlerini yeniden yola dikerek, "Rahat değil misin bizde?" diye mırıldandı.

"Rahatım. Ama kendi düzenimi kurmak istiyorum."

"Sen bilirsin, ne istiyorsan onu kur. Paraya ihtiyacın varsa verebilirim. Dert etme böyle şeyleri."

"Şehri gezip duruyorum," dedi mırıldanarak Faik. "Senin kartpostallarındaki, kitaplardaki İstanbul'u görürüm diye. Sen anlatırken hayal ederdim buraları, şimdi ise, otobüse atlayıp sokak sokak dolaşıyorum şehri. Gezip görmüş gibi anlatırdın İstanbul'u hatırlıyor musun?"

Bahri, "Yazıyordum, di mi?" dedi.

"Bilmem, yazıyor muydun?"

"Ben biliyorum, demek hoşuma gidiyordu. Kitaplarımı okuyor, kartpostallarıma bakıyor, 'Bu ne, bu ne?' diye soruyordun, ben de kendimce anlatıyordum. Senin inatçı meraklılığın hoşuma gidiyordu."

"İnatçı mıydım?"

Bahri, otomobili bir apartmanın önüne park etti. Direksiyondaki parmakları her zamankinden daha sabırlı, dingin hareket ediyordu, birden buz gibi gözlerini Faik'e dikti, "Öğrenme isteğin beni korkutuyordu," dedi.

"Sen, benden daha çok okuyordun, daha istekliydin," dedi Faik.

Elini çenesine dayanak yapıp, kolunu pencereye yasladı; Faik'e biraz daha uzaktan bakmak için. Dilinin ucuna gelenleri söyleyip söylememekte küçük bir kararsızlık yaşadıktan sonra, dili çözüldü.

"Bizde kaldığın bir gece seni rüyamda görmüştüm. Elinde bir çuvalla girdin sokak kapısından, hiçbir şey söylemeden odama daldın. Ben de ardından koşturdum. Masanın üstündeki bütün kitapları çuvala doldurdun, yatağın kenarındakileri gözlerimin içine bakarak alıp çuvala tıkıştırırken, 'Senin bunlara ihtiyacın yok,' dedin. Ben aptal aptal sana bakıp olanları anlamaya çalışıyordum. Niyeyse, çaresiz, yaptıklarına boyun eğiyordum. 'Anlamadan okuyorsun bunları zaten,' dedin. 'Evet, anlamıyorum ama okumak istiyorum,' diye direttim. 'Salak mısın sen?' diye azarladın beni. Ağlamaya başladım, hıçkıra hıçkıra ağlıyordum. Babam girdi odaya. 'Kitaplarımı alıyor baba, söyle bıraksın,' dedim. Yanına gelip senin başını okşadı. 'Bir şey olmaz oğlum, o Faik, arkadaşın senin, okur, sonra getirir kitapları,' dedi. Ne yapacağımı bilemiyordum, oradan oraya koşuşturmaya başladım, annem mutfakta yemek yapıyordu. 'Anne kitaplarımı alıyor Faik,' dedim. 'Geri getirir. Aç mısın?' diye sordu. 'Aç değilim, Faik'in kitaplarımı almasını istemiyorum,' diye bağırdım. 'Senin karnın aç, yemek ye sinirlerini yatıştırır,' dedi annem. Yeniden odaya koştum, babam sedire oturmuş seninle kahve içiyordu, kitapları doldurduğun çuvalı bacaklarının arasına sıkıştırmış, pis pis sırıtıyordun. 'Bırak lan kitaplarımı,' diye yüzüne bağırdım."

"Ben ne yaptım?" diye sordu Faik.

"'Bu çirkin çocuk senin oğlun mu?' diye sordun babama."

Konuşmadan birbirlerine baktılar.

Yıllardır sırtında taşıdığı ağır taşı yere bırakmanın rahatlığıyla Bahri gülümsedi.

Otomobilin açık camından, "Merhaba," diyerek başını uzattı kısa saçlı, esmer bir genç kız.

Geldikleri yokuştan yukarı çıkarken Bahri, gözucuyla Faik'e bakıp, "Nereye gitmek istersin bu gece?" diye sordu.

O gece, Beyoğlu'nun ara sokaklarında dolaşırken, darbuka ve ut sesinin yükseldiği meyhanelerden birine girdiler. Rakı bardakları birbiri ardına kalkarken, Faik, karşı duvar kenarındaki masalardan birinde o kızı gördü. O yüzü tanıyordu, sanki o sokakta beklerken yanından gelip geçmişti. Kızın küçük yüzünde daha önceleri kimselerde görmediği, göremeyeceğini de bildiği bir tebessüm vardı.

Bahri'nin kız arkadaşı uzun uzadıya, çalıştığı işyerini anlatıyordu, arada bir Faik'e dönüp anlattıklarının ne kadar hayret uyandırıcı olduğunu onaylamasını istiyordu.

Faik, peş peşe içtiği rakılardan sonra, bir boşluğa bakar gibi gözlerini karşı masadaki kıza dikti.

Kız bir ara sustu, Bahri eğilip kızın dudaklarına bir öpücük kondurdu.

Faik, karşı masadaki genç kızı izlemeye devam ediyordu, genç kız arada bir sağ elinin işaretparmağıyla gözünün önüne düşen iki tutam saçı kulağının arkasına sıkıştırıyor, yanındaki sandalyede oturan erkek arkadaşının, yanağına kondurduğu öpücüklere, sevimli, memnun gülücüklerle karşılık veriyordu.

Faik, birden, Bahri'yle kız arkadaşını masada bırakıp, genç kıza doğru birkaç adım attı. Masadaki gözler Faik'in varlığını hissetmiş, merakla onu izliyorlardı. Genç kızın ve yanındaki arkadaşının şaşkın bakışları arasında Faik, kızın kulağına eğilip bir şeyler mırıldandı.

✦ ✦ ✦

Apartmandan genç bir kız çıktı, gözlüğünü düzeltip, sokağı şöyle bir kolaçan etti.

Koltuğunun altında bir dosya vardı, hızlı adımlarla sokağın köşesinden döndü.

Faik, kızın ardından gitti, onunla yokuş çıktı, otobüs durağında bekledi, otobüse bindi, onunla aynı durakta indi, aynı büfeden tost alıp yedi. Kaldırımda birkaç adım arkasında yürüdü.

Üniversitenin kapısına geldiklerinde durup bekledi, kız kapıdan içeri girip gözden kaybolduğunda bir sigara yaktı, sonra bir sigara daha yaktı.

Genç kız, okuldan iki kız arkadaşıyla çıktı, otobüs durağında arkadaşlarından ayrıldı, biletini hazır edip bekledi, otobüse bindi, indi, oturduğu apartmanın kapısından girip gözden kayboldu.

Birkaç hafta genç kızı takip etti Faik, artık haftanın hangi günleri, hangi saatte okula, kütüphaneye gittiğini, nerede kimlerle buluştuğunu biliyordu.

Bir gün, otobüste kızla göz göze geldi. Faik'in bütün vücuduna topluiğneler saplanmaya başlamıştı, genç kız gözlerini dikmiş ısrarla ona bakıyordu.

Yavaşça boynunu eğdi Faik.

Soğuk bir sonbahar akşamı, sokağın köşesinde apartmanı gözetliyordu. Yağmur çiselemeye başlamıştı ki apartmandan kızla birlikte bir kadın çıktı.

Faik, hayalle gerçek arasındaki o hikâyelerden tanıyordu kadını. Yanlarına gidip konuşmak istedi, kadına her şeyi anlatacaktı. "Bir arkadaşınız verdi adresi, aynı otobüste yolculuk ettik bir süre, sizi iyi tanıyormuş" diyecekti.

Sonra, ne diyecekti sonra?

Ya, "Ne istiyorsun?" diye sorarsa.

Bir şey istemiyordu, ne diyeceğini, ne demesi gerektiğini bilmiyordu. Niçin kadını arayıp bulduğunu, sokağın ortasında onu niçin rahatsız ettiğini açıklamayacaktı, vazgeçti.

Kendi kendisine bir şeyler mırıldandı, dudaklarından çıkan mırıltıyı yüksek sesle söyleseydi, utancı bir kat daha artacaktı sanki, fark edilmemek için sokağın köşesinden iki adım geriye gitti, parmakları ceketinin yakasındaydı, yakayı kaldırıp, çenesini göğsüne gömdü, yüzündeki ateş harlandı, iyi bir yağmur yağsın istedi.

Birkaç gün sonra aynı köşe başında kızı beklemeye başladı. Kız okula gidecekti, apartmandan çıktıktan sonra durağa doğru ilerleyecek, cebinden otobüs biletini çıkaracak, otobüsün gelmesini bekleyecekti.

Sokakta kimseler yoktu. Faik, olduğu yerde kalakaldı, ayakları bir adım dahi ileri gitmiyordu, bütün vücudu uyuşmaya başlamıştı. Cebinden bir tütün tabakası çıkardı, parmakları sancıyordu, ağır ağır tütün sarıp, sigara dumanını havaya salmak istiyordu.

Saate baktı. "Olmayacak," diye mırıldandı kendi kendine.

Bir daha o köşe başında beklemedi; o apartmanın etrafında dolaşıp evin ziline basmadı; o kızı takip etmedi.

Tek katlı bir evdi, avlusu yoktu ama mutfak kapısından etrafı duvarlarla çevrili bir bahçeye çıkılıyordu. Bahçe bakımsızdı; yıllardır budanmayan bir incir ağacının gölgesinde, eski bir sandalye vardı; ağacın az ötesinde cılız bir salkımsöğüt, ondan birkaç metre ileride, bahçeyle birlikte evin çevresini dolaşan bakımsız, yosun tutmuş duvar başlıyordu.

Evin sahibi yaşlı kadın, elinde anahtar, salonun bir köşesinde dikilip Faik'in evi gezmesini izledi, sonra kendi kendine bir şeyler homurdandı.

Faik, kadının yüzündeki memnuniyetsizliğin nedenini sorma gereği duymadan, "Tamirat ister," dedi.

"Tutmayacaksan beni oyalama," dedi kadın.

"Tamirat ister," diye yineledi Faik.

"Senin evi tutmaya niyetin yok oğlum. İşim gücüm var benim. Tamirat da olacak, boya da isteyecek; ev bu, paşa gönlün bilir," diye çıkıştı.

Birkaç gün sonra evin tamiratına başladı Faik. Uzun bir hortumla yıkadığı duvarlardan sarı bir kir boşaldı. Eve sinen rutubet kokusu yerini suyun serinliğine bıraktı, ertesi gün ıspatulayla duvarları kazıdı, dökülen sıvaları onardı, çivi deliklerini, köşe duvarlardaki kırıkları alçıyla kapattı. Duvarları, kapıları, pencereleri baştan aşağı boyadı, çatıyı gözden geçirdi, mutfak taşını değiştirdi.

Bahri'yle eskicileri dolaşıp masif, yuvarlak bir masa, dört tane ahşap sandalye, beyaz formikası aşınmış bir elbise dolabı, kaidesi yana yatmış ama kolayca tamir edilebilecek bir askılık, mutfaktaki kabı kacağı koyabileceği küçük, ahşap bir dolap aldı.

Pencerelere tül ile güneşlik taktı. Bahri'nin getirdiği bir iki parça kilimle yolluğu odaya serdi. Masayla sandalyeleri salonun ortasına yerleştirdi, tavandan masanın ortasına yükselip alçalabilen bir lamba yerleştirdi.

Evdeki ilk akşamında, yola bakan pencerenin altına bağdaş kurup, sırtını duvara yasladı. Salondaki büyük boşluğu kapamaya yetmeyen birkaç parça eşyaya başkasının malıymış gibi bakıp, gözlerini boş duvarlarda gezdirdi.

Tütün tabakasını çıkardı, sigara kâğıdını parmaklarının arasına yerleştirip, tütünü kâğıda yaydı, kâğıdı ağır ağır yuvarlayıp, ucunu diliyle ıslattı. Sigarayı dudaklarına kondurup yaktıktan sonra, bir sigara daha sarıp tabakanın içine yerleştirdi.

Tütün tabakasını, postayla, genç kızla kadına göndermeye karar verdi. Nasıl olsa onları bir daha görmeyecekti.

Camın tıkırtısıyla bağdaş kurduğu yerden kalktı, sokak kapısını açmaya giderken bir kez daha salona baktı, hâlâ çıplak, soğuk, hatta biraz karanlıktı.

"Bitirdin mi işleri?" diyerek kolunu Faik'in omzuna attı Bahri.

Faik'in yanıtını beklemeden odaları, mutfağı dolaştı, sonra bahçeye çıkan kapının önünde durup, evi doğaüstü mahlukatlardan koruyan yaratıklarmış gibi duran ağaçların karaltılarına gözünü dikti Bahri.

Birlikte bahçeye çıktılar, uzaklardaki apartmanlardan ölgün ışıklar göz kırpıyordu.

"Ne yapacaksın şimdi? Sana bir iş bulmak lazım. Belki bir konfeksiyon işi ayarlayabiliriz, ne dersin?"

Faik bir şey söylemedi, içeri girip salondaki masaya oturdu. Bahri, çekingen adımlarla odanın kapısında belirdiğinde, yüzündeki endişeyi gizleme gereği duymadan, "Canını mı sıktım?" diye sordu.

"Canımı sıkmadın. Ne yapacağımı ben de bilmiyordum. Ama artık biliyorum; boya yapacağım, başkalarının yanında çalışmak istemiyorum, takım taklavat, bir de araba almam gerekecek," diye mırıldandı Faik.

"Gerçekten bu işi yapabilecek misin?"

Faik, "Ustamın öğrettiklerine güveniyorum," dedi gülümseyerek.

"Doğrusunu sen bilirsin. Hadi kalk, yolda konuşuruz, annem senin için yemek hazırladı."

3

"Salih'i tanıdığımda çok zeki biri olduğunu düşünmüştüm; zekiydi de. Aynı zamanda düşüncesiz; belki haksızlık ediyorum; hesapsız, evet hesapsızdı. Yaptığı ve yapacağı şeylerin sonuçlarını çok fazla düşünmezdi. Zamanının çoğunu sendikada, partide geçirdiğinden bir süre sonra bunların dışında konuşacak o kadar az şeyimiz kalmıştı ki evliliğimizin nasıl böyle bir hal aldığını düşünmeye fırsat bile kalmadan yeni yaşamımızı olduğu gibi kabul ettim. Okul okul dolaşıp, kendini örgütlenme işlerine verdi. Şimdi düşünüyorum da ne kaldı geriye diye; kocaman bir hiç demeye içim elvermiyor. Boşuna değildir o çalışmalar, mutlaka birilerini bir yerlere sevk etmiş, birilerini uyandırmış, harekete geçirmiştir, yine de insanın içi acıyor biliyor musun? Hayatını koyuyorsun ortaya, yumuyorsun gözlerini, başına gelecek her türlü belayı göğüslemeye hazırlıklısın, bütün bunları yaparken birilerinin arkanda olduğunu düşünüyorsun. Bir de bakıyorsun, yalnızsın. Sanıyordum ki Salih'i koruyacak birileri var, en azından partililer yalnız bırakmaz onu. İçimizden biri sendeledi mi, tutup onu ayağa kaldıracak güce sahibiz sanıyordum. Gençliğimizde daha temkinli, daha sağlam adımlar atıyormuşuz meğer. Büyüdükçe gözümüz kararmış. Gülsevil doğduğunda biraz duruldu. Galiba korkmuştu, o gözü kara adam gitmiş, yarın ne yapacağını kestiremeyen yeniyetme bir taze gelmişti yerine. Çay ister misin?"

"Olur," dedi Faik.

Salonun ortasındaki uzun masadan yavaşça ayağa kalktı, küçük plastik tepsiye çay bardaklarını koyarken dudaklarının ucuna mahcup bir tebessüm yakıştırdı.

Diğer odalardaki eşyaları öbek öbek salona yığmış, eski çarşaflar, naylonlar ve gazete kâğıtlarıyla üstlerini örtmüşlerdi.

Arka odada kesintisiz devam eden ıspatula sesi evde işin devam ettiğinin tek belirtisiydi. Rutubet, duvarlarda beyaz pamukçuklardan, kara lekelerden soyut resimler çizmiş, odayı zehirli bir yosun gibi işgal eden keskin nem, genzi yakan acı bir ilaç kokusuna dönüşmüştü.

Faik, "Biraz zor olacak Gülay Hanım, rutubeti içerden kesebilir miyim bilmiyorum," demişti.

Küçük, plastik tepsiye yerleştirdiği çay bardaklarıyla salona döndü Gülay.

"Galiba, Salih başına gelecekleri biliyordu. Onun en sevdiğim yanı, hayatında ters giden bir şeyler varsa, onu çözüme kavuşturduktan sonra, olağan, herhangi bir şeymiş gibi sorunu bana anlatmasıydı," dedi, tepsiyi masaya bırakırken.

Faik, çay bardağını önüne çekerken, "Bir şeyler hissetmez miydiniz?" diye sordu.

Yüz çizgilerinin olgunluğuna yakışmayan, acemi bir tebessümle baktı. Yanaklarına çöken kızıllık, masum bir çocuğun mahrem bir soru karşısındaki çaresizliğinin göstergesiydi.

"Ne değişirdi ki?" dedi.

Söyleyecek başka söz bulamıyordu, ellerini masanın üstünde birleştirdi, aklından uçup giden şey her neyse onu yakalamaya çalışıyormuş gibi bir hali vardı, sonra odada başkaları da varmış gibi fısıltıyla, "Değişmedi de zaten. Kolay olacağını sanıyorduk, insan haklı olduğuna inanınca, çevresindekilerden takdir göreceğini sanıyor. Yaptığı işe daha bir cesaretle sarılıyor. Benim, 'Dur yapma şu işleri,' diyecek halim mi vardı? Bir de, nasıl dersin ki!... Almış başını yürüyor, üstelik doğru şeyler de söylüyor; birinin elini ateşe uzatması lazım."

Üst üste yığılmış eşyaların en üstündeki resim çerçevelerine gözü kaydı Faik'in. Onların birinde, düğümü kalınca atılmış kravatı ilk defa boynuna geçirilmiş gibi iğreti duran, kalın çerçeveli gözlüğünün ardındaki gözbebeklerinde iki parlak ışık taşıyan o adamın yüzünü zihninde canlandırmaya çalıştı. O yüzün bir yanı eksik kaldı. Fotoğrafın ışığından mı, yoksa, o kalın çerçeveli gözlüğün adamın yüzündeki ifadeyi gizlemesinden mi ne, Faik yüzün ayrıntılarını hatırlayamadı.

"Onu terk etmeyi bir kere denemiştim," diye mırıldandı Gülay.

"Olmadı mı?"

"Ne olmadı mı?"

"Yani ayrılamadınız mı?"

"Ben bitirmiştim. Salih çocuk gibiydi, bir de aklında hep başka kadınlar olurdu, o halini görmeni isterdim, komikti. Hemen kendini ele veriyordu. Kadınlara karşı çok zayıftı, benimle tanıştığında eli ayağına dolaşıyordu, hiçbir zaman söylemedi ama ilk sevgilisi bendim ve beni kaybetmekten korkuyordu. Bunu itiraf ederse, elime koz vereceğini sanıyordu herhalde. Bana kulak verseydi ondan kolay kolay vazgeçemeyeceğimi anlardı. Sonra gözü açıldı, hep böyle olmaz mı?"

"Bilmem," dedi Faik.

"Bilirsin bilirsin! Senin sevgilin yok mu?"

"Var."

"Amma ağzın sıkıymış senin."

"Öyledir," dedi Faik gülerek.

Parmakları arasında çevirdiği çay kaşığını dudaklarına götürürken, Gülay'ın, aklarını boyayla kapattığı, omuzlarına dökülen saçlarına baktı. Faik'in yüzüne, engel olmadığı bir tebessüm yerleşmişti, kendisini kötü hissediyordu, şimdi bildiği bütün hikâyelerden kurguladığı yeni bir hikâye anlatmak istiyordu Gülay'a. İçinde kıpırdanan ivecenliğe engel olup, bir süre söyleyecek başka şeyler aradı. Gülay'ın gözleri hâlâ üzerindeydi. Sözcükler sihrini kaybetmeden onların resimlerini çizmek istiyordu Faik, eski bir hikâyeyi resimlemek, ayrıntılarından yeni hikâyeler çıkarmak için henüz geç değildi. Bir yandan da kendini tehdit altında hissediyor, elinde olmadan ağzından çıkacak bir sözle kendini ele vermekten korkuyordu. Ama ona kendi hikâyesini anlatabilirdi, günlerce bu evi izlediğini, onunla tanışmak için sokağın köşesinde sigara üstüne sigara içtiğini, kasabadaki sessizliği, şehirdeki yalnızlığı...

"Erol çok sessiz biri olduğunu söylemişti. 'Ama ketum değildir Faik,' dedi. Yoksa, duyulmasını istemediğin, gizli bir ilişkin mi var?"

"Öyle bir şey değil. Benden yaşça bayağı büyük bir kadına âşık olmuştum bir zamanlar, şimdiki sevgilim benim yaşlarımda. Tuhaf giden bir şeyler var, sanki duyarlı yanlarım kızgın bir şeyle dağlanmış gibi, biraz aldırmazlık, belki kirlenmişlik, ne bileyim, ne söylesem yanlış anlamalara açık, bayağı, adi; benim olmayan, tuhaf bir ilişki."

Faik, tedirgin edici bir yüzle kendisini izleyen Gülay'ın yüzündeki muzır ifadeye baktı.

"Âşık değilsin ama aşk arıyorsun. Çok ararsın!" dedi Gülay.

"Siz hiç âşık olmadınız mı?"

"Benim yaşımda bir kadının sırları olmalı."

Dudaklarından çıkan yanıta gülmemek için kendini tuttu Gülay. Sonra dirseklerini masaya dayayıp, yüzünü avuçlarının arasına alarak, soran gözlerini Faik'e dikti.

"Size âşık bir sürü erkek vardır. Onlarla başa çıkabildiğinizden kuşkum yok. Bana gelince, hâlâ yeniyetme biri gibi kadınları izlerken yakalıyorum kendimi; sonra kendime kızıyorum, bu bir saplantı halini alacak diye korkuyorum çünkü. Bazen bir kadının peşine takılıp, onu uzaktan takip ederim, hepsiyle bir şeyler yaşamış gibiyim. Kasabadayken böyle bir şey yapamazdım, o günlerin acısını çıkarıyorum belki. Peşine düştüğüm kadınlar hep bir yerlere gidiyor, bir apartmana giriyor, otobüse biniyor, erkek ya da kız arkadaşıyla buluşuyor. Kendimi takatı tükenmiş, hastalıklı bir ruh gibi bitkin hissediyorum. Oysa takip ettiğim kadınla birazcık konuşabilsem, beni biraz dinlese, hikâyemi bilse, söylediklerinden kendimce yeni hikâyeler çıkarsam, onun nasıl bir yerde yaşadığını, nasıl bir hayat düşlediğini, hangi insanları sevdiğini bilerek yanından ayrılacağım. Kör bir merak gibi gözüküyor di mi? Hayatındaki kadın nasılsa, onun kimliğine bürünüyor erkek, belki kadın için de aynısı geçerlidir, bilmiyorum. Birlikte olduğum biri var dedim ya; canı istediğinde beni bırakıp giden bir kadın. Elimi ayağımı bağlayıp, bir çırpıda onun önüne koyuyorum kendimi. Kasabada bunları konuşamazdım."

"Utanıyor muydun?"

"Hem de nasıl! Şimdi bunun saçma sapan bir şey olduğunu biliyorum. Artık çok düşünmüyorum, düşünmek de istemiyorum. Bu çabanın boş, insanı tüketen bir şey olduğunu öğrettiler bana."

"Daha iyisini yaşayabilirsin!"

"Nerede?" diye sordu Faik.

İkisi de artık susmaları gerektiğinin bilincine varmış gibi gözlerini salondaki yığıntılarda gezdirdiler bir süre.

"Böyle konuşabildiğine göre bayağı örselenmişsin."

"Bilmem, belki de. Evin boyası bittiğinde belki görüşmeyeceğiz bir daha. Belki size ait bazı sırlar biliyorum, içimdeki suçluluğu gizlemek için konuşuyorum sizinle."

Gülay bir kahkaha atıp, "Gerçekten biliyor musun?" diye sordu.

Yirmi yaşlarında, dal gibi ince, zayıf yüzünde hep karşısındakiyle alay ediyormuş gibi bir tebessüm taşıyan Recep, "Odanın tavanı bitti Faik Abi," dedi.

"Gel çay iç, nasıl olsa bugün bitiremeyeceğiz. Biraz dinlendikten sonra alçısını yaparsın," dedi Faik, babacan bir sesle.

"Yetişmez Faik Usta," dedi genç, bilmiş bilmiş sırıtarak.

"Niye, saat kaç ki?"

"Altıya geliyor."

"Fırçaları tinere koyup çık sen. Ben etrafı toplarım."

Daha Faik sözünü bitirmeden, koridorda bir çırpıda kayboldu Recep.

Faik, masadan kalkmaya niyetli bir harekette bulununca, "Otur otur, daha bitmedi. Ne sırrıymış o?" diye çıkıştı Gülay.

Tedirgin bir tebessümle yeniden masaya oturup, bir sır verir gibi, "Ne olabilir ki? Şunun şurasında sizi bir haftadır tanıyorum, hakkınızda neredeyse hiçbir şey bilmiyorum. Ama beni bir saatte çözdünüz," diye mırıldandı Faik.

"Ne öğrenmek istiyorsun?"

Gülay'ın gözlerindeki meydan okuyuşu hemen fark etti, yanlış bir şeyler söylemekten, yapmaktan korkuyordu, dudaklarından dökülecek her cümleyi dikkatle seçmek için biraz düşündü.

"Bir hikâye dinlemek istiyorum, hep aklınızda olan, kimseye anlatmak istemediğiniz, düşündükçe vücudunuza ateş bastıran, yalnızca sizin olan bir hikâye anlatın, belki hikâyenizin geri kalanını tamamlarım."

Zamanın bütün kabuklarından sıyrılıp, kendini somut, elle tutulur bir nesne gibi insanın önüne koyduğu o ender anlardan biriydi. Faik'in gözlerinin üstünde olduğunu biliyordu, bakışlarını odanın dağınık, kirli çehresinde gezdirdi bir süre, sonra kendi kendine konuşur gibi sordu.

"Neye yarar ki bu?"

Bir şey söylemeden Gülay'a bakmaya devam etti.

Bu kadının hikâyesini biliyordu, yine de emin olamadığı ayrıntılar vardı.

4

Gülsevil, aşklarını, ihanetlerini, aldatılmalarını, hayatına bir gece-
lik, bir haftalık bir aylık sürelerle girip çıkan erkeklerin her türlü pislik-
lerini, meziyetlerini anlatırken, annesi hakkında neredeyse tek kelime
etmiyor, hayatını, Gülay yokmuş gibi yaşıyordu.

Bütün çocukluğu babasıyla geçmişti sanki, sisli bir fotoğrafın gö-
rünmeyen ayrıntılarını ilk kez dillendiriyormuş gibi, Faik'e hep aynı
şeylerden bahsediyordu. O öldürülen adam, acı bir övünç kaynağı, Gül-
sevil'in kimliğini belirleyen biricik nitelikti. O, akıllı, inatçı, yakışıklı,
sevgi doluydu. Babasının hayatından ne zaman çıktığını çok iyi hatırla-
mıyordu ama elinden tutup onu gezdirdiğini, sıcak kolları arasına alıp
ilk defa otobüse bindirdiğini, deniz kenarına oturup gemilerin, martıla-
rın, denizde göremedikleri balıkların hikâyelerini anlattığını çok iyi ha-
tırlıyordu Gülsevil.

Seviştikten sonra konuşmaz, Faik'in hikâyelerini dinler, dinlerken
kimi zaman beklenmedik sorular sorarak, hikâyelerin ayrıntılarını öğ-
renmek isterdi.

Faik, onun karşısında çırılçıplak durabiliyor, sırlarını olanca çıplak-
lığıyla ona anlatabiliyordu.

Gülsevil'in pürüzsüz buğday teninin kıvrımlarına, karanlıkta bir çift inci gibi parlayan gözlerine bakıp, uzun uzun Salim Amca'yı, okulda kendisine âşık olan kızı, annesini, Arif'i, Bahri'yi, Terzi'yi, sokak sokak kasabayı anlatıyordu. Bir tek Naşit ile Gülten'den bahsetmiyordu. Onları anlatmaya başlarsa duramayacağından, içini yakıp kavuran ne varsa hepsini ortaya dökeceğinden korkuyordu.

Beklenmedik zamanlarda Gülsevil arayıp, "Uygun musun?" diye soruyordu.

Yüzünde masum ama her an bir suç işlemeye hazır haşarı çocuk tebessümüyle kapıdan girer, Faik'e sarılır, dingin bir nehirden su içer gibi dudaklarını onunkiyle birleştirir, aynı dinginlikle birbirlerinden ayrılırdı.

Özenle ceketini çıkarıp ahşap askıya astıktan sonra, gömleğinin üst düğmelerinden ikisini açar, doğrudan salona geçip, üstünden hiç kitap eksik olmayan masaya oturur, tabakasından bir sigara çıkarır, günün ilk sigarasını içer gibi tutkuyla dumanı içine çekerken, masadaki kitaplara bakarak Faik'in o günlerdeki ruh hali hakkında tahminlerde bulunurdu.

Aç olmasalar da Faik, masadaki kitapları üst üste dizer, evde ne var ne yoksa hepsini masaya getirir, mütevazı bir sofra kurardı.

Yemek yerken Faik'in bir elini avuçlarına hapsederdi, masadan kalkmak zorunda kaldığında, her defasında, "Nereye?" diye sorardı.

"Buradayım," derdi Faik, mutfağa ya da birkaç adım uzaklıktaki kitaplığa giderken.

Raflara dizili kitaplar arasında bir şeyler aranır, aradığı kitabı bulduğunda bir şey söylemeden Gülsevil'in önüne bırakır, bu defa Faik, onun parmaklarını avucuna hapsederdi.

İlgisiz bir yüz ifadesiyle, "Ne bu?" diye sorardı Gülsevil.

"Okudun mu?"

Gülsevil, "Hayır" anlamında başını sallayıp, dudaklarını büzüştürürdü, kitabın ilk sayfasını aralarken.

"Sende kalsın," derdi Faik.

"Bu kadar kitabı kasabada nerede buldun?"

"Uzun hikâye, bir gün anlatırım," diye geçiştirirdi Faik.

"Kitaplık kasabadayken yoktu herhalde?"

Faik, soruların arkasının kesilmeyeceğini anladığında avucundaki parmakları öperdi. Gülsevil, sandalyeden yavaşça sıyrılıp Faik'in kucağına bırakırdı kendini. Sofra, sevişme sonrasında bir şeyler atıştırmak için olduğu gibi bekletilirdi.

Gülsevil, sevişme sonrası ıslak bedenini çarşaflara yayıp, odada birileri onları dinliyormuş gibi fısıltıyla, "Bana bir hikâye anlat," diye mırıldanırdı.

"Sana dair bir hikâye anlatmamı ister misin?" diye sorardı Faik.

"Benim hikâyemi biliyor musun?"

"Sana dair bir hikâyem var. Ama sen yoksun içinde," diye gülümseyerek yanıt verirdi Faik.

"Hadi anlat, bir hikâye anlat," diye üsteler, gözlüğünü takıp, dağılmış saçlarını ensesinde toplar, bir sigara yaktıktan sonra kolunu başının altına destek yapıp, yüzünün sıcaklığını Faik'in dudaklarına geçirirdi.

Gülsevil'e kendi hikâyesini anlattı; kaçakçının oğlu ile dayısı arasındaki ürkütücü sessizliği, tedirgin edici sevgiyi betimledi. Kaçakçının oğlunun çaresizliğini, dayısının, yaşamın oyunları karşısındaki fukaralığını anlattı.

Zamanın birinde, döküntü bir otelin kirli çarşaflarına akıtılan gözyaşlarından; kıskanç bir yeniyetmenin anlamsız hesap sormalarından; gecenin tedirgin, ürkünç, zifiri karanlığının, o kadının varlığıyla her şeyin nasıl başka bir şeye dönüştüğünden bahsetti.

Gülsevil, hikâye boyunca yüzündeki alaycı gülümsemeyi hiç bozmadan Faik'i dinledi.

Hapishanedeki insanları anlatırken böyle bakmamıştı, hatta Bahri'den duyduğu, yarım yamalak hatırladığı hikâyelere bir şeyler ekleyerek süslediğinde, küçük burnunun kenarından dudaklarına uzanan çizgide hüzün belirmişti.

Kadın bırakıp gitmişti erkeği, Gülsevil bu defa kahkahalarla gülmüştü.

Erkeği öldürdü, onun ölmesi gerekiyordu, bütün hikâyeler ölümle bitmek zorunda değildi belki ama zaten tükenmiş bir insanın hikâyesini anlatıyordu, onu öldürerek belki de iyilik yapmış, onu kahkahalarla gülünecek bir durumdan kurtarmıştı.

"Allah rahmet eylesin," dedi, aynı alaycı tavırla Gülsevil.

Kaçakçının oğlunun İstanbul'a gelişini anlattığı hikâyede ise, "Niçin çocuk kasabada kalmadı?" diye sordu.

"Bilmiyorum."

"Çocuğun büyük şehirde yaşamak istemesi için bir neden olması gerekmiyor mu?" diye üsteledi Gülsevil.

"Ben hikâyenin bu kadarını biliyorum."

"Belki de bir nedeni yoktur, çıktığı yumurtayı beğenmemiştir," diyerek bir kahkaha attı Gülsevil.

Hikâyesi bitince Gülsevil'in yanına uzanır, o çıplak bedeni kollarıyla sarar, göğüslerine küçük öpücükler kondurup yüzünü, az önce öptüğü yere usulca yaslar, saçlarının arasında yumuşak dokunuşlarla dolaşan parmakların dingin ısısına, tılsımlı, uzun bir yolculuğa çağıran uykuya bırakırdı kendini.

Orada her şey yeniden başlardı, kınından çıkan keskin bir kılıç ikiye bölerdi zamanı; bir kısmı insanın üstüne çöreklenir, nefesini keser, ölümle yaşam arasındaki ince dokuyu delip geçer, zifiri bir boşlukta yeniden var etmeye çalışırdı kendini; bir kısmı da yaşanılan savaşın acılı yüzlerin-

Rıza Kıraç

den hikâye dinlemek gibiydi; nesnelerin akılda kalan görüntüleri başka biçimlere bürünür, korkunun, tiksintinin, çaresizliğin, insanı insan olmaktan çıkartan şiddetli gerçekliğin kollarında bulurdu kendini. Hiç bitmeyecekmiş gibi gelen bu ucube yolculuğun sırrına ermek için, sabırla zamanın, düşün izini sürecekti. Sınırda dolaşırken, gördüğü her şey onunla birdi, elini uzattığında dokunacaktı, onların kokularını, renklerini, tenlerinin ısısını biliyordu da o, kendisiyle bir olan şeylerin ne olduğunu bilmiyordu.

Büyük bir sirkin gösteri çadırındaydı; cücelerin, hokkabazların, akrobatların, aslanların, atların, fillerin, palyaçoların ortasında savunmasız, merakla, heyecanla, tutkuyla onlara bakıyordu.

Hikâye bu muydu?

Onları kendileri yapan ayrıntılarda kendisini arıyordu, çadırın dışına fırlatılması için gerilmiş geniş ağın üstünde zıplamaya başladığında, ağın üstüne nasıl çıktığını, yükselmeye başladığında da daha ne kadar devam edeceğini soruyordu kendine. Kanatsız, bir kuş gibi uçmaya başladığında gözlerini yumuyor, avazı çıktığı kadar bağırıyordu. Bu çığlıkları duyan var mıydı?

Sonra.

Güneşin keskin, yakıcı ısısını hissediyordu bedeninde, teni çatlayacak gibi olduğunda yavaşça gözlerini aralıyor, kulağına sessizliği fısıldayan kutsal bedenin hâlâ kendisini terk etmediğini görüp, mutlu gülümsüyordu.

Odanın alacakaranlığında gözlerini uzaktaki bir şeye sabitler, orada Gülsevil'in yüzünü görmeye çalışırdı; ta ki "Uyandın mı güzelim?" sesi, o görüntüyü tuz buz edene kadar.

"Ne kadar uyudum?"

"Çok değil," diyerek, parmak uçlarını, her dokunuşunda ürperen Faik'in teninde gezdirmeye başlar, bu, yeni bir sevişmenin ilk işareti olurdu.

Senin İçin Değil

Kollarıyla kavradığı Gülsevil'i kasıklarının üstüne alır, bedenini parmaklarının ritmine bırakırdı; ılık, esrik bir umut sarardı her yanını; ölümlü olduğunu unutur, o anın sonsuza dek süreceğine inanırdı Faik... Göğsünde yükselen tutkuyu o bedene nasıl geçireceğini bilemez, ağlamaklı, saplantılı ruh haliyle kendini kaybeder, o kısacık sürede zihninden geçen yüzlerce insan yüzünün kendilerini izlediğini düşünerek utanır, sonra bunun az önce gördüğü rüyanın bir parçası olabileceği sanısıyla gözlerini açıp, bedeniyle bir olan tene daha bir sıkı sarılırdı. Eriyip giden bir yoksulluğa gözlerini yumar, seyrelmiş, eprimiş, silik korkularını derin bir kuyuya atar, gözlerini aydınlığa açmak istemezdi.

Gülsevil'in dudaklarını saçlarında hissettiğinde, kendisini saran kollarının yavaş yavaş gevşeyeceğini, yatağa boylu boyunca uzanmak isteyeceğini bilir, parmak uçlarındaki ateşi görmezden gelerek, onları yavaşça yalnızlığa terk ederdi.

Birkaç dakika sonra Gülsevil, yavaşça Faik'in yanından sıyrılır, odaya yayılan giysilerini birer ikişer toparlayıp giyinirken, saatin bayağı geç olduğunu mırıldanırdı.

Faik'i yatakta bırakıp salona geçer, masadaki yemeklerden biraz atıştırır, hemen ardından bir sigara yakıp beklerdi.

Kapıdan çıkmadan son bir kez sarılırlardı.

Uykusuz bir gece başlıyordu artık.

"Nereye?" diye sormazdı Faik; alacağı yanıtın ağırlığı altında ezilmekten korkardı hep. Bu sessiz kabullenişin ne kadar devam edeceğini düşünmemeye çalışarak, kendini geceye hazırlardı.

Sokak kapısının kapanmasıyla, bir sigara yakıp bahçeye açılan mutfak kapısının taşlığına oturur, her geçen gün kendisine biraz daha yaklaşan şehir ışıklarıyla, göz kırpan yıldızlarla, uzaktan boğuk bir uğultu halinde gelen gürültüyle oyalanmaya çalışırdı.

Sonra telaşla taşlıktan ayaklanır, kitapların dizili olduğu rafın karşısında durur, seçtiği bir iki kitabı alıp, bahçe masasının üstünde işe yaramaz gibi duran çıplak ampulü yakar, kitap okumaya çalışırdı. Bunun işe yaramayacağını, içindeki sıkıntının her geçen dakika biraz daha artarak devam edeceğini bile bile Gülsevil'in evden her ayrılışında aynı şeyleri yapardı. Sayfalarını çevirdiği kitaptan hiçbir şey anlamadığını fark edip kitabı masanın karanlık bir köşesine iter, umutsuzca kendisini oyalayacak işler arardı.

Temizlik yapmaya karar verir, ortalığı toplar, bulaşıkları yıkar, kitap raflarını siler, kirli elbiseleri bir köşeye ayırıp yıkamaya karar verir, sonra birden başka bir iş yapmaya dalar, hangisini önce bitirmesi gerektiğini düşünürken, hepsini yüzüstü bırakır, telefon defterine sarılıp, "Uygun musun, geleyim mi?" diye sorabileceği birini arardı çevirdiği sayfalarda.

5

Saat yediye doğru, ince dudaklarının kenarında hiç eksilmeyen gülümsemeyle Erol geldi.

Elindeki poşeti masaya bırakırken etrafa göz atıp, "Bitmemiş daha," diye söylendi.

"Az kaldı," dedi Bahri.

"Yatak odaları çok güzel oldu. Yan odanın rutubeti kesilsin de bu dağınıklığa bir hafta daha razıyım ben," dedi Gülay.

Masaya oturup, poşetin içindeki paketi çıkarırken, "Koca mağazayı üç günde boyayıp teslim etmiştin; yaşlanma belirtileri mi bunlar Faik Usta?" diye takıldı Erol.

"O zaman başımda bir asker vardı."

Erol, kravatını gevşetip bacak bacak üstüne atarken, "Eveet, asker disiplini başka olur. Belki sana bir iş çıkabilir. Bizimki yeni bir mağaza daha açmayı düşünüyor," dedi.

Gülay'a dönüp, "Gülsevil'den bir haber yok mu?" diye sordu.

"Birlikte değil miydiniz?"

"Biraz daha işi varmış büroda, 'Evde buluşalım,' dedi."

"Gelir herhalde birazdan, çay ister misin?"

"Pide getirdim açsınızdır diye ama siz bir şeyler atıştırmışsınız zaten."

Dışarıda gök gürledi, yağmur damlaları cama vurmadan şimşeğin göz alıcı aydınlığı kısacık bir an salonu doldurdu.

"Yağmur geliyor," diye mırıldandı Gülay.

Erol'un yüzünden eksik etmediği gülümseme kayboldu; gergin, huzursuz bir yabancı gibi sandalyede kıpırdandı. Üstündeki giysilerle, oturuşuyla, ellerinin duruşuyla, ayak uçlarının düzensiz yere vuruşlarıyla belirsiz bir melodiyi yakalamaya çalışan bir yabancıydı.

Gülay çay getirmek için mutfağa gittiğinde, Faik gözlerini Erol'un yüzüne dikip, "Ne oldu?" diye sordu.

"Gülsevil, beni aldatıyor," diye fısıldarken, yüzünü basan ateşi gizleyemedi Erol.

"Nereden çıkardın şimdi bunu?"

"Biliyorum. Salak değilim ya. Biriyle birlikte. Ağzını aradım, önce mırın kırın etti, sonra kıskanç falan deyip beni azarladı. Onu çok iyi tanıyorum. 'İşten erken çık, konuşalım biraz,' dedim. 'İşim çok, evde buluşalım,' dedi. 'Bu akşam tiyatroya gidecektik ama Bursa'ya gitmem gerekiyor. İptal edelim tiyatroyu,' dedim. Bu defa da 'Hem beni kıskanıyorsun hem de yalnız bırakıyorsun,' diye çıkıştı. Ne yapacağımı bilemiyorum."

Faik, duyduklarıyla ilgilenmiyormuş gibi masadaki paketi açıp, pideden bir parça kopardı.

"Tiyatroya sen gider misin?" diye sordu Erol.

"Bursa işini ertele, konuşup aranızı düzeltirsin hiç olmazsa."

Erol sıkıntıyla oturduğu yerde gerildi. "Yapamam, o işe ne kadar erken başlarsak o kadar iyi olur. Boş bir dükkân var, yeri de kirası da uygun. Babam telefonla konuşup randevu ayarlamış. Bu akşam gider dükkânı görürsem, birkaç saat uyur, yarın öğleden sonraki toplantıya yetişirim. İki işi bir arada yürütmek çok zor. Bir iyilik yap hadi. Beleşe oyun seyredeceksin oğlum, daha ne istiyorsun?" diye çıkıştı Faik'e.

6

Olgunluğu ve cazibesiyle genç erkeklerin gönlünü çalan, onlarla oynamayı, onları peşinden koşturmayı seven aristokrat kadın, "Senin yaşındaki erkeklerin bir karısı, bir de metresi var," dedi cilveleştiği gence.

Ayakta dikiliyordu; sandalyede oturan gencin başını ellerinin arasına almış, kıvırcık saçlarında parmaklarını gezdiriyor, gözlerini pencerenin ardındaki bir noktaya odaklamış, bütün vücudu hoppa bir işveyle esniyordu.

Sahnede, bir ev dekoru vardı ve satılması düşünülen bir vişne bahçesinden bahsediyordu oyuncular.

Faik, yandaki koltukta, yüzünde alaycı bir tebessümle oyunu izleyen Gülsevil'e baktı bir süre, sonra dudaklarını onun sıcak yanağıyla buluşturdu. Gözlerini sahneden ayırmadan, Faik'in yüzünü avuçladı Gülsevil; parmakları arasına sıkıştırdığı dudaklara bir öpücük kondurdu yeniden oyunu izlemeye koyuldu.

"Bana menemen yapacak mısın?" diye sordu Gülsevil, tiyatrodan çıktıklarında.

"Bende kalacak mısın?"

"Bu saatte eve dönmenin anlamı var mı?"

"Olur, yaparım."

"Uyduruk olmasın ama. Bazen baştan savma yapıyorsun."

"İçecek bir şeyler ister misin?" diye sordu Faik.

"Önce çay, sonra belki bira... Var mı?"

"Alırız."

Şoför koltuğuna oturup aracın kontağını çevirdiğinde, Gülsevil çantasından sigara tabakasını çıkarıp bir sigara yaktı, sonra duru bir sesle, "İster misin?" diye sordu.

Gülsevil'in anlamlandıramadığı, tedirgin, soran bakışlarını savuşturmak için gülümsedi Faik; yapabilse saatlerce o yüzü izleyecekti.

Uzanıp Gülsevil'i ağzından öperken gözlerini yumdu, içine akan sıcaklığın ellerine bıraktı kendini bir süre; biraz daha devam etse başı dönecek, kontrolünü yitirecekti; yavaşça kendini geri çekti. O ayrılışla, gecenin serinliği iliklerine aktı, aklının daha fazla karışmasına izin vermeden, bagajdaki boya kutularının çıkardığı gürültüye aldırış etmeden, vites değiştirip gaza bastı.

O bir çift gözün hâlâ kendisini izlediğini biliyordu.

Otobana çıktıklarında Gülsevil, aracın kapısına yaslanıp bir yandan sigarasını tellendirirken bir yandan da meydan okuyan bakışlarıyla Faik'i tehdit ediyordu.

Kırmızı ışıkta aracı durdurup yanındaki koltuğa baktığında, siyah uzun saçların gölgelediği, alaycı tebessümle karşılaştı.

Sanki Faik, küçük bir deliğe gözünü yaslamış, loş odada dolaşan bir kadını, suçlu korkaklığıyla ama merakın getirdiği cesaretle kısacık bir an görmüştü.

Trafik lambalarına baktı, daha yeşil yanmamıştı.

"Ne oluyor?" diye çıkıştı Gülsevil.

"Söz birliği mi ettiniz Erol'la."

"Ne konuştun onunla?"

"Ne olacak, hiç," diyerek kestirip attı Gülsevil.

Faik, yeniden yol almaya devam etti, kısacık bir an gülümseyerek gözlerini Gülsevil'e çevirdi. İnce uzun parmaklarıyla saçlarını kulaklarının arkasına sıkıştırıp, bacak bacak üstüne attı.

"Ne anlattın ona; korkmuş. 'Başka biriyle ilişkisi var,' diye dert yandı."

"Züppelik ediyor."

"Nasıl bir züppelikmiş bu?"

"Boş ver, canımızı sıkmayalım. Bu gece bana hikâye anlatacak mısın?" diye mırıldandı Gülsevil.

Otomobili bahçenin bir köşesine park edip, mutfak kapısından içeri girdiklerinde Gülsevil uzun uzun esnedi, gözlerine inen kızıllığa aldırmadan Faik'in çayı demlemesini, menemeni hazırlayışını izledi.

Ceketini çıkarıp salondaki sandalyelerden birinin arkasına astı. Gömleğinin üst düğmelerinden ikisini açıp göğüslerinin üst kısmını açıkta bıraktı.

Faik sofrayı hazırlarken, raflardaki kitapları karıştırıp bir iki şiir kitabı ayırdı masaya. Eteğini sıyırdı, kemik rengi ince çoraplarını çıkarıp pencerenin kenarındaki kanepeye fırlattı, sonra aklına bir şey gelmiş gibi çantasını açıp telli dosyalara tutuşturulmuş kâğıtları karıştırmaya başladı.

Faik, bir tepside tabakları, bardakları, kaşıkları getirip masaya dizerken gözucuyla Gülsevil'e baktı. Kanepeye uzanmış, elinde tuttuğu dosyaların üstünden kendisini izliyordu.

"Yemek hazır galiba," diye mırıldandı Gülsevil.

"Evet" anlamında başını salladı Faik.

Hiç konuşmadan yemek yemeye başladılar. Gülsevil bir süre şiir kitaplarını karıştırdı, sonra onları elinin tersiyle bir köşeye itti.

Masanın ortasına bir yılan gibi inen ışık, masanın üstündekiler dışında her şeyi aydınlığından mahrum bırakıyordu.

Rıza Kıraç

Pencerenin önündeki kanepe, yorgun iki sevgiliyi kavramak için bekleyen bir canlı gibi huysuzlanıyor; raflara dizili kitaplar daha önce tanık olunmayan, bilinmeyen, duyulmayan, tutkulu, sıradışı sevişmelerin ayrıntılarını bağırmak için güç toplamaya çalışan bir hikâyecinin ivecenliğiyle yerinde kıpırdanıyor; pencerenin camlarına birer ikişer düşen yağmur damlaları birinci anlamından öte tutkuların vazgeçilmezliğini dillendirmek için sabırsızlanıyordu.

Gülsevil, tabağındaki menemeni bitirmeden sandalyeden kalkıp Faik'e doğru bir adım attı. Gözlerine yakıştırdığı ışığın ne anlama geldiğini ilk görüşte kavrayıp parmaklarındaki çatalı yavaşça masaya bıraktı; gözlerini yumup, sıcacık bir esrikliğin bedeninin en ücra köşelerine dek nüfuz etmesine izin verdi.

Parmaklarını bir makinenin dişlisine geçirir gibi Gülsevil'in parmaklarıyla birleştirdi. Dudaklarını, aklını yitirmiş çılgın bir serüvencinin gözü karalığıyla o güzel boyna gömüp derin derin soluklandı.

Yalancı bir baharı yaşıyordu, birazdan bir fırtına çıkacak, her şeyle birlikte, filizlenmiş bütün sürgünleri kıracaktı, bunu biliyordu da aklını esenliğe kavuşturacak her türlü düşünceyi, odanın karanlık kuytularına gömmek istiyordu.

Yorgun ama inatçı bedenini Gülsevil'in bedenine yaslayıp bir an soluklandı, sonra yavaş yavaş gömleğin düğmelerini çözdü, artık bütün soruların anlamını yitirdiği bir dinginlikte boğulabilirdi Faik.

Parmak uçları, yolunu bulmaya çalışan bir gezginin sabrıyla Gülsevil'in teninde dolaşıyordu, dudaklarını yavaşça yumuşak bir yokluğa bıraktı.

Ağzının, dilinin bildiği, damağının sonsuz kere arzuladığı ıslaklık, içine gömüldüğü zifiri karanlığı daha bir derinleştirdi.

Gece bütün giysilerinden arınmıştı.

Faik, kasıklarının titrediği, acıyla haz arasındaki ince, keskin duyguyu beyninin en ince kıvrımlarına dek bellediği o kısacık anı geride bırakıp, esriklikle uyku arasındaki düşsel zamana geçtiğinde, kollarının arasındaki kadını hiçbir zaman bırakmak istemeyeceğini, her koşulda ona teslim olacağını artık iyice kavramıştı.

İlk defa ne zaman anlattığını hatırlamadığı hikâyenin ayrıntılarını düşünüyordu; adam gerçekten sarhoş muydu, yoksa aklına geleni yapan bir sapkın mıydı? Belki de bu ayrıntılar anlamsızdı; onun çözmesi gereken şey hikâyeyi nasıl bağlayacağıydı.

"Kadın ne yapmış?" diye sordu Gülsevil.

"Adamı terk etmiş. Büyük şehre yerleşip yeni bir hayata başlamış."

"Geçen defa anlattığın hikâyeye hiç benzemiyor."

Faik, parmaklarını Gülsevil'in tenine gömmüş, bitkinliğine, doymuşluğuna rağmen, arzularını harekete geçirecek bir işaret, ışık bekliyordu.

Gülsevil, gözlüğünü çıkardığında, yüzüne hüzünlü bir ifade yerleşiyor, başka biri oluyordu; o hüznü sahiplenip, kendisinin bir parçası olmasını istiyordu Faik. Bir yandan da, "Bu maskeyi çıkar," demek istiyordu.

Dudaklarını Gülsevil'in yanağına yapıştırıp öylece kaldı. İçini ezen yalnızlık duygusunun, buruk, mahzun bir sarhoşluğa dönüşmesine fırsat vermek istemiyor, yalan da olsa, bu gecenin hiç sona ermeyeceğine; sabah olduğunda Gülsevil'in yataktan kalkıp kendisini yalnız bırakmayacağına; işe gitmeyeceğine; akşama Erol'la buluşmayacağına kendini inandırmak istiyordu.

Bazen bir hafta görüşmedikleri oluyordu. İşlerin bitmediği, gecelerin korkunç bir yalnızlıkla büyüyüp uzun, sıkıntılı mevsimlere; içinde besleyip üstüne titrediği sevgi kırıntılarının her dakika biraz daha şiddetle kırgınlığa dönüştüğü bir hafta...

Sonra, bir akşamüstü ya da gece yarısı Erol, "Şuradayız gelsene," diye kendisini çağırdığında, bir bahane bulup onları atlatmaya çalışıyordu.

Gülsevil'in yokluğu, ağır bir taş gibi yüreğine oturduğunda, kalabalıklara karışıp kaybolmak istiyor, sonra kendini Erol ile Gülsevil'in yanında buluyordu. Bir meyhanede içiyor ya da Erol'un evinde yemek yiyorlardı. Dışarıda hava iyiyse, yemekten sonra balkona çıkılıyor, bir iki kadeh şarap içiliyor, gevezelik ediliyordu.

Gülsevil'in elinde hep bira şişesi olurdu, bir yandan şişenin kâğıtlarını yolar, bir yandan da bütün gece ilgisinden sıkıldığı Erol'u yanından uzaklaştırmaya çalışırdı.

Erol, kabahatini affettirmek isteyen bir çocuk gibi çırpınır, şakalar yaparak Gülsevil'e sokulmaya çalışır, bu da bir işe yaramazsa, Faik'e dönüp, "Şuna bir şey söylesene, hiç sözümü dinlemiyor," diye yakınırdı.

Gülsevil'in yüzündeki öfkeyi görmezden gelip, "Hadi öpüşüp barışın," diye çıkışırdı Faik.

Erol kollarını açarak, Gülsevil'e doğru bir adım atıp onu kucaklar, yüzünü boynuna gömerdi.

Gülsevil'in gözlerindeki öfkeyle yüzleşmemek için bakışlarını şehrin manzarasına çevirirdi Faik.

Her şeye katlanıyor ama Gülsevil'in öfkesiyle baş edemiyor, onun ateş parçası bakışları üzerindeyken kendisini bitkin, çaresiz, sinirleri kızgın bir demirle dağlanan ucube bir yaratıkmış gibi hissediyordu.

Kollarının arasındaki kadını, hiç bitmeyecek bir tutkuyla sarıp, tenini ağzının içinde hapsetmek istedi. Gözlerini yumdu; uzun, ince bir karanlığın hikâyesini anlatmak istiyordu. Dudaklarından dökülen her sözcüğün geri dönülmez bir biçimde kendisini biraz daha Gülsevil'e bağlayacağını biliyordu. Bir şeyler kurgulayabilse, anlattıklarına onu bir inandırabilse, dönüşü olmayan mutlak bir yok oluşa kendini bırakmaya razıydı.

"Uykun geldi mi?"

"Bir hikâyen daha varsa dinlerim," diye fısıldadı Gülsevil.

Yerdeki sigara paketine uzandı. Çakmağın ışığında Gülsevil'in gözlerine, dudaklarının kenarındaki ince çizgilere baktı; o yüzdeki tanıdık hüznün hikâyesini anlatmaya başladı.

"Hikâye anlatacak hiç kimse bulamayan, hikâyelerine hiç kimseyi inandıramayan bir adam, bir gece yarısı bütün eşyalarını toplayıp bir bavula yerleştirir. Sessizlik artık onu boğuyordur. Aklını yitirmek üzeredir. Bütün dostlarıyla ya da kendisini dostmuş gibi gösteren herkesle ilişkisini bıçakla kesilmiş gibi bitirir. Kimsenin bilmediği farkına varmadığı, hatta hissetmediği bir cinayet işledikten sonra şehri terk eder."

"Kimi öldürmüş?" diye merakla sordu Gülsevil.

"Orası bir sır, bilmesek de olur. Adam yola koyulur. İçinde kabarıp bütün bedenini saran yalnızlık korkusuyla başa çıkmak için yol boyunca konuşacak birilerini arar. Hiç kimselerin olmadığı yollardan geçer.

Adam çaresiz kendi kendine anlatır hikâyelerini.

Patikanın bitip ormanın başladığı yere gelir; koca gövdeli, görkemli ağaçlar, geniş yapraklı, muhteşem kokulu bitkiler, rengârenk ışıklara bürünmüş çiy taneleri ona yol gösterecektir; bundan adı gibi emindir. Benliğini yeni keşfetmeye başladığına inandığından, ormanda gördüğü her bitki, her hayvan onu cinselliğinden biraz daha uzaklaştırır. Erkek olduğundan emindir kahramanımız; ardında bıraktığı tutkular artık önemsiz bir ritüel, yitip gitmiş bir heyecan, miadını doldurmuş duygu sarhoşluğundan başka bir şey değildir.

Ormanın derinliklerine doğru ilerledikçe bir sesin kendisini takip ettiğine inanır. Bu yalnızca sestir, bildiği bütün akıl almaz masalları kendi kendine anlatmaya devam eder. Son masalı anlatmaya başladığında artık kendisinin de bir masal kahramanı olduğunu iyice kavramıştır.

Neyle karşılacağını biliyordur. Ağaçların arasında bir ceylan görür, sessizce onu takip etmeye başlar. Ceylan ağaçların arasında nazlı bir kadın gibi dolaşır, bir süre sonra su içmek için, yılan gibi kıvrılan derenin kenarına gelir, kana kana su içer, sonra başını kaldırıp adamımıza bakar; sanki 'Beni takip et,' demek istiyordur ceylan.

Adam, hikâyelerini dinleyecek insanların olduğu yere kendisini götüreceğinden emin, ceylana sevgiyle bakar. Artık, derenin ve ceylanın hikâyesini biliyordur; onun bir zamanlar kadın olduğunu, sevdiği erkeği öldürmek zorunda kaldığını, aşkın, aynı zamanda kaçınılmaz bir cinayet olabileceğini kavramış, ceylana daha bir tutkuyla bağlanmıştır.

Ceylan suya girip, karşı kıyıya geçer. Adamımız da ardından gider, bir süre etrafı yüksek tepelerle çevrili çıplak patikada yürürler, ceylan bir dört yol ağzında durarak adamın devam etmesi gereken yolu işaret eder.

O orman yaratığını kucaklayıp öpmek ister adam; bunu yapamayacağını, ceylanın buna izin vermeyeceğini biliyordur, temkinli adımlarla ceylanın yanından geçer; elini uzatıp ona dokunmak istediğinde bir rüyanın en silik kahramanı gibi kaybolacağını bildiği ceylana gözlerinin değmesine bile izin vermez.

Yol, kusursuz bir çizgi gibi ufka doğru uzanmaktadır. Adam, birazdan göreceği şehrin esiri olacağını eskiden beri biliyordur; biraz da bu yüzden dönüp arkasında ne bıraktığına bakmaz; ceylanın bir süre daha kendisini izleyeceğini hissediyordur sadece.

Zekâsının yanıt veremeyeceği sorular sormayacağına dair kendisine söz vermiştir.

Midesi bulanmaya, aklı karışmaya başlar; yine de yola devam eder. Bir süre sonra, şehrin uzaktaki silueti netleşir.

Ceylanın orada olmadığını bile bile dönüp arkasına bakar. Geldiği yoldan bir kuş, uçarak geri dönmektedir. Birazdan kuş gökyüzünde bir nokta olur, sonra tamamen gözden yiter."

"Bu kadar mı? Adama ne olmuş?"

"Başka bir dilin konuşulduğu, başka tanrılara ibadet edildiği, herkesin durmadan, anlamsızca koşuşturduğu, ancak hafızaları zayıf olduğu için dinledikleri hikâyeleri çabuk unutan insanlara hikâyeler anlatarak mutlu bir yaşam sürer adamımız."

Gülsevil, ellerini destek yapıp doğruldu, Faik'in yanağına bir öpücük kondurduktan sonra, alaylı bir ses tonuyla, "Nasıl bir ders çıkarmak gerekiyor bu hikâyeden?" diye sordu.

Faik, filtresine gelen sigarayla, dudaklarına yerleştirdiği yeni sigarayı yakarken, "Ders yok, hikâye var sadece," diye mırıldanıp yataktan kalktı.

Odanın ortasına gelişigüzel serpiştirilmiş giysilerin arasından gömleğini ve pantolonunu bulup üstüne geçirdi.

"Nereye?" diye seslendi Gülsevil, karşısındaki ünlü ressama vücudunu sergiler gibi kendisini yatağa bırakırken.

"Buradayım. Biraz hava alacağım."

"Üşüyeceksin. Gel yanıma uzan."

Karanlık koridoru geçip mutfağın ışığını yaktı. Bahçeye açılan kapıdan bir kurbağa karanlığa sıçradı. Uzaklardan köpek havlamaları duyuluyordu. Pencerenin önüne dizili küllüklerden birine sigarasını bastırıp, bir bardak su içti; bahçeye inen taşlığa oturdu. Çiseleyen yağmurun etkisiyle, ağır bir kadın parfümünü andıran toprak ve çimen kokusu bahçeyi sarmıştı.

Faik, gözlerinin önünde uçsuz bucaksızmış gibi uzanan karanlığa bedenini gömmek, orada kaybolmak istiyordu. Kendini, Naşit ile Gülten'in yanına gitmek için evden çıkıp, taşlığa oturduğu akşamüstlerindeki gibi güçsüz, kırgın hissediyordu. İstanbul'a gelmek için yola çıktığında ne kadar güçlü, kararlı, inatçıydı; yola çıkma düşüncesi bile onu cesaretlendiriyordu.

Gülsevil omuzlarından ayak bileklerine dek sarındığı battaniyeyle mutfak kapısında belirdi, Faik'in ruh halini hafife alan bir ses tonuyla, "Ne oldu, yine ne var?" diye sordu.

Arkasına baktı Faik. Gülsevil beceriksizce saçlarını topuz yapmış, kendisini izleyen birileri varmış gibi, göğüslerinin üstünde birleştirdiği battaniyenin ucunu parmaklarıyla sıkı sıkı kavrayarak örtünmeye çalışmıştı.

"Gel yanıma, otur biraz."

"Üşüyeceğiz," diyerek, birkaç adımda Faik'in yanına ulaştı, kollarını açtığında, çıplak bedeni tüm diriliğiyle gecenin karanlığını yalanladı.

Parmakları arasında sıkı sıkı kavradığı battaniyeyle bir yarasayı andırıyordu. Taşlığa oturdu, battaniyeyi Faik'in omzuna dolayıp, göğsünü onun bedenine yaslarken, "Keşke sigarayı alsaydım," diye hayıflandı.

"Sana bir şey anlatmak istiyorum."

"Yeni bir hikâye mi?"

"Bir sır."

"Ben hiçbir şey anlatamıyorum, nasıl yapıyorsun bu işi?"

Eliyle Gülsevil'in ağzını kapattı, gözlerine, nedenini kendisinin de kestiremediği bir endişe yerleşmişti. Yavaşça elini çekerken, "Beni dinleyecek misin?" diye fısıldadı.

Gülsevil başını salladı.

"Oturduğu yerden beni seyrederdi. Ona bakmaya utanırdım. Geceleri rüyalarıma girmeye başladığında da kendimden utanıyordum ama onun rüyalarıma girmesine engel olamıyordum. Ona dokunmamın bile öldürülmem için yeterli bir neden olduğuna kendimi inandırmıştım. Parmakları, dudakları tenimi ısırgan gibi dağlamaya başladığında kendimi ona bırakmıştım. Annemin anlattıklarına benzemeyen, sıcak, tutkulu, esrik bir masaldı yaşadıklarım. Benden büyüktü, kollarında kaybolacağımdan korkar, ne kadar küçüldüğümü görmemek için gözlerine bakmazdım. Önceleri küçük küçük dokunurdu bana; heyecanlanır, ne yapacağımı bilemez, ufak bahanelerle ondan uzaklaşmaya çalışırdım. En fazla bir adım geriye... O da bir adım atıp beni yakalar, kulağıma, kendisiyle bir sırrı paylaşmak isteyip istemediğimi fısıldardı.

'Olur,' derdim.

Ne derse desin, 'Olur,' derdim, başka seçeneğim yokmuş gibi.

Sonra dudaklarını yanağıma değdirip, 'Benden bir şey iste,' diye mırıldanırdı.

'Ne isteyeyim?' diye sorardım.

'Bir şey iste, ne istersen yapacağım, yeter ki iste.'

Arkama dolanıp kollarıyla beni sarardı. Boynumdan başlayan ürperti bütün vücuduma yayılır, kendimi ona bırakırdım. Öpüşmenin, sevişmenin ne demek olduğunu bilmeyen bir yeniyetme için bulunmaz nimet belki ama ben zaten o kadına âşıktım. Yüzüne bakmaya kıyamıyordum; ellerinin dokunduğu her şeyi koklamak, saçları yüzüme değdiğinde onları içime çekmek istiyordum. Bir gün yine bana yaklaştığında, cesaretimi toplayıp yüzüne baktım, gözlerini yummuştu; o an her şeyi yapabileceğimi, bunun için hazır olduğunu anladım.

Ellerimi özgür bıraktım.

Çok güzeldi; hem ona dokunmak güzeldi hem de onun bana dokunuşları... Aklın almadığı bir sarhoşluk, durmaksızın yanan bir ateşin içine kendimi atıp eritmek gibi bir şey. Beni kucaklayıp kollarının arasında kaybetti. Bunu daha sonraları da tekrarladık; her defasında birbirimize ilk kez dokunuyormuşuz gibi, her defasında biraz daha ileri giderek sevişiyorduk. Korkularımızı unutarak, kocasının varlığını aklımızdan silerek yapıyorduk ne yapacaksak. Dudaklarımda, ağzımda onu düşleyerek yaşamaya başlamıştım. Kitaplarda yazan hiçbir şey böyle bir haz vermemişti bana."

Gülsevil, kollarıyla Faik'i sıkı sıkı kavrayıp, "Ben de mi veremedim o hazzı?" diye sordu muzip bir gülümsemeyle.

Faik, soruya yanıt vermeden konuşmaya devam etti:

"Onun yanından her ayrılışımda, 'Bu son,' diyordum kendi kendime. 'Bir daha ona dokunmayacağım, öpmeyeceğim onu, parmaklarının bana dokunmasına izin vermeyeceğim, gerekirse azarlayacağım, kızıp bağıracağım.' Bunu hiçbir zaman yapamadım; aklımla bedenim hep başka şeyler söyleyip duruyordu.

'Hayır' demek istiyor, diyemiyordum.

Onun için ne olduğumu bilmiyor, söyleyecek bir şey bulamıyordum. Her gün aynı şeyleri kendi kendime tekrarlayıp duruyordum, bir yandan da ya kendisine dokunmama izin vermezse diye korkuyordum. Ya beni istemezse, nasıl davranırdım o zaman, ne yapardım? Şimdi aynı tedirginliği yaşıyorum. Seninleyken, kendimi ölümcül, çaresiz bir hastalığa yakalanmış bir hasta gibi hissediyorum.

Sana, 'Hayır,' diyemiyorum. İçim elvermiyor buna. Bir yanda Erol, bir yanda sen...

Onunla birlikte olduğunda hiçbir şey hissetmiyorum, bunun normal bir şey olmadığını, kendi ölümümü kendim kurguladığımı biliyorum.

Sonra, 'Ya sonra ne olacak?' diye soruyorum kendi kendime, cevabını veremeden. Seni benimle olmaya iten şeyin ne olduğunu soruyorum kendime, yanıt veremiyorum, belki bildiğin bir şeyler var, bana söylemek istemiyorsun. Bir yandan da sana anlatamadığım bir şeylerin olması, çaresizliğimi suça dönüştürüyor. İstanbul'a geldiğimde hayal ettiklerim bunlar değildi.

Konuşmadığımızın farkında mısın? İkimize dair hiçbir şey konuşmuyoruz, ne geleceğe dair bir cümle kuruyoruz ne de ilişkimizin bugününü konuşuyoruz. Sence bu normal mi? Buna daha ne kadar dayanabilirim, daha ne kadar bu oyunu oynayabilirim sence?"

Gülsevil, buz gibi bir yüzle Faik'e bakıyordu. Hiçbir şey söylemeden yüzünü karanlığa döndü.

"Seninle geçirdiğim her gecenin ardından, 'Bu son,' diyorum. Başka kadınlarla birlikte olmak istiyorum, sırf senin yokluğunu unutmak için. Her buluşmamızda, 'Konuşacağım,' diyorum.

Yapamıyorum, kendime söz geçiremiyorum; yine sevişiyoruz, yine sana hikâyeler anlatıyorum. Sensizliğin katlanılacak bir şey olmadığını bana çoktan öğrettin. Çevremdeki kadınlara bakıyorum; onları arzulamak, onlarla sevişmek istiyorum, ne olursa olsun, hepsinde seni arayacağımı, hep seni arzulayacağımı biliyorum. Birileri girip çıkıyor hayatıma, aldırmıyorum. Onların varlığı küçük bir şaka gibi. Arkama bile bakmadan, hiçbir şey düşünmeden terk edip gidebiliyorum o kadınları. Senin yaşattıklarının intikamını mı alıyorum; hayır, bu intikam değil; kendimi temize, düzlüğe çıkarma, seni unutma çabası.

'Bunu ben de yapabilirim; duyarsızlaşıp kemikleşmiş ruhla kendimi acıdan koruyabiliyorum,' diyebilmek için katlanıyorum buna.

Halbuki yalan, daha en başından bunun yalan olduğunu biliyorum. Kendimi orospu gibi hissediyorum. Tenime değen her kadınla yatmak istiyorum; bana, acıyla hazzın aynı şey olduğunu bellettin. Şimdi, bütün bunlar ağır geliyor artık."

"Ayrılalım o zaman," diye mırıldandı Gülsevil.

"Bu kadar kolay mı?"

"Ne istiyorsun? Birlikte yaşamak mı?"

Gülsevil, ellerini bacaklarının arasında birleştirdi, göğsü açıkta kalmıştı.

Faik, üzerindeki battaniyeden sıyrılıp tamamını Gülsevil'in üstüne örttü, ayağa kalkıp kısa bir an Gülsevil'e baktı. Bir bardak su içtikten sonra ağır adımlarla yatak odasına geçti. Yorganın altına girip yüzünü duvara döndü. Derin nefesler alıp gözlerini yumdu.

Karanlıktı; mutfak lambasının kapanma sesini, Gülsevil'in odadaki sıkıntılı adımlarını duyabiliyordu.

Yorganın bir ucunu kaldırdı Gülsevil; yatağa uzanıp, Faik'e arkasından sarıldı.

"İyi uykular sevgilim," diye fısıldadı kulağına.

7

Duvarda habis bir ur gibi ilerleyen rutubeti kesmek için son umudu ikinci astarı atıyordu. Bir an durdu, duvarın pürtüklerinde parmaklarını gezdirdi, sonra elinin izini yumuşak zemine çıkarmak isteyen bir çocuk gibi avucunu duvara yasladı; bitkinliğini giderecek başka bir yol bilmiyormuş gibiydi.

On dakika önce Gülay, kapıdan odanın son durumuna şöyle bir bakmış, hiçbir şey söylemeden mutfağın yolunu tutmuştu. Duvara çektiği onca alçıya, astara rağmen hâlâ siyah lekeler duvarın altında bir yol bulup çıkıyor, "Ben buradayım," diyordu.

Bu sondu artık; bir gün daha bekleyecek, astar kuruduktan sonra iki kat boya sürüp duvarı kaderine terk edecek "Benden bu kadar Gülay Hanım, elimden geleni yaptım" diyecekti.

Şimdilik duvardaki lekeler kaybolmuştu, yine de birkaç saat beklemek gerekiyordu.

Elinde kemirdiği bir krakerle odaya girip duvara baktı Gülay, muzip bir gülümseme yayıldı yüzüne.

Faik'le göz göze geldiklerinde, "Oldu mu dersin?" diye sordu.

"Biraz beklememiz lazım. Belli olmaz, küçük bir yağmurda yine rutubetle birlikte duvar kararabilir. Belki dışarıdan bir yalıtım gerekiyordur."

Faik'in sırtına dostça vurup, "Hadi boş ver, olduğu kadar. Çocuğu da çağır, bir şeyler atıştırın. Olmazsa başka bir yol buluruz, belki kâğıt kaplamalıyız eskisi gibi," dedi.

Gülay salonu biraz daha yaşanır hale getirmek için ortalığı toplamış; masaya peynir, zeytin, söğüş domates, kuru pasta ve kraker koymuştu.

Masaya oturduklarında, içinde tiner olan plastik bir boya kabında fırçaları, ruloları temizleyen Recep, "Bunları ne yapayım usta?" diyerek salona daldı. "Balkona çıkar. Evin her yanını kokuttuk."

Recep, "Ben ekmek arası yapayım kendime," diyerek balkon kapısını açmaya çalıştı; kapıyla Recep arasındaki savaştan kapı galip çıkınca, Gülay, yavaşça çocuğu kenara çekip kapının kolunu çevirdi; açılan kapıdan giren serin rüzgâr salondaki gazeteleri, sonbaharda dalından ayrılmamak için direnen yapraklar gibi salladı.

Recep, mahcup bir yüz ifadesiyle kamburunu çıkarıp, kovayı balkonun bir köşesine bıraktı. Kapıyı yavaşça kapattı.

Gülay sigara yakmış, Recep'i izliyordu. Recep masaya yaklaşıp ekmeğin ucundan büyük bir parça kopardı; biraz peynir, zeytin ve bir iki dilim domates sıkıştırdı arasına. Çay bardağını alıp, bütün vücudunu, kamburunun altında kaybetmek istercesine sessizce odadan ayrıldı.

Faik, tabaktakilerden atıştırmaya başladığında, Gülay, çay bardağını alıp, pencerenin pervazına yaslandı. Gülay'ın bakışlarının üzerinde olduğunu hisseden Faik, elindeki çatalı tabağın kenarına iliştirip gülümsedi.

"Yorgun görünüyorsun," dedi Gülay.

"Evet" anlamında başını sallamakla yetindi.

"Nasıl katlanıyorsun?"

Faik, aklından geçen onlarca yanıttan birini bile söze dökmekten korkarak Gülay'a boş boş bakıp, bir an Gülsevil'le arasında geçen her şeyden haberdar olduğunu düşündü. Ne diyeceğini bilmeden öylece kalakaldı.

Gülay, eprimiş koyu mavi yeleğinin ceplerinde bir şeyler arandı, sonra küçük bir fotoğraf çıkarıp, Faik'e doğru uzattı.

Faik masadan kalkıp, pencerenin pervazına yaslanarak fotoğrafa baktı. Bıyıkları yeni terlemiş, saçlarına ilk kez tarak değmiş izlenimi veren, gözlerini merakla karışık bir korkuyla karşısındaki fotoğrafçıya yöneltmiş genç bir adamın siyah beyaz fotoğrafıydı bu. Faik, yıllardır kıyıda köşede gizlenen, sararmış fotoğraftaki Arif'in yüzünü, o yüzdeki endişeyi, tedirginliği çok iyi biliyordu.

"Yıllar önce bu adama âşık olmuştum. Bir inşaat işçisiydi."

"Bu bir sır olmalı."

"Bir zamanlar sırdı. Artık önemi kalmadı. Kimden gizleyeyim ki? Salih'i terk etmeye karar vermiştim. Öğretmenliğe başlamadan bir iki sene önceydi galiba. Çalışmak istiyordum, sonra bir sigorta şirketiyle birkaç ay Anadolu'yu dolaştım. Çok canım yanmıştı. Salih'i unutmak için her şeyi yapabilirdim. Otelde bu adamla karşılaştım. Gençti."

"Arif," dedi fısıltıyla Faik.

Göğsünde birleştirdiği kolları birden çözüldü Gülay'ın.

"Tanıyor musun?"

"Dayım."

"Nasıl... Dayın?"

Faik fotoğraftan gözlerini ayırmadan. "Sizden hiç bahsetmedi. Ama yaşadıklarınızdan haberdardım. Bir gün anlatacak diye bekledim. Bunun ona nasıl bir acı verdiğini daha yeni anlamaya başlıyorum. Hiç evlenmedi. Onun dünyası bambaşkaydı. Oraya hiçbir zaman giremedim," dedi.

Gülay, yüzünde kristal gibi dağılan özgüveninin yerini neyin doldurduğunu bilemeyecek kadar ürkmüştü. İnce uzun parmaklarıyla dudaklarını kapatıp, Faik'in soğukkanlı duruşunu izliyordu.

"Daha önce niye söylemedin?" diye mırıldandı Gülay. Gözlerindeki ateşin Faik'e ulaşacağı umuduyla baktı. Derin bir soluk aldı, ellerini yeleğinin ceplerine sıkıştırıp, masaya doğru bir iki adım attı Gülay, buruk bir yüz ifadesiyle Faik'e baktı yeniden.

"Aradan yıllar geçti ama hâlâ canım acıyor. Ona âşık olmuştum. Ona âşık olmuştum," diye tekrarlayarak sigara paketine uzandı.

Yaptığı şeyin doğru olup olmadığını hiç düşünmemişti Faik, düşünmek de istemiyordu, garip bir huzur anıydı yaşadığı, hatta bundan adice bir zevk almaya başlamıştı.

Sigaradan derin bir nefes çekip, bir şeyler aranıyormuş gibi bakışlarını dağınık salonda dolaştırdı, elini destek yapıp sandalyeye otururken, "Şu, gönlü isteyince gelen kadın, canını acıtmıyor mu?" diye sordu.

Çıplak pencerelerden giren puslu aydınlık bütün salonu doldurmuştu. Faik, her geçen dakika biraz daha kendini ele vereceğinden korkarak başını öne eğdi.

"Kasabada zaman nedir bilmezdim, düşünmezdim," diye mırıldandı, sonra bunu niçin söylediğini hatırlamaya çalıştı, o duyguyu unutmuştu, onu anlatmak istiyordu, yeniden Gülay'a döndü yüzünü.

Karşısında bir ayna olsa kendine bakmak istemez, yüzünü aynanın sırrından sakınırdı; hiç kimseye göstermek istemediği zaaflarını sözcüklere dökerek yaşamak istemiyordu.

Parmaklarının ucuna ağır bir sancı oturmuştu; yalnızca konuşmak istiyordu şimdi. Ağır ağır ilerleyen bir uyuşma birazdan bütün bedenini ele geçirecekti.

"Saatlerce bir ağacın altında oturabiliyor, günlerimi kendime bir ceket dikerek, kitap okuyarak harcayabiliyordum. Okuduğum kitapların satır aralarındaki boşlukları doldurmak için düşünecek çok zamanım vardı; yaşadıklarımı en yalın sözcüklerle anlatmak için aylarca birkaç sesin, hecenin ardından gidebilir, o sözcüğün en yalın halini yanımdan hiç ayırmadığım defterime yazabilirdim. 'Unutulmayacak, yerinde, düzgün kullanılacak,' diye de bir not düşerdim defterime. Şimdi buradayım;

durmadan tekrarlanan bir hengâme, dolup boşalan bir duygu karmaşası. İdealize edilmiş bir roman kahramanı gibiyim. Kendi sözcüklerimi bulamıyorum, başkalarının cümleleriyle konuşuyorum. Yorgunum; nereye baksam keskin, mahvedici açmazlar. Güçlü, dirençli olduğumu sanıyordum. 'Canımı acıtmalarına izin vermeyeceğim,' diyordum. Bir yanım, yabandomuzu gibi duyarsız, inatçı, hiçbir kurşun sinirlerime ulaşamaz; bir yanım ise neredeyse derisiz, acı içinde. Rüzgâr değdiğinde korkunç bir sızı beynime işliyor. Bana sırrınızı açtınız. Sıra bende. Dayımı kasabada bırakıp İstanbul'a geldikten sonra bir süre bu evi gözetledim. Hatta birkaç kere sizi ve Gülsevil'i takip ettim. Ne diyeceğimi bilmediğim için yanınıza gelemedim. Korkumu yenemedim bir türlü. Burada zamanın kasabadaki gibi geçmediğini öğrendiğimde, konuşacaklarımızın sizin için hiçbir şey ifade etmeyeceğini düşündüm. Eskide kalmış bir hikâye, belki bir aşk masalı!"

"Bunu anlayamazsın," diye çıkıştı Gülay.

"Biliyorum."

"Bilmen de imkânsız. Salih de bilemezdi, Gülsevil de sen de bilemezsin. Gülsevil'e hep anlatmaya çalıştım. O ise benden nefret ediyor. İki kelime konuşmuyor benimle; bir ara bana yakınlaştığını düşündüm, sonra bir gün patladı. Sebepsiz yere; elim ayağım dondu kaldım. 'Derdin ne?' diye sorduğumda, bana günlerce köpek muamelesi yaptı. Konuşmadı. Eski bir ajandada günlük gibi bir şey tutuyormuş, odasını toparlarken yatağın içinden çıktı. Engel olamadım kendime, okudum. Uzun uzun yalnızlığından, kimsesizliğinden yakınıyordu; o zamanlar bir çocuğa âşık olmuştu, onun hakkında yazmıştı birkaç sayfa; kargacık burgacık notlar, neyin nesi olduğunu öğrenemedim. Ama bana niye öyle davrandığını öğrendim; kanım dondu, oturup saatlerce ağladım. Salih'i sevmediğimi yazmış. Babasının ölümünden beni sorumlu tutuyordu. Yaşadıklarımı ona anlatamayacağımı, anlayamayacağını, beni hiçbir zaman sevemeyeceğini bildiğim için, çocuk gibi zırıl zırıl ağladım. 'Babam kim?' diye soruyordu günlükte. Ne desem inanmayacak bana. Nereden duyduysa Arif'le olan ilişkimi öğrenmiş."

Gülay'ın dudakları titremeye başlamıştı; burnunu çekip kendine çekidüzen verdi.

"Ne yapıyor şimdi?"

"Kim?"

"Arif."

"Kasabada."

Gülay, telaşla ayağa kalktı, gözleri kızarmıştı, yüzüne, dudaklarının kenarındaki acıyı gizlemeye yetmeyen sevimli bir gülümseme yerleştirmeye çalıştı. Masadan çay bardaklarını aldı.

"Çay içersin di mi?"

"Olur, içerim," diyerek ayağa kalktı Faik.

"Bu defa ben getireyim."

"Otur lütfen, sen daha çalışacaksın."

Gülay ağır adımlarla mutfağa giderken, Faik, balkon kapısını araladı, rüzgâr kesilmiş, insanı sokaklara çağıran tatlı serinlik her yanı kaplamıştı.

8

Akşamın alacakaranlığı çökerken Erol telefonla aramıştı.
Gülay, "Biraz keyifsiz geliyor sesi," diyerek telefonu Faik'e uzatmış, ortalığı toplamaya koyulmuştu.
"İşin var mı bu akşam? Konuşmamız lazım," diyordu Erol.

Boya işi iyice hafiflemişti, bir günde evin kalanını boyayıp işi bitirebilirlerdi. Bir an önce Gülay'ın uzağında bir yerlerde olmak istiyordu Faik. Artık eskisi gibi konuşamayacaklarını, kendisine başka bir gözle bakacağını biliyordu. Evden ayrılırken kafası iyice karışmış, konuşurkenki güvenini yitirmişti; üzerine tuhaf bir eziklik çöreklenmişti.

Faik, yandaki koltukta iki büklüm oturan, yorgunluktan, uykusuzluktan düşen, başını dik tutmaya çalışan Recep'e baktı.
"İyi misin?"
Recep mekanik bir alet gibi başını Faik'e doğru çevirip, "İyiyim usta, biraz yoruldum galiba," dedi, görünüşünü yalanlayan diri bir sesle.
"Yarın öğleyin gel. Dinlenirsin."
"Gerek yok usta," diye gözlerini yumdu Recep; az sonra derin bir uykuya dalacakmış gibi bir hali vardı.

Recep'i evinin önüne bırakıp dar sokaklardan, dik yokuşlardan ana caddeye ulaştı; trafik ağır ilerliyordu, bir süre sonra yeniden ara yollardan birine saptı.

Erol, kafeteryada kuytu bir masaya oturmuş, önünde bir gazete, okuyormuş gibi yapıyordu; oysa gözleri boşlukta bir noktaya takılmış, boş boş oraya bakıyordu. Birden başını kaldırıp kapıdan giren Faik'le göz göze geldi. Gazeteyi toplayıp masanın bir köşesine itti.

Masadan kalkıp Faik'e doğru yürüdü, elini omzuna atıp, "Hadi çıkalım," dedi.

Eski binaların giriş katlarına sıralanmış, gürültülü birahanelerin, barların, son moda müzikleri bütün sokağa dinleten kulüplerin önünden hiç konuşmadan geçip kalabalığa karıştıklarında, Erol gevşeyen kravatını düzeltip, ceketinin önünü ilikledi. Yüzünde ciddiye alınacak bir kaygı yoktu ama vücudu, çevresine garip bir elektrik saçan gergin bir çelik gibi esniyordu. Bunda şaşılacak bir şey yoktu. O, rahatlığı her zaman disipline ve tetikte olmaya yeğlerdi. Bir şeyler yapmamaktan, düşünmemekten suçluluk duyar, daima elinin altında yapması gereken bir iş, düşünüp çözmesi gereken bir sorun olmasını isterdi. Yoksa kendini derin, koyu bir boşlukta hisseder, suçluluk duyar, çevresine tedirgin edici, nedensiz bir ivecenlik saçardı. Ancak bir şeylerle meşgul olmak onun suçluluk duygusunu giderebilirdi. Kendisini sürekli yapılması gereken işlere kuran, zembereği hiç boşalmayan bir saatti. Daha iktisatta öğrenciyken, babasının işlerini hal yoluna koymak için okul çıkışı mağazaları dolaşır, gün sonunda asker emeklisi babası Suat Bey'in masasına günün raporunu bırakır, masasına dönüp, yarım kalan işlerini yapmaya çalışırdı.

Suat Bey, önündeki dosyayı açıp kısa sürede inceler, hiçbir şey söylemeden oğlunun yüzüne bakardı.

Erol, o bakışların ne anlama geldiğini bilir, "Nakit sıkıntımız yok," ya da "Yarın bankaya gideceğim," derdi.

Suat Bey, para işlerine karışmaz, neredeyse paraya elini sürmezdi. O, patron olamayacak kadar ticaretten uzak ama herkese istediğini yaptırabilecek kadar otoritesini kusursuz kullanan iyi bir örgütleyiciydi. Onun işi, dikim atölyelerinin zamanında malları teslim etmesini sağlamak, yurtdışına gönderilecek malların sorunsuz bir şekilde gümrükten çıkması için nüfuzunu kullanmaktı.

Faik, kısa sürede Suat Paşa isminin açmayacağı kapı olmadığını öğrenmişti.

Albay emeklisi Suat Bey'i Faik'le tanıştırırken, "Suat Paşam," demişti Bahri.

"Bana çok emeği geçti, hakkını ödeyemem."

Faik de o günden sonra, "Paşam," diye hitap etti Suat Bey'e.

Babasıyla her zaman ölçülü bir iş ilişkisi olurdu Erol'un. Onun yanında yapması ve yapmaması gerekenleri belirleyen yazılı olmayan kurallar vardı. Etraflarında birileri varken kesinlikle para alışverişi yapmazlar, tartışma çıkaracak konuları konuşmaktan kaçınırlar, birbirlerine seslerini yükseltmezler, aile içi meselelerden bahsetmezler, hemen hallolması gereken bir sorun varsa boş bir odaya çekilirler ya da kimsenin kendilerini rahatsız etmeyeceği bir yere gidip konuşurlardı.

Faik, ilk mağaza dekorasyon işini yaptığında, emirleri Suat Bey'den, parayı Erol'dan almıştı. İşe başladıktan sonra, mesai saatinin sonuna doğru yüzünde hep aynı ifadeyle mağazadan içeri giriyordu Erol; karşısındakinin şımarmasına izin vermeyen bir tebessüm, olup bitene dikkat kesilmiş soran gözler...

Yapılan işten memnunsa, bir şeye ihtiyacı olup olmadıklarını soruyordu; bir eksik gördüğünde ise, "Şurası sanki," diye söze başlıyor,

yapılmasını istediği şeyi uzun uzun anlatıyordu. Mağazanın dekoras-
yonu bittiğinde, Erol iki çalışma arkadaşıyla birlikte Faik'i meyhane-
ye götürmüştü.

İş dışında iki laf etmeyen Erol, o gece yiyip içtikçe, bir dost kazan-
manın gönül rahatlığıyla Faik'e içini dökmüş, masadakilerle şakalaş-
mıştı. Yapılan işten memnun kalmıştı; yemek ve içkiler de Suat Bey'in
emriyle, Erol tarafından sunulan bir ikramdı.

Suat Bey, dostlarının, arkadaşlarının boya, dekorasyon işlerini Erol
aracılığıyla Faik'e yönlendiriyor, onun iş disiplininden, yaptığı işin ka-
litesinden övgüyle bahsediyordu. Bir konuşma sırasında Faik, uzun sü-
re Bahri'nin terzi babasına çıraklık yaptığını söylediğinde, Suat Bey, he-
yecanla Faik'e başka bir iş teklif etti.

"Madem kesim dikimden anlıyorsun, genel koordinatörümüz ol, iyi
para veririm sana," dedi.

Teşekkür edip teklifi geri çevirdi Faik.

Yüzünde kırgın bir tebessümle, "Sen askerde elime düşecektin, o
zaman gösterirdim ben sana," dedi Suat Bey.

Bir daha bu konuyu hiç açmadı, kırgınlığını belli edecek en ufak bir
söz söylemedi, imada bulunmadı.

Bahri, Suat Bey'in yanında, komutanının emirlerini bekleyen ace-
mi bir er gibi hep tetikte bekliyor, ona duyduğu hayranlıkla karışık sev-
gisini hiçbir zaman gizlemiyordu.

Bahri, mecbur kalmadıkça "Paşa"sıyla ilgili konuşmaz, onu bir li-
der olarak görür, bir baba gibi severdi.

Faik, kimi zaman kıskanç bir yüz ifadesiyle Erol'u izlerken ya-
kalardı onu. Böyle zamanlarda parmakları kıpır kıpır olur, yerlerinde
duramaz, gözleri ateş parçasına döner, yüzünün kızıllığında çilleri
kaybolurdu.

Rıza Kıraç

Bir keresinde, "Erol'un şansı Paşam gibi bir babası olması, şanssızlığı da asker olmaması," demişti Bahri.

Belirsiz bir yere doğru sokaklarda yürümeye devam ettiler.
"Oyun iyi miydi?" diye sordu Erol.
"İyiydi."
"Gülsevil sıkılmadı di mi?"
Erol'un asıl öğrenmek istediği buydu, Gülsevil sıkılmamalıydı. Faik "Gülsevil oyunda sıkıldı" derse, Erol'un sorularının arkasının kesilmeyeceğini biliyordu.
"Beğendi oyunu," dedi.
Erol'un yüzüne bir tebessüm yayıldı.
Gülsevil'i şımartma işini en iyi Suat Bey yapardı. Oğluyla eve geldiğinde onu ayakta karşılar, güzelliği, zarafetiyle ilgili iltifatlar yağdırırdı.
"Kızım," derdi Gülsevil'e...
Ev kalabalıksa, Suat Bey'in ilk işi Gülsevil'in koluna girip onu bir köşeye çekmek olur, uzun uzadıya konuştuktan sonra, yüzlerinde ender rastlanılan bir gülümsemeyle, diğer misafirlerin arasına karışırlardı.

Suat Bey, yıllar önce ayrıldığı eşinin boşluğunu çevresindeki kadınlara komplimanlar yaparak dolduruyordu. Beğendiği bir kadın gördüğünde gençleşir, daha çok içki içer, bir yeniyetme gibi kadınlar tarafından şımartılmak isterdi. Bir süre sonra içkiyi çok kaçırdığı için mahzunlaşır, kuytu bir köşeye çekilirdi.

Suat Bey'in komplimanlarından en çok nasibini alan Gülay'dı. Ancak ona, görmüş geçirmiş kadınlara gösterdiği ağırbaşlı bir saygıyla yaklaşır, onu evin başköşesine oturtur, neredeyse bir dediğini iki etmezdi. Boş gevezelikleri sevmeyen, böyle birisiyle karşılaştığında köşe bucak kaçan Suat Bey, ellerini önünde birleştirir, güler yüzle, sabırla, ne anlatırsa anlatsın Gülay'ı dinler, ancak o sustuktan sonra ne söyleyecekse söylerdi. Böyle anlarda sesini mülayim bir sırdaş gibi inceltir, yüzünden kendisine yakıştığından emin olduğu babacan ifadeyi eksik etmezdi.

İzbe, gürültülü ara sokaklara daldılar. Işıklı, cümbüşlü bir sokağın başına geldiklerinde, Faik, Suat Bey'le görüşeceğini anladı.

Haftanın bir iki akşamı Suat Bey'in gittiği kulübün kapısından girdiklerinde, "Bursa'daki mağazanın dekorasyonunu konuşmak istiyor babam," dedi Erol.

Her zamanki gibi, Boğaz'a bakan pencerenin önündeki masasında oturmuş ağır ağır rakısını yudumluyordu. Dingin bir müzik, kalabalığın anlamsız uğultusuyla başa çıkmaya çalışıyordu.

Masaya doğru gelen oğlu ile Faik'i fark edince ayağa kalktı; tıraşlı, bakımlı yüzü kulübün loş ışığında bitkin, keyifsiz görünüyordu.

Masaya oturur oturmaz, "Ne içersiniz?" diye sordu Suat Bey.

İçki siparişi verildi.

Suat Bey'in gözleri Faik'in üstündeydi. Rakısından bir yudum alıp, "Erol yeni mağaza işlerini anlatmıştır sana," dedi.

"Anlattı."

"Bazı şeyler isteyecektim senden. Gülay Hanım'ın evi ne zaman bitiyor?"

"Yarına çıkarız oradan."

"Bu iyi," dedi Suat Bey.

Garson masaya içkileri bıraktı. "Hadi," diyerek kadehini kaldırdı.

"Hoş geldiniz."

İlk yudumlardan sonra ayrıntılara boğulan konuşma uzayıp gitti. Erol, pencereden manzarayı izliyor, arada bir gözlerini pencereden ayırmadan babasının unuttuğu ayrıntıları hatırlatıyordu. Suat Bey, mağazanın "şovrum" havasında bir yer olmasını istiyordu.

"Hafta sonu Erol'la Bursa'ya gidip maliyet çıkar, sonra da hemen işe başla."

"Nasıl isterseniz," dedi Faik.

Konunun bağlandığını anlayan Erol, babasına baktı.

Suat Bey dudaklarına bir sigara yerleştirip, "Bizi biraz yalnız bırakabilir misin?" diyerek oğlunun omzuna sevecen bir hareketle dokundu.

Erol şaşkın bir yüzle toparlandı, masadan kalkarken, "Bardayım ben," dedi.

Başparmağıyla işaretparmağı arasına sıkıştırdığı sigarayı avucunda kaybeden Suat Bey'in gözlerine sarı bir ağırlık çökmüştü. Yutkundu, bir yudum su içti.

"N'oluyor?" diyerek, bakışlarını Faik'in gözbebeklerine dikti.

"Anlamadım?"

"Anlamışsındır! Si...ne bu kadar düşkün olman hiç iyi değil. Tüketir adamı."

Faik'in dizlerinin bağı çözüldü. Sandalyede oturmasaydı bir çuval gibi yere yığılırdı. Masanın üstünden ellerini çekti, parmakları oturduğu sandalyenin kenarlarını kavradı sıkı sıkı. Suat Bey'in yüzü, kızıl bir siluete dönüştü. Etrafındaki her şey o kızıl siluette kaybolacaktı.

"Beni takip mi ettiriyorsunuz?" diye mırıldandı.

"Buna gerek yok ki. Her yerde ayak izin var."

Sustu, öfkesini kontrol etmeye çalışıyormuş gibi bir hali vardı; ne diyeceğini, nasıl diyeceğini kestirmeye çalışıyordu; sonunda, "Ne istiyorsun Gülsevil'den?" diye çıkıştı Suat Bey.

Sorusunun yanıtını bekliyormuş gibi yeniden sustu. Dövüşü çoktan göze almış, az sonra atacağı yumruk için güç toplayan bir mahalle kabadayısı gibi bütün vücudu gerilmişti Suat Bey'in.

"Bugüne kadar ses çıkarmadıysam aptallığımdan değil; belki akıllanır, ekmek yediğin yere pislemenin vicdan azabıyla özür dilersin diye beklememden. Hadi bunu boş ver ya Erol? Ona ne diyeceksin?"

"Paşam," diye konuşmaya çalıştı Faik.

"Senin paşan maşan değilim, bana paşam deyip durma. Bahri'nin emaneti olmasaydın, şuracıkta alnının çatına iki kurşun sıkıp leşini yere sererdim. Bu seninle son işimiz, bundan sonra kapıma gelme. Gülsevil'e iliştiğini görürsem, duyarsam, İstanbul'u dar ederim sana haberin olsun. Şimdi defol masamdan."

Faik, sandalyeyi kavrayan parmaklarını gevşetti. Ağzı kurumuştu; bir yudum bira içti. Bir şeyler söylemek istedi ama ağzı hâlâ kuruydu, üstelik dudakları arasından çıkan her sözcüğün konuşmayı biraz daha çıkmaza sokacağını, Suat Bey'i tamamen zıvanadan çıkaracağını biliyordu.

Ayağa kalktı, Suat Bey'in bir kargı gibi Faik'in gözlerini oyan bakışları hâlâ üzerindeydi. Bütün cesaretini toplayıp, "Aradan çekilmemin bütün sorunları çözeceğini mi sanıyorsunuz?" diye mırıldandı çatallanan sesiyle.

Arkasını dönüp bara doğru yürüdü; Suat Bey'in bakışlarının üzerinde olduğunu biliyordu.

Kendisine doğru gelen Faik'i fark edip, bar taburesinden indi Erol.

"Ben çıkıyorum."

"Nereye gidiyorsun? Biraz içer konuşuruz diye düşünmüştüm."

"Yorgunum. Başka bir zaman yapalım bunu. Eve gideceğim."

"Ben bırakırdım seni," diye ısrar etti Erol.

"Boş ver," diyerek kapıya yöneldi Faik.

Konuşmaya takatı kalmamıştı. Sokağa çıktığında derin bir nefes aldı.

Eve gitmek istemiyordu.

Kalabalığa karıştı; gruplar halinde yürüyen gürültücü insanlar üzerine doğru geliyordu. Sonunda bir pasajın kapısına yaslandı, önünden bir ırmak gibi akan kalabalığı izledi bir süre. Bir sigara içti, ardından bir diğerini yaktı. Binaların saçak altından yürümeye başladı yeniden.

Bir ara sokağa saptı.

Tıklım tıkış bir barın kapısından girdi. Her yere bira, sigara ve ter kokusu karışımı mide bulandırıcı bir koku sinmişti.

Bira alıp kuytu bir köşeye çekildi. Sağ yanında bir grup genç, her yeri inleten şarkıya bağıra çağıra eşlik ediyordu.

Boş bardakları toplayan garsondan bir bira daha istedi.

Elinde içki şişesiyle kendi etrafında dönerek dans eden genç bir kız sağa sola çarptı, dengesini yitirdi; dans edenlerden biri kızı kolundan tutmaya çalıştı, başaramadı.

Genç kız, Faik'in üstüne yığıldı.

9

Kanepede sızıp kalmıştı.

Uyandığında gün ağarmaya başlamıştı, gece, kaldığı yerden devam ediyordu sanki. İçtiklerini kaç kere çıkardığını hatırlamıyordu.

Tuvalete koşturup yeniden çıkardı, elini yüzünü yıkadı, saçlarını ıslattı, ağzındaki kötü tadın gitmesi için dişlerini fırçaladı, diş macunu midesini bulandırdı, yeniden çıkardı.

İçindeki sıkıntı bir parça olsun azalmamıştı.

Tıraş olmak için aynanın karşısına geçtiğinde, aynadaki yansımasına bir yabancıya bakar gibi baktı. O yüzdeki ifadenin gerçek olmadığından emindi, öğretilmişti belki; dün gece yaşadıklarına benzer şeylerle karşılaştığında yüzünün nasıl bir şekil alması gerektiğine dair öğütler verilmiş olmalıydı.

Bu bir oyun muydu? Oyunsa daha fazla devam etmek istemiyordu; bu yüzün, bu ifadenin kaybolması için bir şeyler yapmalıydı.

Sağ eliyle yüzüne dokundu; aynadaki parmaklar uzun, güzel, bakımlı görünüyordu; bakışlarını parmaklarına çevirdiğinde ise küt, çirkin, yara bere iç ndeydiler. Yeniden aynadaki parmaklara baktı. Başka birinin parmakları olmalıydı bunlar. Aynadaki yüze dokunduğunda da güzeldi parmakları.

Yeniden yüzünü yıkadı, sabunladı, jilet yüzünde ilerledikçe sabunun altından aynı ifadeyi taşıyan başka birinin yüzü ortaya çıkıyordu. Duşun altına girdi, sadece sıcak suyu açtı, banyodan çıktığında o yüzün değişmesini istiyordu. Teni yumuşamış, acıya duyarlılığı artmıştı. Aynaya bakmadı, aynı şeyle yüzleşmekten korkuyordu.

Banyodan çıktı, ocağın altını yakıp çay suyu koydu.

Giyinmek için yatak odasına giderken koridordaki kusmuk izlerini gördü, bir bez alıp yerleri sildi.

Giyinmeye başladığında kendisini bitkin, güçsüz hissediyordu. Yatağa uzandı, kesik kesik bir yarım saat kadar uyukladı. Yataktan kalktığında kendisini daha iyi hissediyordu, mutfağa gidip fokurdayan çaydanlıktaki suyla çayı demledi, bahçeye çıkan taşlığa oturup bir sigara yaktı.

Güne yeni başlayan şehrin gürültüsünü duyabiliyordu artık.

Bir bardak çay alıp yeniden taşlığa oturdu. O eve gitmek istemiyordu. Akşamüstleri kasabadaki evin taşlığında oturduğu günlerdeki gibi kendisini bitkin, kırgın, güçsüz hissediyordu. Elleri titremeye başlamıştı. Bir daha ayağa kalkamamaktan korktu; bardaktaki son yudum çayı içip, oturduğu yerden kalkabileceğini kendine kanıtlamak için ayaklandı. Aynı kararlılıkla mutfağa yöneldi. Bir tabağa kahvaltılık koydu; bayatlamaya başlamış ekmeğin ucundan koparıp, su bardağına çay doldurdu.

Elinde tepsiyle ağacın altındaki masaya doğru yürürken içinde garip bir şeylerin hareketlendiğini hissetti. Yüzüne muzır bir gülümseme yerleşmişti. Ağacın altındaki masaya oturacak, sabahın serinliğinde kahvaltı edecek, tek başına ayakta kalabileceğini kanıtlamak için şehirdeki insanların arasına katılacak, sevmeye devam edecekti.

Kapıyı Gülay açtı. Başına bir eşarp bağlamış, eski elbiselerini giymiş, boyası biten odaların temizliğine başlamıştı.

Recep işin büyük bir kısmını yapmıştı. Faik, ondan, eşyaları yerleştiren Gülay'a yardım etmesini isteyip, yarım kalan boya işini tamamladı. Ufak tefek rötuşları da yapıp, boyaları, fırçaları bir araya toplamaya başladığında saat üçe geliyordu.

Balkona çıkıp bir sigara yaktı. Güneş sağ tarafındaki binaların üstünde birazdan kaybolacaktı. Arada bir uzaklardan martı çığlıkları geliyordu. Etrafı seyretti bir süre, evlerin pencerelerine baktı; perdelerin biçimlerinden, renklerinden, camların önüne dizili oyuncaklardan, uzaylı maskotlarından, biblolardan, çiçeklerden o evlerdeki insanların nasıl bir hayat yaşadığını çıkarmaya çalıştı; sonra çocuk bağrışmalarının yükseldiği sokağa baktı; çocuklar top oynuyordu; arada bir otomobil, kamyonet geçiyordu sokaktan; top hangi çocuğun ayağındaysa araca bir çalım atıp kaldırıma çıkıyor, sonra oyuna kaldıkları yerden devam ediyorlardı.

Telefon sesiyle kendisine geldi.

Gülay, telefona baktı.

"Erol, seni istiyor," diye seslendi.

"Yarın gidiyoruz, bir değişiklik yok di mi?" diye sordu Erol.

"Buradaki iş bitti. Yarın öğleye doğru yola çıkabiliriz."

"Anlaştık öyleyse. Akşama ne yapıyorsun? Gülsevil'le içmeye gidiyoruz, sen de gelsene."

"Hazırlık yapmam lazım."

"Fikrini değiştirirsen beni ara."

"Olur," dedi Faik.

Ahizeyi bırakırken, Gülay'ın kendisini izlediğini fark etti, gülümsedi. Dayısının bu kadına niye âşık olduğunu biliyordu artık.

"Gülsevil'i Erol'la paylaşmak canını acıtmıyor mu?" diye sordu Gülay.

Faik gözlerini Gülay'ın bakışlarından kaçırdı, bir şey söylemeden banyoya gitti, elini yüzünü yıkadı, saçlarını ıslattı; aynaya bakmamak çok zordu.

10

Daha otobana çıkmadan arka koltukta Recep uyuklamaya başlamıştı. Feribot iskelesinde fazla beklemediler. Bir yolcu otobüsünün ardından feribotun kapağını tırmanıp, görevlinin işaret ettiği yere otomobili park ettiler. Recep, arka koltukta hâlâ uyuyordu, onu kendi halinde bırakıp üst kata çıktılar.

Martılar iskeleden titreyerek, gürültüyle denize açılan feribotu takip ediyor, denize dalıyor, yüksek yerlere konup tedirgin hareketlerle etrafa bakınıyorlardı.

Erol, koltuğunun altına sıkıştırdığı spor ceketini omzuna atıp oturacak yer arandı, rahat bir yer bulamayınca sahanlığı çeviren korkuluklara dayandı.

Faik, ağır adımlarla Erol'un yanına gidip, vücudunun ağırlığını onun gibi korkuluklara verdi, denize atlamak için can atan iki manken gibi bir süre konuşmadan öylece durdular. Yol boyunca iki çift laf etmemişlerdi.

Erol, radyoda zevkine uygun müzikler aramış, feribot kuyruğuna girince radyoyu kapatıp, "Keşke bir iki kaset alsaydım yanıma," diye mırıldanmıştı.

Suat Bey'le konuştuğu akşamdan sonra Faik bir ara işi geri çevirmeyi düşünmüş, sonunda böyle bir kararı almasının nedenini Erol'a açıklayamayacağını kavrayarak, yolculuk için hazırlık yapmıştı.

238

Şimdi, Erol'la yola çıkmak canını sıkıyordu; bir yandan da ona her şeyi anlatmak, içinde büyüyen sıkıntıdan kurtulmak istiyordu.

"Ne yaptın dün akşam?" diye mırıldandı Erol.

"Evdeydim."

"Gelirsin diye bekledim."

Denizden sert rüzgâr esiyordu. Erol parmaklarıyla saçlarını düzeltip, ceketini giydi. Aylardır işten başını kaldıramayan bir memurun senelik iznine çıktığında yaşadığı boşluk duygusuydu hissettikleri. İş için yola çıkmamıştı sanki; arkadaşıyla eğlenceli bir yolculuk yapacak, gönlünü eğlendirecekti; ama bu duygu çok uzun sürmez, ertesi gün bu boşluktan sıkılmaya başlardı.

"Çay içelim," diyerek, tepsiyle çay dağıtan garsona seslendi Faik.

Çığlık çığlığa bağrışarak koşuşturan iki çocuk yanlarından geçerken, garson seri hareketlerle çay tabaklarına bardakları, şekerleri yerleştirip onlara uzattı.

Erol ceketinin ceplerinde sigara aranırken, "Gülsevil'e 'Evlenelim artık,' dedim," diye mırıldandı.

"O ne dedi?" diye sordu, ilgisizmiş gibi.

"Şimdi bunu konuşmanın sırası mı?" diye kestirip attı.

"Ama bu daha ne kadar sürer ki? Haksız mıyım?"

"Beni bu işe bulaştırma."

Sigara paketini Faik'e uzatırken, "Ne istediğini bilmiyorum. Konuşmuyor da. Zaten konuşabilsek iş değişecek," diye dert yandı Erol.

"Bir gün konuşur."

"Kıskançlık mı ediyorum? Önceden eski sevgililerini anlatırdı bana. Onlarda arayıp da bulamadıklarını sıralardı habire. O eski sevgililerden biri olmaktan korkuyorum. Bazen, 'her şeyi oluruna bırak, amma vesveseli adamsın' diyorum kendi kendime."

Faik'in yüzüne baktı, umduğu ilgiyi görememişti. Yüzünü denize döndü. Parmakları arasındaki sigara büyük bir hızla için için yanıyordu.

Bu yolculuk Gülsevil'e dair sorulardan uzaklaşmak için iyi bir fırsat diye düşünmüştü, oysa şimdi Erol onun hakkında konuşmak istiyordu.

Erol, "Sen ne yaptın kızlarını?" dedi iş olsun diye.

"Bir şey yapmadım."

"Nasıl böyle rahatsın? İçlerinde hoşuna giden, tutulduğun biri yok mu yani?"

"Ben memnunum halimden."

"Aramızdaki fark bu ya," diyerek, çayın soğumasına aldırmadan bir yudum içti.

Mide bulandırıcı, buruk sıvı boğazında ilerlerken, "Benimle yaşamak istemiyor," diye mırıldandı.

Bu mıymıntı, mızıldanan halinden hiç hoşlanmıyordu; bakışlarını Erol'un gözlerine dikti, bir süre birbirlerine baktılar.

"Ne var?" diye çıkıştı Erol.

"Bir şey yok. Belki yanılıyorsundur, abartıyorsundur, diye düşündüm."

"Onun beklentilerine cevap veremiyorum, hırsına ortak olamıyorum; önünde uçsuz bucaksız bir yol var ve o durmadan yürüyor. Bense böyle şeylere anlam veremiyorum; tek derdim işimi yapmak."

"Bu da bir hırs değil mi?"

"Onunki gibi değil; canı bir şeyi istedi mi gözü hiçbir şeyi görmüyor," dedi Erol.

"O zaman kendine göre birini bul."

"Demesi kolay, gel sen bul."

Feribot kıyıya yanaşırken otomobile döndüler. Recep uyanmış; tedirgin, utangaç bir ifadeyle, arka koltukta iki büklüm etrafı izliyor, ne kaçırdığını merak ediyordu.

İskeleden ayrılıp bir süre kıyıya paralel yol aldılar. Geniş bir kavşaktan sola dönüp, bir rampayı tırmandılar.

Erol, radyoda müzik kanallarını dolaşmaya başladı; bir kanalı ayarlıyor, birkaç dakika sonra parazitlerden müzik dinlenemez hale geldiğinde yeniden radyonun düğmesine sarılıyordu.

Rampa bittiğinde neredeyse düz bir otobanda yola devam ettiler; akşamın kızıllığı kendini göstermeye başladığında, "Yemek yiyelim," dedi Erol.

"Az kaldı, birazdan Bursa'da oluruz."

"Sağda büyük bir lokanta olacak, orada yiyelim yemeği."

Faik, çim kaplı bir futbol sahasının yanındaki otoparka otomobili park etti. Koyu mavi cam kaplı alışveriş merkezinin geniş kapısından girip, lokantaya doğru yürüdüler.

Yüksek tavanlı, üç yanı camlarla çevrili lokantanın kapısından girdiklerinde anlaşılmaz bir uğultunun ortasında buldular kendilerini.

Erol, keskin yüz hatlarıyla, atı andıran kaba saba görünüşlü bir kadının ardındaki masaya yöneldi.

Recep, lokantanın büyüklüğünden şaşkına dönmüş, sarsak bir ifadeyle etrafına bakarken, küçük bir çocuk merakıyla, "Bu ne, bu ne?..." diye sormamak için kendini zor tutuyordu.

Masaya mönüyü bırakan papyonlu, güleç yüzlü garsona siparişler verilirken Recep, "Ustamınkilerin aynısından olsun," dedi.

Mağazayı üstünkörü gözden geçirdikten sonra, "Elektrik ve kartonpiyer için fiyat almamız gerekli," dedi Faik.

"Ne gerekiyorsa yaparız. Sen kendi hesabını çıkar," diye kestirip attı Erol.

"Acelen ne?" diye çıkıştı Faik, elindeki deftere notlar alırken.

Otel odasına çantalarını bırakmadan, lobiden telefon edip, sağ salim Bursa'ya ulaştıklarını babasına bildirdi Erol. Yeniden telefon numaralarını çevirirken Faik'e göz kırptı.

Rıza Kıraç

Erol, Gülsevil'e, "Alo. İyi geceler matmazel," derken dudaklarının kenarında muzır bir gülümseme vardı.

Recep'i odasına yerleştirip, bir taksi çağırttılar.

Şehrin dışına doğru açılan blok apartmanların bulunduğu siteye girmeden taksi şoförüne, "İçki nerede buluruz?" diye sordu Erol.

Asansörle yedinci kata çıkarken aynada üstünü başını kontrol edip, parmaklarıyla saçını taradı Erol.

Yeşile boyalı demir kapının önüne geldiklerinde, "Neşelen biraz oğlum, bunda surat asacak bir şey yok ki," diyerek zile bastı.

Esmer, kıvırcık saçlı, yanaklarına sürdüğü allığı palyaço makyajını andıran otuz yaşlarında bir kadın açtı kapıyı. Koridorun diğer ucunda beyaz tenli, kısacık saçları kızıla boyalı yirmi beş yaşlarında başka bir kadın gülümsüyordu.

Kıvırcık saçlı kadın, Faik'in varlığına aldırmadan, boynuna sarıldığı Erol'un dudaklarına dudaklarını yapıştırdı.

Kapıyı kapatıp koridorun diğer ucundaki kısa saçlı kadına doğru ilerledi Faik; kadının üzerinde neredeyse saçlarıyla aynı renkte, göbeğini açıkta bırakan bir tişörtle kısacık uçuk mavi bir şort, küçücük yüzünde ancak oyuncak bebeklerde görülebilecek belli belirsiz bir burun çıkıntısı vardı.

Kadın, "Hoş geldin," diyerek dudaklarına küçük bir öpücük kondurduğu Faik'i elinden tutup salona doğru yönlendirdi. Alaca renklerle bezeli kadife kanepeye yan yana oturdular.

Erol'la diğer kadın sarmaş dolaş içeri girdi.

"Kadeh getiren yok mu, şampanya aldım," diyerek elindeki poşeti kaldırıp vücudunu bir çuval gibi koltuğa bıraktı.

Kıvırcık saçlı kadın kucağına oturup, dudaklarına küçük öpücükler kondurduktan sonra, Erol'un elindeki poşeti alıp mutfağa yöneldi.

11

Pazar günü öğleye doğru, Erol'u, elektrik ve kartonpiyer işlerini yapacak ustalarla tanıştırdı Faik. Yapılması gereken işler konusunda anlaştıklarında ikindi olmuştu.

Bir önceki gecenin esrikliğini üstünden atamayan Erol, etrafa gülücükler dağıtıyor, ustalarla şakalaşıyor, oturmaktan sıkılıp, "Ne zaman işe başlıyoruz usta?" deyip duran Recep'e, "Boş durma, bir şeyler yap," diyerek takılıyordu.

Erol'u, İstanbul'a dönmesi için otogara bıraktıktan sonra, Recep'e Bursa'yı gezdirdi Faik. Şehir turu umduğundan kısa bir sürede bitti, sokak lambaları yanmaya başladığında bir lokantanın önüne park etti otomobili. Yemek siparişlerini verdiler. Recep'in işle ilgili sorularını kısa yanıtlarla savuşturup, önündeki yemekle savaştı Faik.

Aklının bir köşesinde hep Gülsevil vardı ama onu arayamayacağını biliyordu.

Gülay'ın sorduğu soruyu zaten hep düşünmüş, kendine bile yanıt vermeye yanaşmamış, yalnızca unutmak istemişti.

Erol'u otogara bıraktıktan sonra derin bir nefes almıştı. Oysa yalnız kalmak istemiyordu. Konuşmak istiyordu. Gülsevil'e anlattığı hikâyedeki adam gibi, hikâyesini dinlemeye hazır birisini bulmak için uzun bir yolculuğa çıkabilirdi.

Yemek biter bitmez Recep'in bakışlarını üstünde hissetti.

"Ne oldu?" diye sordu.

"Benim uykum geldi. Otele gidebilir miyim?"

"Hadi otele dönelim," diyerek ayağa kalktı Faik.

Hesabı ödeyip lokantadan çıktıklarında yağmur atıştırmaya başlamıştı. Yollar neredeyse bomboştu.

"Ben burayı sevmedim," dedi Recep.

"Nesini sevmedin?" diye sordu otomobili çalıştırırken Faik.

"Her yer birbirine benziyor."

Otele geldiklerinde Recep odasına çıktı.

Lobideki koltuklardan birine kurulup çay içti Faik.

Dışarı çıkıp dolaşmaya karar verdi. Kapıdan çıkarken resepsiyondaki görevli genç kadın, "Size telefon var efendim," diye seslendi.

Ahizeyi alıp, "Efendim," dedi Faik.

"Bana hikâye anlatacak kimse yok," diye yakındı telefonun diğer ucundaki ses.

"Yazık," dedi alaylı bir ses tonuyla.

"Sen olsaydın bir şeyler anlatırdın di mi?"

"Senin için yapmayacağım şey yok. Ama kafamı karıştırıyorsun."

Resepsiyondaki genç kadınla göz göze geldi Faik. Kadın başını önüne eğip elindeki kâğıtları karıştırmaya devam etti.

"Çok özledim seni. Yanına gelmek isterdim ama işleri bırakamıyorum."

"Erol dönüyor, onunla oyalanırsın."

"Adileşme," diye çıkıştı Gülsevil.

"Tamam, görüşürüz," diyerek telefonu kapatmak istedi Faik.

"Kapatma, konuşmak istiyorum seninle."

"Telefonda mı?"

"Nesi varmış telefonun?"

"Dinliyorum."

Bir süre karşı taraftan ses gelmedi, derin bir soluk aldı Faik.

"Erol evlenme teklif etti."

"Biliyorum."

"Anlattı mı?"

"Evet."

"Başka ne konuştunuz?" diye sordu alaylı bir tavırla.

"Havadan sudan."

"Ben de Suat Bey'le görüştüm bugün. Berbattı. 'Artık Erol'la bir şeyler yapın,' dedi."

"Sen ne dedin?"

"'Bilmiyorum,' dedim. 'Başka birini mi seviyorsun?' diye sordu. Yine, 'Bilmiyorum,' dedim. 'Bu böyle sürmez, düşün,' dedi."

"Düşünüyor musun?"

"Hayır," diyerek bir kahkaha attı Gülsevil. Sinirleri boşalmış, kendini tutamıyordu.

Gülsevil'in gülme krizinin bitmesini bekledi Faik.

"Bir şeyler biliyor galiba," diye kırgın bir sesle mırıldandı Gülsevil.

"Daha fazlasını biliyor," dedi Faik.

"Bu işi, senin İstanbul'dan uzaklaşman için mi uydurdu?"

"Öyle bir şey değil. Dönünce konuşuruz, olmaz mı?"

"Olur. Ama seni gerçekten özledim."

Dışarıda yağmur hızlanmıştı. Odasına çıkıp ceketini giydi.

Boş caddelerde bir süre dolaştı. Salaş bir birahanenin önünde durdu. İki bira içti, birahanenin gürültüsüne rağmen tatlı bir dinginlik yaşıyordu. Karşısındaki boş sandalyeye, elinde bira bardağıyla kırk yaşlarında bir adam oturdu. Adam gülümsediğinde kırçıl bıyıklarının altından siyah bir mağara çıktı ortaya. Adam, ellerinin de kendisine yardımcı olacağını düşünüp, elini kolunu sallayarak, heyecanla bir şeyler anlatmaya başladı. Faik, bir süre adamı dinledi, canı sıkıldı, bir şey söylemeden masadan kalktı.

Hesabı ödeyip kendini dışarı attı, otomobilin yanına geldiğinde etrafına bakındı. Yeniden direksiyonun başına geçtiğinde artık ne yapması gerektiğini biliyordu. Şehir merkezinde bir tur atıp tabelaları takip ederek otobana çıktı. Islak asfalt karanlık bir ayna gibi parlıyordu. Gaza yüklendi, önünde dümdüz bir yol uzanıyordu. Yaklaştığını sandıkça karanlık ayna uzaklaşıyor, Faik'i kendine çağırıyordu. Yarım saat sonra bir kasabadan geçti, bir çeyrek saat sonra şehir merkezindeydi, sonra yeniden otobana çıktı. Yollar kuruydu artık. Arada yanından bir otomobil geçiyordu, bazen önüne bir tır ya da kamyon çıkıyor, temkinli sollamalarla araçları arkasında bırakıp, yeniden boş yolda ilerliyordu.

Üç saat sonra Ankara'nın ilk ışıklarını gördü.

Bir benzincide durup Bahri'ye telefon etti; uyumamıştı daha. Depoyu doldurup şehir merkezine doğru sürdü arabayı.

Bahri'yi evinin önünden aldığında saat bire geliyordu. Kırmızı yüzünde çocuksu bir alay vardı. Kızıl, kirpi saçlarını kısacık kestirmiş, geniş alnının üst tarafında büyük bir boşluk ortaya çıkmıştı.

"Sen böyle pat diye çıkmazdın ortaya? O kadar yolu gelmenin bir nedeni olmalı; ne oldu?" diye sordu Bahri.

"Oturup konuşabileceğimiz bir yer yok mu burada?"

"Buluruz," dedi anlamlı anlamlı gülerek.

Dingin bir müzik vardı barda. Bir kadınla bir erkek, *"Travelling light,"* diyerek düet yapıyordu.

Uzun dar bir koridoru andırıyordu bar; koridoru geçtikten sonra ancak üç dört masanın sığdığı bir boşluğa çıkılıyordu.

Bahri, garsona iki bira işaret edip Faik'e döndü. "Dinliyorum," dedi. "Ankara'yı sevdin mi?"

"Bırak şimdi bunları, asıl konuya gel, durumun iyi gözükmüyor."

"Yılbaşı gecesi beni ilk kez Erol'lara götürmüştün, hatırlıyor musun?"

"Evet" anlamında başını salladı Bahri.

"Suat Bey yoktu, arkadaşlarıyla bir yere gitmişti. Bugün içine düştüğüm çıkmazı o zaman görebilseydim, yarı yoldan eve dönerdim. Erol ile Gülsevil yeni birlikte olmaya başlamıştı; birkaç kere bahsetmişti ondan. O gece Gülsevil'le tanıştım. Siyah, uzun, askılı bir elbise giymişti; çıplak omuzlarına dökülüyordu saçları; yüzünde makyajdan ağır bir maske vardı. Herkes bir şeyler içiyor, gevezelik ediyor, bense bir an önce oradan kaçmak istiyordum. Birkaç kez Gülsevil'le göz göze geldik. Tanıdık biriymişim gibi baktı bana; gözlerimi kaçırdım, huzursuz olmuştum. Erol geldi yanıma, bir iki arkadaşıyla tanıştırdı beni. Neredeyse herkesle aynı şeyleri tekrar tekrar konuşuyorduk, can sıkıntım iyice artmıştı. Sana bakındım, bir köşede genç bir kızla konuşuyordun; senden umudu kestim.

'Sevgilimle tanıştın mı?' diyerek, Gülsevil'i yanına çağırdı Erol.

Gülümseyerek elini uzattı. Yüzündeki ifadeyi, duruşunu bir yerlerden hatırlıyordum da kim olduğunu çıkaramıyordum.

'Sizi bir yerden hatırlıyorum,' dedi Gülsevil.

Söyleyecek bir şey bulamadım, onu hatırlayamadığım için mahcup olmuştum, gülümsemeye çalıştım. Arkamızdaki kalabalıktan birisi Erol'a seslendi. Erol, arkasını dönüp bizden uzaklaştı. Gülsevil, elindeki bira şişesini bana uzatarak, 'Bu gece içmeden çekilmez,' dedi.

Yüzünü iyi görebilmek için gözlerimi kısarak bakmışım.

'Boşuna uğraşma hatırlayamazsın,' dedi alaycı bir edayla.

Erol yanına çağırdı Gülsevil'i.

'Bir yere ayrılma, birazdan gelirim,' diyerek kalabalığa karıştı.

Seni aramaya başladım, bu defa ortalıkta hiç gözükmüyordun. Bir köşeye çekilip, onun elime tutuşturduğu birayı içtim. Sonra masadan bir kadeh kırmızı şarap alıp yeniden sana bakındım. Balkon kapısı aralıktı, dışarı çıktım; serin hava iyi gelmişti; geceyi seyrettim biraz, her yer neredeyse gündüzmüş gibi aydınlıktı.

'Korkunç bir şey, değil mi?' diyerek yanımda bitti Gülsevil.

'Korkunç olan nedir?' dedim.

'Yeni yıl geceleri. İnsanı tedirgin ediyor.'

Kaçamak bakışlarla yüzündeki ifadeyi anlamaya çalıştım, dalga mı geçiyor diye.

'Bunu hiç düşünmedim,' diyerek konuyu geçiştirmeye çalıştım.

'Düşünmelisin,' dedi, bilmiş bilmiş gülümseyerek.

Sonra elimdeki kadehi aldı, şarabın hepsini bir dikişte içti.

'Sana bir şey dinletmek istiyorum, hazır mısın?' diyerek gözlerini üzerime dikti.

Bir şeyler söylemeye hazırlanıyordum, işaretparmağını dudaklarına götürdü, kadehi havaya kaldırıp, bir süre bekledikten sonra parmaklarını kadehten çekti. Kısacık bir sessizlikten sonra kadehin parçalanma sesini duydum.

'Şiir gibi, bunun üstüne sigara içmek lazım,' dedi.

Bir sigara tabakası çıkarıp bana uzattı. Sigarayı alırken bir tabakaya bir Gülsevil'e baktım. Emin olamadım, çok değişmişti. İstanbul'a geldiğimin ilk günleri peşinde dolaştığım bir kız vardı. Uzaktan takip ediyordum; Gülsevil'miş o.

Sigarasını yakıp dumanını havaya savururken, 'Bir arkadaşım vardı, hadi doğru söyleyeyim, eski sevgilimdi, yeni yıl eğlencesinden nefret ederdi. Yeni yılın ilk sabahı, kötü bir sevişmenin verdiği acıyla, baş ağrısıyla uyanıyorum, derdi. Pişmanlık da var işin içinde. Keşke o adamla sevişmeseydim diyorsun. Ama iş işten geçmiş oluyor.'

Susup yıldızlara baktı, sonra birden, 'Sen bu duygudan habersizsin galiba,' dedi.

Kafam karışıyordu, 'O kalabalıkta, yanıma gelmesinin bir nedeni var mı?' diye soruyordum kendi kendime. Belki de beni tanıyordu. Sessizliğime dayanamayıp, 'Bu böyle yürümez,' diyerek balkon kapısına yöneldi.

'Sizi uzun bir süre takip etmiştim,' dedim, birdenbire.

Bunu nasıl dediğimi hatırlamıyorum, kontrolümü yitirmiştim. Daha doğrusu, hafızam sözcüklere dökülmüştü. Kapının önünde durdu, içeri girip girmeme konusunda kararsızdı.

'Eeee,' diyerek yüzünü bana döndü.

'O sigara tabakasını nereden aldınız?'

'Ne yapacaksın?' dedi dalga geçerek.

'Onu ben gönderdim size,' dedim.

'Dilin çözüldü sonunda,' diyerek yanıma geldi yeniden.

'Çok değişmişsiniz. Gözlükleriniz yok; saçlarınız, makyajınız... Başka birisi olmuşsunuz,' dedim.

'Sen de değişmişsin. Yalnız gözlerin aynı kalmış. Aynı şaşkın, kaçamak bakışlar,' dedi alay ederek.

Birden yıldızlara doğru havai fişekler yükselmeye başladı, patlayıp parçalara bölündü, içerideki kalabalık balkona doluştu. Havai fişekleri seyredebilmek için herkes birbirini itiyordu.

'Hâlâ aynı evde kalıyorum,' diye kulağıma fısıldayıp, Erol'un koluna girdi."

Bahri, gözlerini Faik'ten ayırmadan, "Bunlardan niye daha önce bahsetmedin?" diye sordu.

Faik'in önünde bira bardağı olduğu gibi duruyordu, bir yudum alıp, kuruyan dilini damağını rahatlattı. Konuştukça, Bahri'nin yüzündeki soru işaretlerinin çoğaldığını fark etmişti; sözünü kesip soru sormaması alışıldık bir şey değildi.

"O günlerde anlatacak bir şey yoktu ki. Birkaç hafta sonra Ankara'ya tayinin çıkmıştı. Hem ortada konuşacak pek fazla bir şey de yoktu. Sonra işin bu noktaya geleceğini hiç düşünmedim. Uzun bir süre Gülsevil'le görüşmedik. Sonra bir gün Erol aradı. Bir ev boyanacakmış. 'Ofise uğra,' dedi.

Akşama doğru mağazanın üstündeki ofise gittiğimde Gülsevil de oradaydı. Gazete okuyordu, beni görmezden geldi. Erol çay ikram etti, boyanacak ev Suat Bey'in arkadaşınınmış; telefonlarını, adresini verdi. Kısa bir süre havadan sudan konuştuk, kalkmaya niyetlendim.

'Nereye?' diye sordu.

'İşiniz vardır, ben çıkıyorum,' dedim.

'Hiçbir yere çıkamazsın, içmeye gideceğiz,' dedi Erol.

O sırada Suat Bey geldi. Selamlaştık, hal hatır sordu.

Sonra, 'Biz çıkıyoruz baba,' diyerek kolumdan çekiştirdi Erol.

Uzun bir gece oldu. İkinci biradan sonra Gülsevil, Erol'u unutup bana peş peşe sorular sormaya başladı: 'Nerede büyüdün, kaç yıldır İstanbul'dasın, hangi kitapları okudun, niye boyacılık yapıyorsun?' falan...

Bazen, sorulara, kendisine yöneltiliyormuş gibi Erol cevap veriyordu. Bir ara masadan kalktı Erol. Dudaklarının kenarına kendinden emin bir gülümseme yerleştirmişti Gülsevil.

'Beni hiç aramadın,' dedi. Sorusuna yanıt vermeden ona bakmaya devam ettim, dirseklerini masaya dayayıp, yüzünü avucunun içine bıraktı.

'Beni neden takip ediyordun?' diye sordu.

Öyle güzeldi ki nutkum tutuluyordu karşısında. Birden toparlanıp, masanın üzerindeki sigara tabakasını önüme itti.

'Çocuk gibi mızıklayıp konuşmayacaksan tabakanı geri al,' dedi.

'O senin,' dedim.

'Bende kalmasının bir anlamı yok, kendim çalıp kendim oynuyorum,' diye yakındı.

'Böyle olsun istemezdim, yanınıza gelecek cesareti bulamadım kendimde. Geç kaldım,' dedim.

'Ben korkulacak biri miyim?' diyerek dik dik yüzüme baktı.

Ne demek istediğimi anlamıştı aslında, benimle oyun oynuyordu. O zaman anladım. Oyuna ortak olmak istedim, yine de ne diyeceğimi bilmiyordum, dudaklarımdan, 'Size uzun bir hikâye anlatmak isterdim, belki o zaman içine düştüğüm durumu anlarsınız' gibi laflar dökülmeye başladı.

Beni çözdüğünü hemen fark etti; beni dinlerken parmaklarıyla masanın kenarında ritim tutmaya başlamıştı, konuşmaya devam ettim. Tuhaf bir şekilde cesaretlenmiştim ama ne yapmam gerektiğini hâlâ kestiremiyordum; dudaklarımdan, 'Tutulduğum kadınların karşısında konuşamıyorum' gibi laflar dökülmeye başladı.

'Elim ayağım birbirine dolaşıyor,' diye mırıldandım utanarak.

Gülsevil bir kahkaha attı. Bütün gözler bizim masaya çevrilmişti. Kıpkırmızı kesildim. O sırada Erol, 'Ne kaçırdım?' diyerek masaya geldi.

Gülsevil'in kahkaha krizi henüz bitmemişti, kesik kesik konuşarak, 'Tutulduğu kadınların karşısında dili bağlanıyormuş,' dedi.

'Hâlâ mı?' diye sordu Erol.

Gülsevil'in şakalarına o da katıldı. Gece yarısı beni eve bıraktılar. Ertesi gün aldığım telefon numarasını arayıp adamla görüştüm, işi aldım. Temiz bir evdi, işimiz kolaydı. Birkaç gün sonra, gece yarısı telefon çaldı. Gülsevil'di arayan, 'Hikâyeni dinlemek istiyorum,' dedi.

'Şimdi mi?' diye sordum.

'Evini bulabilirim, tabii sence sakıncası yoksa.'

'Olur, ben evdeyim,' dedim.

Bir saat kadar sonra kapı vuruldu. Saçlarını toplamış, gözlük takmış, makyajsız bir yüzle karşımda duruyordu, tıpkı onu takip ettiğim günlerdeki gibiydi. Evi dolaşmaya başladı; kitaplara baktı; yaramaz, şımarık bir çocuk gibiydi; neredeyse evdeki her şeye elini sürmek istiyordu; kitapları karıştırırken, 'Ben çay istiyorum,' dedi.

Ocağa çay suyu koymaya gittiğimde elinde bir iki kitapla yanıma geldi, 'Bunları okumak için alabilir miyim?' diye sordu.

'Olur,' dedim.

Sonra bahçeye çıktı. 'Burada oturalım mı?' diye sordu.

Ağacın altına oturduk, sigara üstüne sigara yakıyordu.

'Hadi, neymiş hikâyen? Dinliyorum,' dedi.

Ben de ona babamı anlattım: Kör Arif'le kaçağa gitmeden önce nasıl hazırlık yaptığını, dönüşünde gördüğü yerlerle ilgili neler anlattığını; anneme olan sevgisini; annemin, babamın ölümünden sonraki hastalığını, ölümünü... Anlattıklarımın ne kadarı gerçekti, ne kadarı uydurmaydı, hâlâ emin değilim. Hava serinleyince içeri girmek istedi. Nasıl oldu bilmiyorum odaya sarmaş dolaş girdik. Hiçbir şey umurumda değildi, sadece onunla olmak istiyordum. Kendimden ne zaman geçtiğimi hatırlamıyorum, sabah uyandığımda yatakta yoktu, erkenden kalkıp gitmişti. Birkaç gün görüşmedik onu aramak istiyordum ama ne diyeceğimi, nasıl davranacağımı kestiremiyordum. Bunun tek gecelik bir şey olduğunu aklıma getirmek bile istemiyordum. Ara sıra birlikte olduğum bir kadın vardı, yalnız yaşıyordu, onun yanında kendimi çok rahat hissediyor, bazı geceler ona gidiyordum. Gülsevil'le birlikte olduğum o geceden sonra kadını atlatmaya başladım. Kendimi kötü hissediyordum çünkü, o kadınla birlikte olursam, Gülsevil'i aldatmış olacağım, diye düşünüyordum. Zaten ondan telefon gelir diye akşamları evden çıkmamaya başlamıştım. Bir yandan da Gülsevil'in, Erol'la neler konuştuğunu, neler yaptığını merak ediyor ama onu arayıp konuşamıyordum.

'Erol'a her şeyi anlatıp benimle olmak istediğini söyleyecektir mutlaka,' diye kendimi avutuyordum.

Sonunda, yatmaya hazırlandığım bir gece yarısı kapı çalındı. Gülsevil'in elinde içi bira dolu bir poşet vardı. Yüzünde mutlu bir gülümsemeyle kapıdan içeri girip bana sarıldı, öpüştük. O an, beni seçtiğini, benimle olmaya karar verdiğini düşündüm. Hem akıl almaz bir mutluluk, hem de garip bir tedirginlik, huzursuzluk aklımı başımdan aldı. Kitaplardan birini okuyup geri getirmişti. Kitabı anlattı bir süre, parmaklarımı avucunda tutup, başını dizlerime koyarak boylu boyunca kanepeye uzandı; arada bir öpüşüyorduk. Ben, Erol'la neler konuştuğunu anlatmasını beklerken, babasından bahsetmeye başladı. Hayal meyal hatırlıyordu babasını ama onunla ilgili kendisine anlatılan çok şey vardı. Gülsevil'in gözünde babası bir kahramandı. Bir yandan da kırgındı ona; kendisini bırakıp gitmesini, daha doğrusu öldürülmesini kabullenemiyordu. Babasını öldürenler bulunamamıştı.

'Belki de onlarla aynı otobüse biniyorum, aynı lokantada yemek yiyorum, kim bilir, o katillerle iş bile yapmış olabilirim,' dedi.

O gece, gün ağarana kadar konuştuk, sonra yattık. Birkaç gün sonra Erol aradı.

'Hadi kalk gel, içmeye başladık biz,' dedi.

Önce tereddüt ettim, sonra, 'Ne olacaksa olsun,' dedim kendi kendime gerekirse kavga bile etmeye hazırdım.

Erol'un söylediği yere gittim, Gülsevil'le oturmuş içiyorlardı. Olan bitene anlam veremedim; onlar iki sevgiliydi masada, bense arkadaşları. Saçmalamaktan, ters bir şey yapmaktan korktum, kendimi tuttum. Aramızda hiçbir şey olmamış gibi davranıyordu Gülsevil. Ona ayak uydurmaya çalıştım. İçtik, şakalaştık, Erol masadan kalkıp bizi yalnız bıraktığında, sırlarının açığa çıkmasından çekinen iki korkak gibi sustuk. Beni eve bıraktılar. Uyuyamadım, tuzağa düşürülmüş bir hayvan gibi kıvranıp durdum bütün gece; elim ayağım titremeye başladı, sabaha doğru dayanılmaz bir bitkinlik çöktü üstüme, o kadını aradım.

'Hayırdır?' dedi.

'Ne oldu?'

'Kendimi kötü hissediyorum, yanına gelebilir miyim?' diye sordum.

'İstiyorsan gel,' dedi.

Kadının evine gittim. Hiçbir şey konuşmadım, içim acıyor, mideme kramplar giriyordu; yatağa, kadının yanına uzandım, ona sarılıp uyumaya çalıştım. O sevişmek istiyordu, bir süre sonra kendimi bıraktım. Uyandığımda, kadın küçük bir not bırakıp işe gitmişti.

'Kendini özletme lütfen' yazıyordu notta.

Öğleye doğru evden çıktım; içimden çalışmak gelmiyordu, yine de işe gittim; boya bitmek bilmiyor, bir türlü akşam olmuyordu. Üstelik havanın kararmasıyla birlikte daha kötü olacağımı biliyordum. Yine de bir önceki geceye göre daha iyiydi. Akşam eve gitmek istemedim, biraz dolaştım, konuşacak birilerine ihtiyacım vardı ama yanımda başka birinin varlığına da katlanamıyordum.

Eve geldiğimde sokak kapısının üstünde bir not buldum, 'Bahçedeyim' yazıyordu kâğıtta.

Gülsevil olduğunu anladım. Işıkları yakmadan eve girdim, mutfak kapısından onu izledim, ağacın altındaki masada oturuyordu. Alacakaranlıkta yüzünü seçemiyordum; bekliyordu, hiçbir şey yapmadan öylece durmuş bekliyordu. O an kendimi kötü hissettim. Benim için gelmişti. Her şeyi göze alarak beni beklemişti. Işığı yakınca eve geldiğimi anladı, bana doğru yürümeye başladı, elinde kitaplar vardı, bahçeye doğru bir adım attım, gelip bana sarıldı, yüzünü göğsüme gömdü. Ama ne bir özür dileme vardı bu yaptığında ne de, 'Artık seninleyim,' diyen, bir kararın işaretiydi bu.

'Beni böyle kabul et,' demek istiyordu.

Onu öyle, olduğu gibi kabul ettim. Fazla seçeneğim olmadığını, onun dokunuşlarını özleyeceğimi, ondan vazgeçemeyeceğimi biliyordum.

Kulağıma, 'Bana bir şeyler anlat,' diye fısıldadı.

Her şeye rağmen biraz rahatlamıştım; bir yandan da duyarsızlaşacaktım. Tanıştığım bütün kadınlara kur yapmaya, onları baştan çıkarmak için elimden gelen bütün maymunlukları arsızca sıralayacağıma emindim. Sadece sevişmek istiyordum; özellikle Gülsevil'in beni yalnız bıraktığı gecelerde. Onun olmadığı geceleri başka bir kadınla geçiriyordum, kimseyi bulamazsam sabaha kadar acıdan kıvranıp duruyordum."

"Ne oldu da bunları bana anlatıyorsun şimdi?" diye çıkıştı Bahri.

Parmaklarındaki ivecenlik bütün vücuduna yayılmıştı. Yüzündeki gerilimi gizlemeye çalıştıkça kırmızı bir kin gelip iki kaşının arasındaki çizgilere yerleşiyor ona korkunç bir görüntü veriyordu.

"Geçen gün Suat Bey, beni çağırdı. Boya işi vardı, yalnızca iş konuşacağımızı sanıyordum. Gülsevil'le olan ilişkimizi öğrenmiş. Çok kızgındı. Konuşmaya çalıştım ama beni dinlemedi."

"Ne yapmasını bekliyordun?" diye çıkıştı Bahri.

"Bilmiyorum."

"Erol'un haberi var mı?"

"Yok."

"Benden ne istiyorsun peki?" dedi Bahri toparlanarak.

"Hiçbir şey. Sadece konuşmak, birisine bunları anlatmak istedim."

Bahri, alaycı bir gülümseyişle masadan kalktı. Faik, gözlerini Bahri'nin yüzüne dikmiş merakla ne yapacağını, ne diyeceğini bekliyordu.

"Suat Bey'i babam gibi sevdiğimi biliyorsun. Onun canını sıktığın yetmiyormuş gibi bu pisliğe beni de ortak etmeye mi çalışıyorsun?"

Bahri, bir süre Faik'e baktı, sonra başını sallayarak bara doğru yürüdü, biraların parasını ödeyip, arkasına bakmadan dışarı çıktı.

Faik, oturduğu yerden kımıldamadı.

Garson garip bir yüz ifadesiyle kendisini izliyordu. Bardağındaki birayı bir dikişte içip, garsondan birayı tazelemesini istedi.

✦ ✦ ✦

Yola çıkmak gülünç bir duygunun ötesine geçtiğinde, yol boyunca baktığı hiçbir şeyi görmediğini fark etti. İçini dolduran huzurun tadını çıkarmaya karar verdi. Daha önceleri pek fark etmediği dirençli bir yanını keşfetmişti; bütün kötülüklerin üstesinden gelebilirdi artık. Yeniden kendi kendine hikâye anlatarak ayakta kalmayı başarabilirdi.

Bir benzincide mola verdi. Kafeteryada sert bir kahve içti.

Otobandan geçen araçları izlerken, "Yaşanılanı anlatmak, hikâye anlatmaya benzemiyor. Bu bir hikâyeyse, sonuna yaklaştın Faik," diye mırıldandı.

12

Arabayı bir ara sokağa park edip, yanından yöresinden geçen insanları neredeyse görmeden caddc boyunca yürüdü. Köşe başına geldiğinde, ateşi filtresine dayanan sigarayı bir adım ötesine fırlatıp, yoluna devam etti.

Denize inen sokağın başında durdu. Ne yapmak istediğinden kendisi de emin değildi. Ne olduysa, birden kararlı adımlarla çay bahçesine doğru yürüdü, denizi rahat görebileceği bir masaya oturup, üst üste çay içti.

Az ötesinde yaşlı bir adam mırıldanarak gazete okuyor, onun yanındaki masada oturan yirmi yaşlarında bir genç ise yoldan geçen kadınları gözleriyle soyuyordu.

Bir çay daha isteyip denizi seyretmeye devam etti Faik.

Çay bahçesinden kalktıktan sonra biraz daha dolaşıp, ayaküstü bir şeyler atıştırdı. Evin yolunu tutmadan marketten ufak tefek şeyler aldı.

Eve dönecek, masanın üstünde kendisini bekleyen kitaplara gömülecekti yeniden.

On gündür Gülsevil'in bütün çağrılarına kulak tıkıyor, onunla görüşmemek, buluşmamak için bahaneler uyduruyor; Erol'un "Hadi gel içiyoruz," davetlerini sudan sebeplerle geri çeviriyordu.

Bahri'yle buluştuğu gecenin ardından içini kaplayan huzurun, silik, belirsiz bir görüntü olmasına izin vermiyordu Faik; kendi kendisini besleyen bir ruh dinginliğiyle, bilincini, direncini diri tutmaya çalışıyordu. Zihninde canlanan ne kadar yüz, ses, koku varsa hepsini hakkını vererek hatırlamaya çalışıyor, yeri geldiğinde, şehirdeki bütün uyarıcılara kulak tıkıyordu.

Sabahları, hava serin olsa bile ağacın altında kahvaltısını yapıp, ilk defa İstanbul'a gelmiş bir yabancı gibi şehri dolaşıyor, akşama doğru kitapçılara girip çıkıyor, Naşit'in kitaplığından ödünç alıp tutkuyla okuduğu kitapları satın alıyor, onları yeniden okuyordu.

Bir şeyler öğrenmeye başlayan yeniyetmeler gibi heyecanlı, meraklı, aynı zamanda tedirgindi.

O kitaplarda neler yazdığını bildiğini sanıyordu ama okudukça heyecanı, merakı, tedirginliği kat kat artıyordu; sanki o kitapları hiç okumamış, içinde yazılanları imgeleminden süzmemiş gibi hissediyordu kendini. Demek o zaman başka bir gözle, başka bir dille, başka bir ruhla sarılmıştı o kitaplara; şimdi okudukça kendi kendine uydurduğu hurafelerin boyunduruğundan sıyrılıp, aklını bambaşka maviliklere, bambaşka derinlik sarhoşluklarına teslim ediyordu. Bu kusursuz rüyanın bozulmaması için her şeyi yapmaya hazırdı.

Kimi zaman da eski defterleri aralayıp, çocuk parmaklarıyla yazdığı manileri, masalları okuyor; okudukça, annesinin sesinin rengini, kokusunu, teninin ısısını o sözcüklerde görüyordu.

Akşama doğru eve döndü.

Çay demledi. Bahçeye çıkan taşlığa oturup bir sigara yaktı. Az ötesinden bir kurbağa sararmış otlara doğru sıçradı.

Bir ritüeli yerine getirir gibi yavaşça ayağa kalktı. Masadaki kitaplardan ikisini alıp koltuğunun altına sıkıştırdı. Büyük bir fincana çay doldurup, ağacın altındaki masaya oturdu.

Hava karardıkça ağacın tepesinden sarkan ışığın gücü artıyordu.

"Kapıya vuruyorum yarım saattir duymuyor musun?"
Gülsevil bahçe duvarının arkasından Faik'e bakıyordu.
Bir şey söylemeden masadan kalktı, ona doğru bir iki adım atıp durdu.

Gülsevil, bir şeyler söylemesini bekliyordu ama Faik, dudaklarından dökülecek sözcükleri kontrol edememekten korkuyordu. Oysa önünde sonunda onunla tekrar karşılaşacağını, bir şeyleri sonuca bağlamak zorunda kalacağını biliyordu.

"Gelsene," dedi sonunda belli belirsiz bir fısıltıyla.
Demir kapıyı aralayıp bahçeye girdi. Üzerinde uzun, gri bir pardösü, elinde siyah evrak çantası vardı. Saçlarını gösterişsiz bir tokayla tutturmuş, yüzünün yuvarlak, kusursuz hatlarını açığa çıkarmıştı. Gülsevil'in üzerinde, bütün gün çalışmanın neden olduğu bitkinlikten daha çok, ihmal edilmenin getirdiği kırgınlığın ağırlığı vardı.

"İçeride oturalım mı?" diye sordu Gülsevil.
Salonun loş aydınlığına geldiklerinde, Gülsevil, evrak çantasını bir köşeye bırakıp, pardösüyü çıkardıktan sonra, her an kalkıp gidecekmiş gibi sandalyenin ucuna ilişti.

Faik, serseme dönmüş bir ruh haliyle odada bir dakika kadar dolaştıktan sonra, "Çay getireyim," diyerek mutfağa yöneldi.

Geri döndüğünde Gülsevil'i, oturduğu yerde, kılını kıpırdatmadan kendisini beklerken buldu. Masaya çayı bırakırken gülümsemeye çalıştı. Nereye oturacağını kestiremeden odada dönendi.

Gülsevil, "Niye kaçıyorsun benden?" diyerek bakışlarını, hâlâ oturacak yer arayan Faik'e dikti.

Sonunda Gülsevil'den en uzak köşeye, kanepeye oturdu. Onca şey yaşadıktan sonra, bu soruya vereceği bütün yanıtların komik olacağını biliyordu. Kalkıp, Gülsevil'in yüzünü avuçlamak, dudaklarının sıcaklığını dudaklarında hissetmek istiyordu. Bunu yapmasına engel olan gücün ne olduğunu tam kestiremiyordu. Emin olduğu, onu durduran şeyin ne Suat Bey ne Erol ne de Bahri olduğuydu. Ondan ayrı kaldığı her günün gecesi ilişkilerine dair bütün kötü ihtimalleri gözden geçirmiş, kendisini ayrılığa hazırlamıştı.

"Beni istemiyor musun?" diye üsteledi Gülsevil.

Sorusuna yanıt alamamak yüzündeki gerilimi daha çok artırıyordu. Sonunda fısıltıyla, "Başka birine mi âşık oldun?" diye sordu.

"Öyle bir şey yok," dedi Faik, konuşamamaktan korkmuştu bir an.

Sonra, Gülsevil'e ilk kez, "Seni seviyorum," dedi utanarak.

"Bütün mesele bu muydu?" diye bağırıp, ellerini iki yana açarak ayağa kalktı Gülsevil.

Deli gözleri cevap bekliyordu. Faik'in böyle anlardaki suskunluğunu biliyordu; sonunda anlayışlı, dingin bir ses tonuyla, "Ben de seni seviyorum; seninle sevişmeyi, konuşmayı, yemek yemeyi, yürümeyi, seninle yapılabilecek her şeyi seviyorum. Ama senden kaçmıyorum," dedi.

"Nereye kadar devam edecek bu? Birbirimizi alevlendirip, ateşimizi başkalarıyla söndürmeye devam mı edeceğiz?" diye bağırdı Faik.

Kendi sesinden korkmaya başlamıştı. Ellerinin titremesine engel olmak için parmaklarıyla dizlerini kavradı.

Tatlı bir sesle, "Böyle konuşmayalım," diyerek iliştiği sandalyeden kalktı.

Faik'in yanına gelip, parmaklarını avucunun içine hapsetti. Yavaşça vücudunu kanepeye bırakırken, Faik'i de kendisine doğru çekti. Artık konuşmayacaklardı. Birbirlerine sarılıp öylece yattılar.

En küçük kıpırtıda bile gözlerini açacaklarını bildikleri huzursuz bir uykuya daldılar.

Birbiri içine geçmiş belirsiz sesler, yüzler, mekânlar, olaylar gördüğü düşten, en az gördükleri kadar karmaşık ruh haliyle sıçrayarak uyandığında, Gülsevil'in bakışlarının, yüzüne saplanıp kaldığını gördü.

Faik'in dudaklarına bir öpücük kondurup ona sarıldı, parmaklarını Faik'in vücudunda gezdirmeye başladığında, "Bir hikâye anlatsan," diye mırıldandı Gülsevil.

Kapının yumruklanma sesiyle kanepede doğruldu, duyduğu sesten emin olmak için kısa bir süre öylece bekledi Faik, kapı yeniden yumruklandı, terli parmaklarını Gülsevil'in avucundan kurtarıp ayağa kalktı.

"Geliyorum şimdi," diyerek, sokak kapısına yöneldiğinde kapı yumruklanmaya devam ediyordu.

Kapıyı açtı.

Yüzünün yarısını örten eprimiş kasketi; ince, sivri çenesinde küçük bir çukur olan; avurtlarından elmacık kemiklerine doğru bir dağ yükseltisi taşıyormuş gibi duran yaşlı adam, "Sen Faik misin?" diye sordu.

"Evet."

"Selamünaleyküm," diyerek içeri girdi yaşlı adam.

Ayakkabılarını çıkarırken, "Beni tanımazsın. Arif ile annenin babasıyım," dedi.

Doğrulup Faik'in yüzüne baktı. "Sen bayağı bir adam olmuşsun," dedi gülerek.

Yaşlı adamın gelişiyle, Gülsevil uzandığı kanepeden kalkıp toparlandı. Pardösüsünü, evrak çantasını alıp çıkmaya hazırlandı. Sokak kapısının önünde birbirlerine sarıldılar. Hiçbir şey söylemeden karanlığa çıktı Gülsevil.

Yaşlı adam, meraklı bakışlarla Gülsevil'in evden çıkışını izledi.

Salona geçerken, "Kalsaydı, niye gitti gecenin yarısında?" diye mırıldandı.

Masaya oturup etrafını incelemeye başladı. Kitaplığa, duvardaki resimlere, kanepenin yanındaki sehpaya baktı. Kasketini çıkarıp, dökülmüş saçlarından artakalan bir tutamı sıvazladı. Kasketin içindeki gazete kâğıdını düzeltti. Cansız saçlarını bir kez daha sıvazlayıp kasketi başında denedi, istediği gibi olduğuna kanaat getirip, kasketi masanın üzerine bırakırken, "Ben açım, yemeğin yok mu?" diye sordu yaşlı adam.

"Yemek ısıtırım şimdi," dedi Faik.

"Yok, çorba morba istemem, çay varsa yeter."

Faik, masanın üstündeki kitapları raflara gelişigüzel dizdi.

Beyaz peynir, domates, reçel çıkardı. Çay getirdi.

Yaşlı adam bir masaya, bir Faik'e baktı.

"Zeytin yok mu?" diye sordu.

Sofraya cam tabakta zeytin getirdi Faik, kendisine de çay alıp masaya oturdu.

Çatalla peynirden küçük bir parça koparıp, kırçıl bıyıklarının gizlediği ince dudaklarını aralarken, gözucuyla Faik'e baktı; yaşlı adamın yüzünde çocuksu bir sevimlilik, masumiyet vardı ama nedense acemice kaşlarını çatarak sert görünmeye çalışıyordu.

Tabağa uzanırken, "Zeytinsiz sofra eksik olur," diye mırıldanıp, çatalın ucuna etli bir zeytin takarak ağzına götürdü.

Kısa bir süre sonra dudaklarına sıkıştırdığı zeytin çekirdeğini ustaca çatalın ucuna çıkarıp tabağın kenarına iliştirdi.

"Seni bir kere görmüştüm. Çok küçüktün o zaman. Erkek kısmı yaşlandıkça soytarı oluyor biliyor musun? Ne sözün geçiyor ne babalığın, atalığın kalıyor. Zeytin de güzelmiş. Yesene sen de," diyerek ağzına bir zeytin daha attı yaşlı adam.

Faik, düşle gerçek arasında bir yerlerde duran bu yaşlı adamı şaşkın bir hayranlıkla gülümseyerek izliyordu. Uykunun rehaveti, Gülsevil'le olmanın ağırlığı bir anda uçup gitmişti.

"İyi misin İstanbul'da, bir işin var mı?"

"Var. Boya yapıyorum."

"Ne boyası?"

"Duvar boyuyorum. Evler, dükkânlar..."

"Yapacak başka bir iş bulamadın mı? Dayın gibi saçma sapan işlerle uğraşıyorsun. Kafanı çalıştırsaydın da rahat bir iş yapsaydın; sen okumuş yazmış bir adamsın. Arif söz dinlemezdi; sözümü dinleseydi şimdi yediği önünde yemediği arkasında olurdu. Gençliğinde bana az mı çektirdi. Ne kazanıyorsun şimdi sen?"

"İyi kazanıyorum. Kiramı ödüyorum, arabama benzin koyuyorum, yediğim önümde yemediğim arkamda," dedi Faik gülerek.

"Aynı Arif olmuşsun sen. Dibine düşmüşsün. Bir gün beni bir kızdırdı, az daha nacağı alıp, kafasını boynundan ayıracaktım. O vakitler deliydim, yapardım haa. Ama kan işte. Dedim ki ona, 'Bak oğlum, paramız var, toprağımız var, az çok itibarımız da var, gel çalış köyde, her şeyi heba etme.' O tutturdu, 'Şehirde çalışacağım,' diye. Bok var orada. Gitmiş bir de kendinden büyük bir orospuya tutulmamış mı? Sultan desen başka bir dert, baban olacak o adama tutuldu. O da az it değildi. Tövbe tövbe, ölmüş adamın günahını alıyorum! Gelip Sultan'ı istedi. Ben de dedim ki: 'Kızımı kaçakçılık yapan bir adama vermem. Bırakırsın kaçağı, yapmayacağım bir daha diye tövbe edersin, gelir Sultan'ı alırsın,' dedim. Kötü mü demişim?

O da, 'Ben kaçağı bırakmam,' dedi.

'Sultan yok sana,' dedim ben de. Kötü mü ettim? Günden, gölgeden esirgediğim tek kızımı yarın ne olacağını bilmediğim adama mı vereydim? Haksız mıyım oğul? Bir şey de."

"Ben bilmem ki o günün şartları neydi, nasıldı?"

"Nasıl olacaktı," diye çıkıştı yaşlı adam kollarını havaya kaldırarak.

"Kaçak yapıyor, yarını belli mi? İti var, kopuğu var. Babanı vurduklarında, dediler ki ben ihbar etmişim onu. Külliyen yalan. O adam başıma silah dayadı biliyor musun? Bir şey yapsaydım o vakit yapardım, çağırırdım jandarmayı, 'Bu adam hem kaçak yapıyor hem de bana silah çekip beni tehdit etti,' diye ihbar ederdim.

Allah'ı var, yiğit adamdı. Cesurdu. Dedim ki ona, 'Bas tetiğe, sana kızımı vermem, verirsem bil ki ölümün üstünden geçersin.'

'Seni öldürürsem jandarma peşime düşer, hapse girerim,' dedi.

'Aferin sana, akıllı adammışsın,' dedim.

Sonra, Sultan'ı sakladım ondan; dışarı çıkmasını yasakladım. 'Evin içinde yapsın ne yaparsa,' dedim.

Babanın ne vakit gelip gittiği belli olmuyordu. Kaçırır diye korkuyordum. Eve kapadıktan sonra her geçen gün erimeye başladı kızım. Yanına vardım, kaç kere konuştum onunla, 'Ben,' dedim. 'Senin iyiliğini isterim, kızımsın, emeğim var üstünde, bilsem ki mutlu olacaksın, çık git derim sana,' dedim.

'Hem yanımızda yöremizde ol ki, elden ayaktan düştüğümüzde bir bardak su verenimiz olsun,' dedim.

'Elimi kana bularım senin için,' dedim.

'Vazgeç bu sevdadan,' dedim.

'Ya da ona söyle kaçaktan vazgeçsin,' dedim.

Dinletemedim. Ben ne yapaydım oğul? Bir gün Arif çıktı geldi. Bir güzel kavga ettim onunla. Şimdi, aklım yeni yeni eriyor, başkalarına melek gibi davranan bu oğlan, benim karşımda aslan kesiliyordu, biliyor musun? Karıncayı incitmez o. Vallahi yalan söylemiyorum, benim dışımda herkese melekti. Karşısında beni görünce hindi gibi kabarıyordu. Dayanamadım, kavga ettik bir gece ama öyle böyle değil; baktım Sultan da her geçen gün eriyor, dedim ki rahmetli hanıma, 'Söyle o Arif olacak pezevenge, alsın götürsün Sultan'ı, ne yaparlarsa yapsınlar, benden uzakta yapsınlar yeter ki,' dedim. İyi dememiş miyim?"

"İyi demişsin," dedi Faik.

Yaşlı adam ceplerinde bir şeyler arandı, sonunda eski bir tütün tabakası çıkardı. Tabakayı açtığında yüzünü buruşturup, "Bitmiş içine tükürdüğüm, bundan bir tane bile sarılmaz," dedi.

"Bende var sigara."

"Onlar filtrelidir. Neyse, ver sen yine de bir de çay ver."

Faik, mutfağa giderken, yaşlı adam sigarayı yakıp kitaplığa doğru yöneldi. Tek tek kitapların sırtında yazılanları okumaya çalıştı. Kimisini eline alıp bir iki sayfa çevirdi.

Çay bardağını masaya bıraktı Faik.

Yaşlı adam arkasına dönüp baktı, çayın geldiğini görünce yüzüne can gelmiş gibi gülümsedi.

"Ne yapıyorsun bu kadar kitabı?" diye sordu alayla.

"Okuyorum," dedi Faik.

"Okuyunca ne oluyor ki?"

"Hiç. Bir sonrakini okumaya başlıyorsun."

"Kahveye, kumara gitmekten iyidir herhalde. Ama sen dayına benziyorsun, kahveye falan da gitmezsin."

Elindeki kitapları rafa bırakıp masaya oturdu yeniden. Çaydan bir yudum içip Faik'in yüzüne baktı dikkatle.

"Dayını ne kadardır görmüyorsun?"

"Çok oldu."

"Onu aradın mı hiç, halini hatırını sordun mu?"

"Yok, hiç aramadım," dedi Faik.

"Küs müsünüz yoksa?"

"Küs değiliz de..."

"Öyle yapmayın evladım, bunun ölümü var, hastalığı var."

Çaydan bir yudum içerken, kamburunu çıkaran yaşlı adamın yüzüne karanlık bir acı gelip oturdu.

"Sultan öldüğünde cenazesine gitmedim. Yediremedim kendime. Benim sözümü dinlemediğinden değil; kızsan da darılsan da zamanla uysal, ağırbaşlı bir köpeğe dönüyorsun. Neyse, lafı dallandırıp budaklandırıp canını sıkmayayım. Baban öldükten sonra Sultan'la ilgili havadisler geliyordu bana. Hasta olduğunu söylediler. Anladım hemen, onun kurtuluşu yok artık. Her gün, 'Öleceğim,' diye gözlerini açıyordur yatakta.

Bir gün kasabaya indim, Arif'i buldum, beni görünce keyfi kaçtı; oğlumu tanımaz mıyım?

'Hocaya, doktora götür Sultan'ı,' dedim.

'Gitmiyor hiçbirine,' dedi. 'Sen bakma ona, aklına gir,' dedim.

Bir işe yaramayacağını biliyordum; yine de Allah'tan umut kesilmez. Ondan sonra bir iki kere daha buldum, konuştum Arif'le. İstanbul'da da çare bulamamışlar. Yavaş yavaş öldü kızım, hiçbir şey yapamadım. Sultan öldüğünde haber gönderdi. Ben nasıl giderim kızımın cenazesine... Oturup günlerce ağladım. Kader mi desem, Allah'ın emri mi desem, ne dersem diyeyim, hiçbir şey değişmiyor ki. Sultan'ım gitti..."

Yaşlı adam burnunu çekti. Gözleri dolmuştu ama ağlamaya niyeti yokmuş gibi kamburunu kaybedip, dik, kendinden emin duruyordu. Sigaradan bir iki nefes çekti.

"Şimdi de sıra Arif'e geldi," dedi birdenbire.

Faik bir şey anlamadan yaşlı adama baktı.

Bir anda yeniden çöktü; şimdi, geldiğinden daha yaşlı, daha yorgun, bitkin gözüküyordu. Ellerini mahkeme karşısındaki suçlu gibi önünde birleştirdi, beraatını istemeyecek kadar gururluydu.

"Hastaneye getirdim onu. Meğerse uzun zamandır hastaymış, bana söylememiş. Sonra duydum işte. Kalktım kasabaya indim. Bir öğretmenin karısı var, arada bir gelip yokluyordu Arif'i. Doktora moktora gitmiş. Bir halta yaramamış."

Boş gözlerle yaşlı adamı izleyip söylediklerini anlamaya çalıştı Faik.

"Sonra, öğretmenin karısının burada tanıdıkları varmış, araya birilerini sokup, doktor, hastane ayarladı, kalkıp geldik işte," dedi yaşlı adam.

"Gülten'le mi?"

"Hee, onunla. Bir yerleri arayıp adresini buldu. 'Sen dedesisin, sana düşer, git anlat. Böyle böyle oldu, dayın hastanede de, o gelip ilgilenir, yardımcı olur bize,' dedi. Ben de bir şey diyemedim. Gündüz geldim, kimse yoktu, hastaneye döndüm yeniden. 'Evi belledim ya artık gece de olsa bulurum,' dedim kendi kendime. Güzel de bir evmiş. Bakımlı, temiz ama biraz karanlık, bir ışık daha yaksan. Yoksa, yeni moda bir şey mi bu?"

"Yok, moda falan değil."

"Bir sigara daha versene."

Faik, masadaki sigara paketini yaşlı adamın önüne doğru itti.

Sigarayı yakarken, "Ben yorgunum, kaç gündür adam gibi yatak görmedi sırtım. Bana bir yatak açsan da uyusam. Şimdi çok geç oldu, sabah birlikte hastaneye gideriz," dedi yaşlı adam.

13

Kırık bir camın ardından bakıyordu sanki, görebildiği o kadar parçalı, sınırlıydı ki daha çok hayal gücünü kullanmak zorundaydı. Bir uğurböceği gelse, ellerine konsa, bir dilek tutup, uğurböceğini uçurmak için annesinin söylediği manilerden birini okusaydı.

Her şey kurguladığı gibi olsaydı...

Hastanenin koridorlarında yürüyorlardı, yaşlı adam kamburunu çıkararak merdivenlere yöneldi. Derin derin soluyarak çıktı merdivenleri. Sonra ucu karanlık bir koridora yöneldiler.

Faik, yaşlı adamın ardından giderken korkuyla merakın iç içe geçtiği ağırbaşlı heyecanını dizginlemeye çalışıyordu. Neyle karşılaşacağını, ne yapacağını bilememesinin yanında, bütün gece aklını kurcalayan vicdan azabıyla baş edemiyordu. Onca zaman niye aramamıştı sanki... Yaşadığı bütün olumsuzlukların, haksızlıkların suçlusu olarak Arif'i görmek, o kimsesiz adama yapılacak en büyük kötülük değil miydi?

Şimdi, bütün bu sorulardan kurtulmak, aklını toparlayıp ne yapılması gerektiğini öğrenmek için soğukkanlı olmalıydı. Doktorlarla konuşacak, dayısının iyileşmesi için ne gerekiyorsa yapmalarını isteyecekti. Gerekirse Suat Bey'i bile aramaya hazırdı, onun çevresi genişti; bir telefonla her şeyi halleder, istediği doktoru, istediği hastanın ayağına getirirdi. Gerekirse geceler boyunca dayısının başucunda refakatçi kalacaktı. Gülay'a da haber vermek gerekirdi. Ama önce dayısını bir görseydi!...

Koridorun loş ışığından, geniş pencereli büyük bir odaya girdiler. Yataklardaki hastalar başlarını kaldırıp yeni gelenlere baktı. Yaşlı adam merakla yataklara bakındı.

"Oğlunu yoğun bakıma kaldırdılar dayı," dedi içlerinden biri.

"Ne oldu da götürdüler ki?" diye yakındı yaşlı adam.

"Sabaha karşı ağırlaştı," dedi, kolunu başına destek yapıp, boş yatağın yanında yatan genç.

Yeniden koridora çıktılar. Sanki, az önce geçtikleri koridor daha da uzamıştı. Merdivenlerden indiler, sahanlıkta bir hemşireye yoğun bakımın nerede olduğunu sordu Faik.

Bir kat daha aşağı inip yine uzun bir koridor geçtiler. Koridorun sonundaki geniş kapının önünde bir kadın bekliyordu. Kendisine doğru gelen yaşlı adam ile Faik'i görünce onlara doğru yürümeye başladı. Dipleri kumral, siyaha boyalı saçlarını arkadan bağlamış, kan çanağına dönmüş gözlerinin altı morarmıştı. Gülten'in ağlamaktan şişen yüzünde tanıdık tek bir çizgi bile göremedi Faik.

Yaşlı adamın boynuna sarılıp, hıçkırarak "Öldü" demeye çalıştı Gülten, bir türlü cümleyi tamamlayamadı.

Faik, yoğun bakımın kapısına doğru yürümeye devam etti, kapıyı araladı, iki hastabakıcı sedyeye Arif'in cesedini yerleştirmiş, beyaz bir çarşafla üstünü örtmeye çalışıyordu.

Hastabakıcılardan biri Faik'i fark edip, "Dışarıda bekleyin," diye seslendi.

"O benim dayım," dedi Faik gözyaşlarına engel olmaya çalışarak.

"Başınız sağ olsun," dedi, tıknaz, gür sesli olanı.

Faik, sedyenin başına geldiğinde Arif'in üstünü beyaz çarşafla örtmüşlerdi.

"Görebilir miyim?" diye mırıldandı.

Hastabakıcılar birbirine baktı. Sonra yavaşça çarşafı araladılar.

Sakalları uzamıştı; bir daha açılmamak üzere yumulmuş gözlerinin altındaki morluklar ve içine göçmüş avurtlarıyla sedyede yatan Faik'in tanımadığı bir adamdı.

Eğilip Arif'i soğuk yanağından öptü. Gözyaşlarını tutmak istemiyordu artık, kendini bıraktı.

Çarşafı yeniden örttüler.

"Nereye götürüyorsunuz onu?" diye sordu Faik.

"Morga kaldıracağız, işlemleri bitirdikten sonra teslim alabilirsiniz cenazeyi," dedi tıknaz hastabakıcı.

Akşama doğru hastanedeki işlemleri bitirdi Faik. Ertesi gün morgdan cesedi alıp, kasabaya gitmek için yola çıkacaklardı.

Yaşlı adam, bütün gün hastane köşelerinde ağladı. Yüzündeki sevimli ifade kaybolmuş, feri yitmiş gözleriyle, karanlık bir duvarı andırıyordu artık.

Eve geldiklerinde Gülten yavaş yavaş kendini toparlamaya başlamış ama bu defa da koltuğunun altından ayırmadığı yaşlı adamı avutmaktan yorulmuştu.

Ağlamaktan bitkin düşüp kanepeye uzanan yaşlı adam uykuya daldı; arada bir sıçrayarak uyanıyor, derin soluklar alarak yeniden uyumaya çalışıyordu.

Gülten, masaya dayadığı kollarına başını yaslamış, gözlerini boşluğa dikmişti. Neredeyse hiç konuşmamışlardı.

Odadaki sessizlik büyüdükçe, Faik, dayısını düşünmekten kendini alıkoyamıyordu. Sonunda sırf bir şeyler yaparak oyalanmak için mutfağa gitti. Yemek hazırladı.

Senin İçin Değil

Yeniden salona dönecek gücü bulamadı kendinde; taşlığa oturup bir sigara yaktı. Kurbağaların gürültüsü şehrin uğultusunu bastırıyordu.

Arkasına baktı birden. Gülten mutfak kapısının önünde kendisini izliyordu; bir bardak su alıp Faik'in yanına oturdu. Bahçeye, gökyüzüne, uzaktaki apartman bloklarına baktı, yüzündeki acıyı gizleyemiyordu.

"Bir sigara versene," dedi, çatallaşan sesiyle.

Yağmur çiselemeye başladı, gök gürlemesiyle birlikte iri yağmur taneleri birer ikişer toprağa düştü.

Ağacın altındaki masada açık bırakılmış kitap ıslanmaya başladı.

"Bardağımdaki çay soğumuş, içmeyi unuttuğum sigaranın ateşi filtresine gelmişti. Apartmanların üstünden gün ağarmaya başlamıştı; odayı aydınlatan lambalar yavaş yavaş gün ışığına teslim oluyordu.

Pencereyi açtım, kuşlar çığlık çığlığa bağırışıyor ama hiçbiri ortalıkta gözükmüyordu. Bu gürültü sessizlikten daha iyiydi kuşkusuz. Geceyi yaşamak, sabahı beklenmedik bir Tanrı misafiriymiş gibi karşılamak, eline elma şekeri tutuşturulmuş bir çocuğun minnet duygusunu yüzüne yapıştırıyor insanın. Bir yanıyla da anlatılması zor bir dinginlik, sırat köprüsünden tek başına geçerek, cennetin yolunu tutmak gibi bir şey.

Öylece durdum ve baktım. Bu duygu uzun bir hikâyeyi sonuca bağlamanın getirdiği hafiflikle birleşince, her şeyi yapma gücünü kendinizde buluyorsunuz.

Yeniden masanın başına döndüğümde yüzüme yapışan aptal tebessüme engel olamadım; geceler boyunca yazdığım kâğıtları bir araya topladım. Boşalmış sigara paketlerini, silme dolu küllükleri, artık bir hükmü kalmayan notları çöpe attım. Masadaki irili ufaklı bardakları mutfağa götürdüm, bir bardak çay alıp yatak odasına geçtim.

O hâlâ uyuyordu; eğilip yanağından öptüm. Huzursuzca kıpırdandı. Çaydan bir yudum alıp yanına uzandım.

Uyandı, yüzünü bana dönüp gülümsedi. 'Bitirdin mi?' diye sordu.

'Yeni bir hikâye dinlemek ister misin?' dedim.

Birden uykusu açılmıştı, gülümsedi. 'Dinlerim,' dedi."